JN062684

shikatsu
no
shikatsu

Tanikawa Shuntaro
Tian Yuan
Yamada Kenji

詩活の死活

★この時代に詩を語るということ

谷川俊太郎◆
田原◆
山田兼士◆

澪標
miotsukushi

詩活の死活　この時代に詩を語るということ　＊目次

装幀　倉本修

詩はいつ来るのか

山田兼士

夜明け前に
詩が
来た　――谷川俊太郎
「襤褸」より

よあけまえにしがきた
あの三行は実にすてき
けはいだけはあったが
まだぼくにはこないし
えいえんにとどくのに
にんげんはそのてまえ
しの少し前でつかのま
がまんをしてまつだけ
きもちをしずめてああ
たいせつなしがくるよ

質問というわけではない——谷川俊太郎に

田原

一

誰？　時間の深みで簫を吹き
簫の音を広漠たる廃墟に木霊させるのは
誰？　竹林を揺り動かし　高原を起伏させ
河の流れを陽の光りの下で痙攣させるのは

二

誰？　僧侶の愛を無理やり奪い取り
僧侶を鐘の音の中で孤独のうちに死なせるのは
誰？　数珠を揉み捩り
数珠に種の膨らむ欲望を芽生えさせるのは

三

誰？　海底の沈船のように沈黙し
記憶を錆びさせ腐爛させるのは
誰？　波の先端で波にぶつかり
咆哮する海を鎮まらせるのは

四

誰？　樹木の中に身を隠して果実を作り出し
鳥たちに天の上から飛んで来させるのは
誰？　鷲鷹の嘴を授け与えて
そいつたちに石の中の虫を啄ませるのは

五

誰？　時間を引き留めようと祈りを捧げていて
祈りの中でこっそり時間を逃がすのは
誰？　青春の花を振りかけていて
そのあとでまた青春の花びらによって埋葬されるのは

六

誰？　空想の楼閣に運び入れて
太陽をテラスで散歩させるのは
誰？　夢に樹を切り倒していて
啄木鳥たちの抗議を無視するのは

七

誰？　盗掘された古い墓の中に隠れて涼み
墓荒らしの秘訣を見つけるのは
誰？　闇市で文化財を売り
祖先の霊魂から政府に告発されるのは

八

誰？　幻覚の河原で夢遊病を患って
貝殻を拾っているのは
誰？　法螺貝をこじ開け

陸地を洪水で埋没させるのは

九

どんな指？　都会で慌ただしく薔薇を売っているのは
どんな指？　少女の股でせっかちなのは
どんな唇？　堅い契りを交わしているのは
どんな顔？　真っ昼間に消えてゆくのは

十

誰？　世界の終りの到来を予言しているのは
誰？　他の星に住むのを渇望しているのは
誰？　心のなかで地球を放棄しているのは
誰？　人類の最後を憂えているのは

大阪芸術大学特別講義（二〇〇五年十一月十五日）

一九七〇年代後半から現在までを展望する

山田兼士　すっかり恒例になりました秋の行事、谷川俊太郎さんをお招きしての特別講義をこれから始めます。今日は予定してることがたくさんあって、一応テーマとしては、去年に引き続き「詩の半世紀を展望する」としていますが、この一年の間にも谷川さんの本がたくさん出て、新しい話題がいろいろあるんです。どのへんからやっていこうかと随分悩んでそれなりに準備してきて、先程すこし打ち合わせをしたところです。

今日初めての人もいますので、まず谷川俊太郎さんをご紹介します。一年ぶりですね。ようこそ。

谷川俊太郎　ええ、どうもありがとうございます。

山田　いかがですか、調子と言いますか、ご機嫌と言いますか。

谷川　もう……そうですね、そろそろ死ぬんじゃないかなーと思ってるんですが、なかなか死にませんね。（場内笑）

山田　不死身ですね。

谷川　ええ、変ですね。

山田　三つ子の魂百までと、ご自身で宣言してらっしゃるので頼もしい限りです。……生誕百年のお祝いやりましょうね。

谷川　はあー……（場内笑）

山田　今年でもう六回目になるんですけどね、今日は今までの話の流れを引きながら新しい話も入れて、少しは被ってもいいかな、というような感じでお願いします。

今まで色んな話が積み重なっているんですけれど、それはまあ一応横に置いといて、初めての人も半分近くいるということなんで、新鮮な気分でやりたいと思います。引き続きご紹介します、今日は仙台からはるばる駆けつけて頂きました。田原さん、自己紹介してください。

田原　はい、田原と申します。ご無沙汰しております。どうぞよろしくお願いします。

●この一年の新刊書など

山田　この一年間の谷川さんのお仕事について最初に紹介させて頂きます。まず、田原さんが編集して、つい最近第三巻が出たばかりの「谷川俊太郎詩選集」全三巻です。非常にいい編集で、僕も感心しています。この三冊があったら、ひととおり谷川俊太郎「詩の半世紀」の主な流れが掴めますね。色々おまけもついていて楽しい本です。その苦労話などを田さんに聞いてみたいと思っています。それから一番新しいのはこのCD「谷川俊太郎ソング・ブック」。これは七人の女性歌手が歌うアルバムです。書き下ろしの詩も二つあって、谷川さん自身が朗読しています。最近リリースですが、売れ行きはいかがですか。

谷川　いや、うちの息子が自主制作で作ってるようなもんだから、売れ行きなんか全然掴めてませんけど。

山田　息子さん……谷川賢作さんが全部作曲したんですね。

谷川　だからこういう会があると必ず持って来てその場で売ってますから、そういう時には二十枚ぐらい売れてます。
山田　ああ、今日は持ってきてないんで。
谷川　そうですね。
山田　宣伝だけしときます。それから更にですね、これはCD付きの詩画集で、これからクリスマスの時期に最適ではないかというような立派な本です、『あのひとが来て』。『夜のミッキーマウス』の中に入っていた作品の一つをタイトル・ポエムにしています。画家として大変活躍されている山本容子さんが谷川さんの詩を選んで、それに絵をつけて……その前に賢作さんが曲を付けたんですね。だから先に詩があって、次に賢作さんの曲があって、次が山本容子さんの絵……。
谷川　ええ、それで山本さんは全部鏡文字で詩を書いてくれて、鏡文字で楽譜も書いてくれたんですね。
山田　鏡文字？
谷川　つまり逆……だって版画家だから。
山田　ああ、そうか。
谷川　版画は逆に書かなきゃ駄目ですよ。
山田　なるほど。
谷川　だからその、そこに載ってる詩を全部、彼女は逆で書いてるんですよ。信じられないでしょ。
山田　ああ、それで文字が、あの、何と言うか……独特の……。
谷川　ちょっと不思議な感じでしょ。
山田　ええ、これ谷川さんの筆跡じゃないし、多分山本さんだろうなとは思ったんですよ。
谷川　そう、だから銅板の上に、逆版で、全部書いたんですね。文字は多分書き慣れてると思うんだけど譜面なんかそうはね。
山田　あ、譜面も逆なんですね。

谷川　それで譜面にまた、すごく面白い絵を入れちゃうんですね。色んな記号にね。そういうところなんか凄くいいですよね。
山田　大きくお見せできないのが残念ですけど、絵がついてて譜面があって、全部鏡文字で書いてあるということだそうです。
谷川　ついこないだ山本容子さんは三度目の結婚したんですよ。
山田　三度目？
谷川　三度目。え、もしかしたら四度目かもしれない。ちょっと分かんない。
山田　なんか谷川さんの周辺にはそういう人多いような……。
谷川　（笑）そんなことないです。そんなことないです。
山田　張り合ってません？（場内笑）
谷川　全然張り合ってませんよ。（笑）
山田　ああ、田さんはそんなことないか。
谷川　もう田原さん心改めて。
山田　改めたんですか。
谷川　これからは妻ひとり。それまでは大変だったんですから。（場内笑）
山田　あ、それ聞いてます。（笑）……この話もうちょっとしましょうか。（場内笑）
谷川　詩とあまり関係ない。（笑）
山田　そうですね。（笑）本論の方に近付けましょう。次は『シャガールと木の葉』。今年の五月に出た最新詩集です。それからこれは『谷川俊太郎《詩の半世紀》を読む』。出たばかりですね。去年の『《詩》を読む』と合わせて、全詩集ブックレビューという快挙を学生達がやりました。更にまた、今まで一冊もなかった谷川俊太郎論のモノグラフィーを、今年の五月に北川透さんが出しました。『谷川俊太郎の世界』。これが出発点になってこれからどんどん谷川俊太郎論が出て行くと思います。田原さんを始めとして、今待機中の論者が何人もいますから。

実は、三日前に北川透さんに会って、谷川さんのお話をかなりしました。大阪文学学校で「詩論の現在と谷川俊太郎」というテーマで講演して頂きましてね、その北川さんから聞いたばかりの話題もありますので、その話もできたらしたいと思っています。更に加えて、たった今、谷川さんから頂いた『愛のパンセ』。これは……田さん、いつでしたっけ、初版が出たの。

田　五十年代……

谷川　五十二年か三年か、とにかくほんとに若書きでもう今読むとほんとこっぱずかしいって感じなんですけど。

山田　一九五三年といえば『二十億光年の孤独』の翌年ですね。

谷川　ええ、ちょっと後ですね。（編者注・実際は一九五七年）

山田　ごく初期のエッセイ集……というんでしょうか。

谷川　エッセイ集なんですけど、ただ普通のエッセイ集にしたくなくて、その頃すごく好きだった版画とか、同世代の友人と作った歌の譜面とか、そういうものも入れてます。それから確か「大きな栗の木」という芝居の……モノローグドラマの脚本も入ってると思います。

山田　楽譜も付いてますね。

谷川　はい。それで詩もちょっと入ってるし。

山田　長いこと絶版だったんですけど、その復刻版ですね。

谷川　そうですね……オリジナルは普通の判型の本なんだけど、これは新風舎の文庫のシリーズに入るものだから、判型が小さくなってますが中身はほとんど同じです。

山田　というような復刻版『愛のパンセ』。これ、幻の名作だったんですよね。

谷川　そんないことないですよ。（笑）
山田　詩は全詩集の中に入ってますけど、エッセイはなかなか読めませんからね。
谷川　あんまり入ってませんね。
山田　ええ、売られてないから読めない、というものがかなりあります。……という風にですね、この一年間の主な新刊本だけで（机上の本を示しながら）これだけあるんですよ。とても全部は話題にしきれないのですが、いちおう紹介しておきます。

●新詩集の予定と「マイ・ウェイ・オブ・ライフ」のこと

山田　今日はですね、まず去年谷川さんがお話されていたムスバッハという人の「マイ・ウェイ・オブ・ライフ」という舞台作品のことからお聞きしたいと思います。武満徹の音楽のコラージュを舞台にしたものですね、その中に谷川さんの『定義』の中の「りんごへの固執」が使われていると。これ英語ですね。
谷川　そうですね、英語。
山田　その放送がつい最近あったものですから、それをちょっと皆さんに見ていただいて、そこから今年の話に続けようと思っています。その準備をしてる間にちょっと、谷川さんに今後のご予定とかお聞きしましょうか。
谷川　今後のご予定？（笑）僕は全然ご予定とか立たない人で、多分今と同じような生活を……依頼があれば引き受けて、みたいに詩を読んだりなんかして。ただ、詩集としては来年……三月ぐらいかな、理論社に『どきん』っていう詩集があるんですけどそれに続く、まあ、少年少女向きの詩をまとめます。それは和田誠さんの絵ですね、『どきん』と同じように。今もう原稿は全部まとめて和田誠さんが絵を、十二月に入ったら描くよって言ってくれてる段階です。
山田　楽しみですね、それは。

谷川　それからさっきちょっとお話した、今度雑誌「新潮」の新年号に八篇ばかりまとめて、わたくし……「私」っていう題名の詩を発表しますけど、それは多分来年中に思潮社で詩集になるかな。ちょっと篇数がまだ足りないかなっていう感じですね。

山田　理論社からの子供の詩集とそれから……

谷川　思潮社。

山田　思潮社から、の新詩集。

谷川　もし篇数がまとまれば。ちょっとまだ足りなめですけど。だから来年どのぐらい書けるかによりますね。

山田　このところ毎年凄いですね。またペースが上がってるんじゃないですか。

谷川　なんか他にすることないからつい詩書いちゃうんですよ。

山田　……だそうです。羨ましいというか。（笑）

谷川　それからね、また外国に行く仕事が色々来てましてね、八月にマケドニア、十一月にノルウェーとスロベニア。それから田原さんが九月に新疆（しんちょう）とかなんとか言って来てるんですよね。でも僕もちょっと年だからさ、もう飛行機もあんまり乗りたくないのね。だからどうしようかなと思って。

山田　ああ、かわりに誰か派遣するわけにいかないんですか。

谷川　だから今年は僕、四元（康祐）さんに二つ行ってもらって小池（昌代）さんに一つ行ってもらったの。

山田　あ、そうですか。こないだのイスラエルもそうですか？

谷川　イスラエルは別ですね。

山田　カナダは？

谷川　カナダと、それから彼マケドニアに行ってくれたんです。それで小池さんオーストラリアかな？　行ってくれたんですね。それで僕もほら、少し若い世代の人たちがどんどん行ってくれないと、いつまでたってもね、大岡信とか谷川俊太郎じゃねえだろっていう感じなんですよね。だけどなかなか気軽に外国行ってくれる詩人が少ないのね。
山田　そうですか。
谷川　やっぱり語学の問題ってありますよね。詩人はだいたい語学苦手ですからね。
山田　いっそ公募したらどうですか。
谷川　公募。
山田　公募制で。
谷川　詩が良くないとやっぱりきついでしょう。（笑）
山田　そうですね。（笑）
谷川　そう、詩が良くないのになんか英語だけがペラペラみたいな人が行っても……そういう人時々いるんですけどね。
山田　（笑）じゃあ、準備できたようですから、『定義』……その前に武満徹の名曲ですね、「小さな空」が入ってます。
（ビデオ視聴）
山田　……ということで、最後までは読んでないんですよね。
谷川　途中も抜かしてます。
山田　あ、そうですか……いきなり英語で流れて、驚きますね。
谷川　ドイツ訛りの英語でね。
山田　（笑）あの……全く知らなかったんですか、出来るまで。
谷川　うん、途中でちょっとこう……、ああ、そうだ、ベルリン公演だと思うんですけど、ベルリンで最初にやったんですね、あとパリ行ってどっか行ったんだけど、そのベルリン公演の記録ビデオ見たら。なんか聞き覚えのある詩が聞こえてくるんでよく考えてみると自分のだったっていう。だから著作権がどうなってるのかとか全然分からないです。
山田　武満徹さんの方にはもちろん行ってるんでしょうね。
谷川　それはもちろん武満には、はい。
山田　谷川さんの方には全然。
谷川　うん、その……あれに対しては。ただ僕これには最初から一種こう……監修みたいな形で関わってるんですね。武満徹の娘と一緒に。だから、そういうことで、やってもいいみたいなことになってるんじゃないでしょうか。
山田　全部公演ご覧になりました？
谷川　いえいえ、いちいちベルリンまで行くのめんどくさいし。
山田　東京でもやりましたよね。
谷川　ええ、東京はもちろん見ましたけど。
山田　どうでしたか？　全体の印象は。
谷川　いや不思議なものでしたね。すごい嫌だっていう人も多いんですけどね、反感持つ人も。僕も最初ビデオで見たときはね、「いや、こういう風に武満徹をしてしまうのか、ドイツ人ってやっぱおかしいんじゃねーの」って感じだったんだけど、見てみたらね……やっぱり一種の情熱があるんですよね。情熱があるし一貫した彼らなりの解釈と言えばいいのか、そういうものがあって。武満が見たらね、けっこう面白がったんじゃないかっていう印象ですね。彼はわりとそういうところ自由だから、こういう風にしてくれなきゃ困るっていうののない人ですからね。こんな風に自分の作品をされちゃうっていうのが逆に快感だったんじゃないかなって。
山田　ああ、なるほど。ドイツの方で、あるいはヨーロッパでどのように受け入れられたんでしょう。
谷川　うんでも、ヨーロッパでも賛否両論だったらしいですよね、もちろん。なんか一種のこう、一九〇〇年代の始まりの頃の表現主義みたいな。ドイツ人の、ちょっと不健康なものがあるんですよね。

山田　例えばベルクのオペラとか……。
谷川　そうそうそう、あのへんの感じね。
山田　あえてそういうレトロな感じを狙っているんでしょうか。
谷川　うん、ムスバッハっていう人は相当個性的な人で、もうはっきりしたイメージがあって、最初からこういう線で出してきたんですね。で、僕と武満の娘の真樹ちゃんとが固執したのは一点だけに絞ったんですよ。それは、とにかく彼の作品を細切れにはしないでくれと。初めはそれやりかねなかったのね。
山田　なるほど。
谷川　細切れにして、それを繋げて演奏するみたいな。それだけはやめて、演奏は全部全曲を一貫してやってくれって言って……それは守ってくれましたけど。あとはだから、なんか変なロボットが出て来たりね……変なのがいっぱい出て来るでしょ。それはもう文句言ってもどうせどうにもならないみたいな感じでしたね。
山田　セーラームーンのドイツ版みたいなのが出てましたね。
谷川　そうそうそう。でも一貫した、その統一の主張、みたいなのもね、ちょっと、それはそれで認めざるを得ないかなっていう感じでしたね。
山田　まあ色んな変形をしながらもひとつの解釈ということで。
谷川　そうですよね、だから武満徹の作品がそういうのに耐え得るっていうのがやっぱり凄いなと思ったの。やっぱり音楽が無くなっちゃってないんですよね。こんな変に視覚化されても、音楽は音楽でちゃんと聞こえてくるっていうのはね、凄いと思いましたね。

●コラボレーションということ

山田　なるほど。七十年代の後半ぐらいから……武満徹さんとの交流はその前からですけど……谷川さんご自身が、色んな人とのコラボレーション、それから様々な領域にね、急速に広がって行ったと思うんですけど、今回のこれもその一例かなと思うんですが。

谷川　いや、僕としてはそんな急速に広がったっていう印象はなくて。なんせ詩だけじゃ食えないんで。書き始めた時から、例えば作曲家が声を掛けてくれれば作詞をするとか、写真家が声掛けてくれればフォトストーリーのテキストを書くとかっていう形。わりあい他のジャンルとのコラボレーションは、もちろん生活費の為もあって、ずっとやってきたんですけど。

山田　この『愛のパンセ』もその一つですね。

谷川　そうなんですね。で、当時はまだ、同世代の他のジャンルの芸術家達がそんなに仕事がない状態だから、自主的に一緒になんかやろうよみたいなものがあって、武満徹がいた「実験工房」っていうのもそのひとつなんですね。

山田　はい、はい。

谷川　そういう形で色々やってて、その集大成が七〇年の大阪万博なんですよ。あの時に相当なお金が出て、みんな芸術家達が自分で今までやれなかったコラボレーションの機会を持って、色んなテクノロジーを使って、やったんですよね。それがなんか僕の感じでは、そういう芸術家達のコラボレーションのひとつのピークでね、そこでやっちゃったもんだから、みんなあとはもう気が抜けちゃったみたいな。これだけ金使ってもこのぐらいのことしか出来ないのか、みたいな印象が残ったような気がするんですよ。

山田　そんな中で、谷川さんの場合は、この『愛のパンセ』からつい最近の、さっきご紹介した『あのひとが来て』まで、やっぱりコラボレーションが続いているんですね。

谷川　そうですね、それは僕、現代詩を孤立させたくないし、自閉的になるのは不健康だって気があったんで。ほんとに若いころに「世界へ！」ってエッセイを書いてるんですが、その中で、詩っていうのはストリップショーの台本にだって潜り込ませること出来るんだみたいなことを言ってるんで、一回踏み出したら他のジャンルと一緒にやりたいっていうのはありましたね。ただ、今の音楽は「ファミリー・トゥリー」っていう英語の題名なんですけども、それは僕の『はだか』っていう、ここでも何度か読んでる詩集の中から武満が何篇か選んでくれて、ニューヨークフィルの何周年記念かで演奏したものが元になってるんですね。
山田「ファミリー・トゥリー」はフランス語ですね。
谷川　フランス語もあります。今のはフランス語で。そうそう、今度ベトナムでやるのはベトナム語でやってくれるんだけどね、そのベトナム語を読むのがね、あれは例えば十二、三才の少女っていう設定で書いてたんですよ、それが七十何歳のお爺さんなんですって、その台本を読むのが。
山田　読むのが……。
谷川　すごく面白そうでしょ。で、そのお爺さんは結構ベトナムでは有名な、詩人だか何かなんですって。だからそれはちょっと興味があるんで、武満の娘さんは聴きに行くらしいです。
山田　そうするとその七十何歳の人が、おじいちゃん、おばあちゃん死んじゃった、とかそういうのを読むんですか。
谷川　でも考えてみたら僕も読んでるんですよね。七十三歳で。
山田　まあそうですけど。（笑）
谷川　十二歳の女の子みたいな顔して。
山田　それはまあ作者ですから。あの……怪人百面相と言われてるぐらいですから、構わないんじゃないでしょうか。（笑）でも役者って凄いですね、そんなことが出来ちゃうんですから。
谷川　ねえ。そうですね。

●『誰もしらない』から『どきん』へ

山田　皆さんに配ってる資料に出ている作品は……この二冊の本の中で学生達が中心に、谷川俊太郎全詩集ブックレビューというのを作りましたので……そこに引用されている作品を中心にしてます。いちおう七十五年までは去年話しましたから、今日は最初に、七十年代後半の「はてな」……最初に出た歌詞集『誰もしらない』からの作品です。一九七六年に出てるんですけど、この前にも歌詞集は出てましたか。

谷川　譜面になってる理論社の『日本語のおけいこ』があります。でも、歌詞だけじゃなくて音楽もついてますから、ちょっと歌詞集とはいえません。

山田　じゃあ詩集の形をした歌詞集はこれがはじめですね。

谷川　はい。

山田　これはもともと曲がついてるわけですから、非常にリズミカルで、わりと読みやすいし聞きやすいと思うんですが、ただ、これについて書いた学生は、その特徴を「混沌だ」と言ってますね。

谷川　うーん。

山田　問いかけだけがあって答えがない。

谷川　うん、うん。

山田　で、子供というのはその混沌の世界に住んでいて、疑問符だらけで、その疑問というのを大人になると答えが分かるから持たなくなるんじゃなくて、ただ問うことをやめるだけだ、と。それをずっと問い続けているのが、つまり詩人としての谷川さんの特徴じゃないかと。

谷川　なるほどね。正確な感じしますね、確かにその通りだって感じですね。

山田　その通りでいいんですか。

谷川　いいんじゃないでしょうか。

山田　はてなとか疑問とかいうことについては、つい最近の詩集にも出てくるし、この資料の中でも……二ページ目の「細胞分裂」。今の「誰もしらない」よりはちょっと難解な作品なんですけど、やはり『どきん』という子供のための詩集、児童詩集の中に入っています。これが正にその問いかけを疑問符という「物」に託して、隠喩的に書いてると言えばいいでしょうか。

谷川　そうですね。

山田　田さんはこの「細胞分裂」を文庫本に入れましたよね。

田　ええ、……入れたですね。

山田　田さんはこの「細胞分裂」という作品についてどう思いますか。

田　いやいや、なんか、難しい感じだと思うんだけど……おっしゃった通り……ちょっと理解に苦しいところありますね。

山田　これは中国語には訳してるんですか。

田　訳してないです。

山田　どのへんが難しいんでしょう？

田　例えばこの『どきん』という詩集……あの……まあさっき先生おっしゃった、子供のために書いた詩集でしょ。ただ、この「細胞分裂」は、ほんとに子供のために書いた詩かなあと思うんです、普通の子供はここまで理解できるのか……。

谷川　これ、別に理解しなくても……。あの、クリップあるじゃないですか、紙とめるクリップ。あれのことなんですよね、言ってみれば。あれよくポケットに入ってるじゃないですか。クリップしょっちゅう使うし、捨てられなくてとっていちゃったり。そのクリップが、あの、疑問符という風な形になって出て来たっていうのが元になってる詩ですから。

山田　ああ、そうか。

谷川　だからその針金なんか、色々いじっていって、それを、要するに疑問符っていう風に言って、最後にちょっと手品みたいにね、疑問符がふたつになっちゃったみたいな。だからそんなに深刻に理解する必要ぜんぜん無いと思うんですよ。

山田　これについて書いた学生はですね……『どきん』という詩集は三部構成になっていて、そのうちの第二部だけはむしろ子供向きじゃなくて、子供が大きくなってからもういっぺん読んで欲しい、という意図があるのではないか、と。

谷川　うーん……というよりあれはもっと簡単に言うと、要するに漢字混じりでやってるのを集めていて、だからちょっと年長さん向けの詩、ということは言えますね。

●『みみをすます』の位置

山田　谷川さんの児童詩集というのは、実は非常に様々な、重層的な意味を持っていて、侮れないぞ、というテーマで、僕も最近ちょっと文章を書いたんですけど、やっぱり、子供の詩ということに対して、特に若い人はすごく敏感ですね。

谷川　ああ、そう。

山田　ええ、それよく分かりました。

谷川　うーん、うん。

山田　僕自身は、今まで気にしながらあまり読んでなかったんです。理論社とか、サンリオとかから出ている、特にひらがなの詩ですね。気にしながらもあまり読んでなかったんですよ。

谷川　うん。

山田　で、学生達がそれを取り上げて、ゼミの時間に研究発表とかしますね。そうすると、ああ、こんな風に読むのかとかね。面白い発見がいっぱいあって。これはちょっと放っとけないなっていう感じになって。

谷川　僕自身はわりと、例えば全部ひらがな表記の詩なんかを相当、自分のものの中で重要に考えているし、ひらがな表記でなんとなく子供が読者であるということを念頭に置いて書く詩の方が、なんか、あの……相当、何て言うのかな。深いことを、わりと簡潔に言える可能性があると。それでそういう風に書こうとしてるところがありますよね。だから今度出す理論社の詩集の中の詩も、僕としては自分の最先端の作品みたいなのもいくつかあるっていう風に自分では思ってるんですけどね。

山田　ああ、なるほど。これは今、皆さん、すごく大事な証言をご本人からして頂いてると思うんです。

谷川　（笑）

山田　これもある学生が書いてることですが、ある時期からおそらく谷川さんは、人間の真理とか、世界とか、哲学とか、そういう大事なことを、いわゆる現代詩でやるよりも、むしろ児童詩の中で意図的に書くようになったんじゃないか、と。

谷川　うーん。そういう風に言ってもらっても、それは肯定できるっていう感じ。それだけではないと思ってますけど、そういう意識が育ってるのは確かですよね。

山田　その一番のきっかけになったというか、すごくはっきり意識されたのは、一九八二年の『みみをすます』からじゃないかなと僕は見てるんですが。

谷川　そうですね。『ことばあそびうた』と『みみをすます』はやっぱり大きなきっかけだと思います。

山田　『ことばあそびうた』も勿論そうですが、言語の実験で。

谷川　これはほんとに現代詩と相容れないような詩集だからね、ちょっと違うんだけど、『みみをすます』は現代詩の文脈で読んでもらってもいいし子供にも読んでもらえるっていうので……確かにそういえばそうですね。その時はそんなに自覚してなかったけれど、段々それは自覚するようになりましたね。

山田　この詩集の帯文にね、「作者からの完璧な回答」とあるんです。

谷川　ああ。
山田　谷川さんにしては珍しく、何か大上段に構えてる。
谷川　いやあれは編集部ですから。（笑）
山田　編集部ですよねえ、やっぱり。だけどチェックはされたんでしょ。
谷川　……あれ、チェック入んなかったかもしんない。僕が信頼する編集者ですから任せっぱなしだったかもしれないし、あるいは見て「これちょっとはずかしいからどうかな」ぐらい言ったかもしれないけど。あの挿絵を選んだのもその編集者で、僕に相談なく柳生さんの絵を入れたんですよね。
山田　そうなんですか。
谷川　うん、だからもしかすると編集者の一存だったかもしれません。
山田　まあ、ちょっと谷川さんらしくない物言いだなって感じはしたんです。
谷川　そうですね、はい。
山田　ただ、谷川さんを非常によく理解してる編集者がそういうコピーを作ったというのは、内容的には、やっぱり間違ってないと思うんですよね。和語だけでどこまで深いところを探れるかということ、それが十年間に渡る探求の結果だという……『みみをすます』の中の一番古い作品が十年前。
谷川　はい。
山田　「ことばあそびうた」も同時にやっていた、その十年間の探求の結果これが出ました、とそんな風に読めたんです。
谷川　まあちょっとオーバーですけどね。

●ひらがなの詩について

山田　ただ、こういう、ひらがなだけで書いたものについては、田原さんに言わせると「反則技」ということになるんですね、田さん、そのへんどうですか。

谷川　漢字しかない国の人だからね。ずるいやみたいな。

田　いや、それだけじゃなくて……。やっぱり日本語の構成はひらがなカタカナ漢字、それを混ぜてあるでしょ。それを一方的にひらがなだけで書くのはやっぱりルール違反、言語のルール違反じゃないかなと思いますけど。

山田　……という批判があるんですが。どうしましょう。

田　まあ、多分外国人の目から見ると、みんなそう思いますよ。

山田　僕の知り合いのフランス人はね、ひらがなだけのものにはほっとするって言ってます。

田　ああ……そうかなあ。（場内笑）でも……うーん。

谷川　三種類、まあローマ字も入れれば四種類の表記法のある言語って他にあるんですか、世界中で。

田　ないです。おそらく日本語だけでしょう。

谷川　するとやっぱり相当特殊な言語ですよね。

田　そうです。

谷川　だからそれを、そんなに種類のある表記を活かさない法がないじゃないですか。だからルール違反どころか、それが新しい詩の書き方として、やっぱり諸外国の皆さんに認めていただかないと。

田　なるほど。

山田　石川啄木のローマ字……というのもありますけどね。

田　あれも結局失敗に終わったでしょう、失敗するのは決まっているのではないでしょうか？

山田　まあ……成功はしてないなあ。

谷川　ローマ字論者っていてね、日本語ぜんぶローマ字にしろ、みたいな人たちがいたんですよね。

山田　一頃ありましたね。

田　でも、ひらがなだけの作品は、もし漢字廃止論がこれからもなければ、まあ、いつまでも指摘されても不思議ではないと思いますが、どうでしょう。
谷川　うーん。
山田　韓国みたいに全部ハングルの文字になってしまって、漢字廃止になってたとしても、谷川さんのこれは残りますよね。
谷川　まあそれはよく分かんないんだけど、漢字廃止する必要僕は全然ないと思ってるから。韓国はすごいこと考えたなって思っちゃいますよね、ハングルだけにしたっていうのは。
山田　それに対する反省も起こってるとは聞きますけどね。
谷川　でしょうね。
山田　ひらがなだけでどこまで書けるかって言うのは……かな表記が目立つんでそういう話題になるますけど……実はもうひとつ別の面で言えば、和語ということですよね。
谷川　うん、そうです。
山田　やまとことばを……
谷川　どこまで現代において通用させるかってことですね。
山田　たしか『みみをすます』の中には漢字が出てこないだけじゃなくて、熟語をひらがなで表記する、例えば「がっこう」とか、そういうものも出てこない。
谷川　あんまり出てきませんね。
山田　ほとんどがやまとことば。
谷川　できるだけそうしようっていう風には思ってました。
山田　例えば「しゅくだい」なんて出てこない。
谷川　うーん……出てこなかったかなあ。

山田　『みみをすます』には出てきませんが、ただ、そのあとの『どきん』とか『はだか』とかには、やまとことば以外の、漢語系の言葉もひらがなに表記していますね。
谷川　それしないともう、不可能なんですよ。つまり漢字をね、全部使わないっていうことは不可能ですね。
山田　「学校」を「まなびや」と言い換えるとか、そんなね。
谷川　そう。それはそんな変な時代錯誤っていうか気取りになっちゃいますよね。だから僕、例えば小学校の校歌なんか書くときにも、小学校の一、二年生にはやっぱりひらがな表記で書きたいと思いますよね。まあ五、六年生は漢字が入っててもいいんだけど。で、その一、二年生に分かるようにひらがな表記で校歌書こうとすると「校舎」っていう言葉が使えなくなっちゃって、それこそ「まなびや」とかって言いたくなるんだけど、まなびやなんて書くとよけい一、二年生分かんなくなっちゃいますよね。
山田　そうですね。ええ。
谷川　だからその、日本語のやまとことば的なものと、明治ごろに入って来た漢語、及びその周辺のことばとの矛盾と相克はいまだに尾を引いてますね。それが日本語を面白くさせていると同時に、特に詩の世界では非常に詩を書くのを難しくしている、というところはありますね。

●ひらがなと漢字

山田　まあ田さんはそのあたりはもちろん理解した上で、なおかつ、ひらがなだけの作品については、もっと漢字を使うように、ってこないだ言ってたけど、どうですか。
田　二年前かな、加藤周一先生と対談したことがあって、その時、加藤先生が面白い事をおっしゃったんです。漢字は元々中国人が作った文字で、だから我々日本人は外国、中国から輸入したもの、そうは思わない方がよいのではないかと、いわゆる漢字は自分のものにする。日本人のものだと、当たり前と思ったほうがいいんじゃないかと。

谷川　思ってますよもちろん。文字はいいんですよ、問題は漢語ですよ、漢語。文字を二つとか三つとか繋げた観念とか思想の表現が問題なんですよ。

田　なるほど。

谷川　それから中国の問題じゃなくて西洋から入って来た観念の問題だから、余計ややこしいんです。

山田　ああ、明治以後の翻訳語のことですね。

谷川　そう、文字には全然罪はないの。むしろそういう文字があったからこそわりとこう、西洋の観念をね、日本語に写し得たんだから、我々はすごい、中国の漢字のおかげを被ってるんだけど、それが日本語をね、やっぱり非常に難しくして根無し草にしてしまったっていう問題で、それをどうにかしようと思ってひらがな表記っていうことを、及ばずながらやる、みたいな筋道ですよ。

田　でも先生、まあ正直に言って、ひらがなでほんとにこれから書き続けられると思いますか。

谷川　ひらがなだけで全部は無理ですよ。

田　無理でしょう。

谷川　だけど僕ひらがな表記の詩はもうずっと書き続けてるし、それがすごく面白いし、並行して、もちろん漢字混じりもやるし、時にはカタカナも使うでしょうし。

田　でもひらがなだけでは、日本語の曖昧さからますます脱出できなくなるかもね、それから言葉のあらわす意味も掴みにくくなるでしょう。

谷川　それは中国人だからでしょ？

田　いや、中国人だけじゃない、それは日本語という言語全体の問題ですよ、日本語の表記文字のバランスにも関わってると思う。

谷川　それはだから、そういうことになると、やっぱり、やまとことば的なものが今の人の語彙からなくなりつつある、ということでしょう。

田　うん、実際ひらがなというのは背後に、元々の漢字あるでしょ。ずっと昔から。

谷川　文字としてはね。言葉としてはないよ。

田　もちろん。文字の元は漢字でしょ。

谷川　うん。

田　だからひらがなは漢字から生まれたものでしょ。

谷川　そうそう。

田　だから漢字を使わずにひらがなだけで書いても、ある意味では漢字を使ってるわけだと私は思ってるんですよ。

谷川　だから文字の問題はね、言ってみればどうでもいいんですよ。つまりローマ字表記したっていいんです、読みにくさ読みやすさっていうのがあるから。ひらがなだけだったらよく読みにくいって言われるよね。だから、どこで切れていいんだか、それから何となく意味が取りにくいからって、それはあるんだけど、それは大きな問題じゃないの。要するに漢語で表現された西洋的な概念とか観念とかっていうものを、どう日本人のからだと暮らしに根付かせるかっていうのが、ひらがな表記のほんとの問題なんですよ。

山田　例えばそれは、朗読した時の、その音の感じですよね。

谷川　それもありますね。

山田　ということで、分かることですよね。

谷川　うん。

●新詩集『すき』

山田　今度理論社から出る新しい児童詩集はどうなんですか。
谷川　やっぱりひらがな表記が相当多いですね。
山田　これまで書き溜めて、どこかで発表してきたものですか。
谷川　もちろんそうです。だけどわりと新しい、今年になってから書いたものもあります。
山田　ちなみにそのタイトルは。
谷川　……「すき」。
山田　「すき」……。「すき」。
谷川　好き嫌いの「すき」。
山田　ひらがなで「すき」。
谷川　そうです。
山田　理論社から「すき」。
谷川　はい。
山田　……なんかすごいですね。（場内笑）
谷川　なんかすごいって。（笑）
山田　こういうタイトルで詩集出す人って、やっぱりちょっといないですよ。
田　例えばその、漢字を使ってないでしょ。ひらがなの「すき」だけで、外国語に訳す時、大変な迷惑だし、悩ませますよ。この単語は『広辞苑』に多分十個以上の意味を持っていると思います。だから、詩のタイトルとして、最初読む時、どういう意味の「すき」かを考えなければなりません。漢字を使わないと余計な違和感を感じるし、時々、詩の世界に入る、或いは意義を理解する障害にもなるんです。

山田　翻訳不可能。
谷川　それは悩みますよね。
山田　困りますねこれ、I　LOVE　YOUなのか、単にLOVEなのか。
田　そう。
谷川　悩んでね。
田　これは日本語の欠点といえば欠点ですが、逆に日本語の面白いところとも言えますね……
谷川　悩んでください。(場内笑)
山田　田さん、中国語どうしようかと、いま思ってる。
谷川　ね。
田　実際、ひらがなの詩を訳したとき、大変な苦労を嘗め尽くしたんです。
山田　たいへんなものが、また出て来た。
谷川　あの、ねえ、ひらがなで書いてあるのを全部漢字に直してくれてもいいんだよ、翻訳する時に。
山田　どうせ漢字にしないと……中国語ですから。(場内笑)
谷川　まあそうなんだけど、いや、翻訳するときにね、分かりにくかったら、俺が全部、ワードで変換して漢字混じりに作り直してあげる。
山田　ああ、漢字かな混じりに作り変えて。
谷川　うん。それで田さんに渡せば、田さんぱっと分かりやすいんじゃないかな。
山田　でも、やまとことばばっかりだとやっぱり難しいと思いますよ。
谷川　うん、ばっかりっていうのは多分ないと思いますけどね。
田　そうですね、それは少ない……極めて少ないです。でも全部ひらがなでこれから書こうとする、その先生の行為には、非常に興味ありますよね。

谷川　だから、ひらがなで書く流れっていうのは自分の詩の流れのひとつとして、これからも続けていきたいと。
田　これは先生にとって、大事なことだと思うよ。
谷川　すごい大事に思ってる。
山田　……そういう話が今出てますから、じゃあちょっと児童詩、子供の詩をまとめて見ていきたいんですけど。この次ですね、『よしなしうた』……これは子供のためかどうかはちょっと、学生は疑問だと言ってますね。
谷川　ああ、あれは子供のためじゃないです。
山田　ないですよね。出版社も青土社。
谷川　そうです。
山田　でも全部ひらがなで。
谷川　そうですね、あれはやっぱりなんか、ひらがなだけで表記するとなんとなく……わりと生理的な……クネクネしたようなウネウネしたような、調べが出てくるのが、ちょっと向いてると思ったんですね。その、ナンセンスな。
山田　あれは英語版が少し経ってから出たんですよね。
谷川　英語になったりしたら、ひらがな表記の特別な感じは全然失われると思いますね。たぶん。
山田　むしろ、欧米の人はひらがなだけの作品は歓迎するような気がするんですけど、そうでもないですか。
谷川　うーん……日本語ある程度熟達してないとやっぱり読みにくいでしょうね。
田　私の知り合いのアメリカ人がおっしゃってたことで、ひらがなだけの詩よりも、やっぱり漢字があった方が……。
谷川　読みやすいでしょ。
田　共感しやすい。
谷川　そうだよね。

田　意味を読み取りやすい。という風におっしゃったんです。

●『よしなしうた』について

山田　『よしなしうた』は、子供向きではないにせよ、子供がテーマになってたり、それから子供の残酷さとかを描いていますね。ここには……ちょっと長い作品なんで途中「中略」って形で出てますけど。子供のある種の残酷さとか、取り返しのつかないことをする、ということについての、含みのある作品です。
谷川　この『よしなしうた』の中に「ゆうぐれ」って詩があって、うちに帰ったらお父さんが死んでてお母さんが死んでてって、僕は気に入ってるんですけど、あれをね、こういう所で読むとね、大人は戸惑って笑わないんですよ。
山田　ああ。
谷川　つまりこれはなんかすごい深刻な詩じゃないかと思っちゃうんですね。おやじが死んでたなんて言うと。子供はね、一行目から笑いますね。子供の感性っていうのはやっぱり、あれが滑稽な詩なんだってことを一行目から見抜くっていうのがすごいと思う。
山田　わかるんですね。おやじが死んでたって言うと笑うんですね、わーっと。
谷川　そう、笑うの。でも大人は笑わないんですよね。だからあれ読み終わって最後までしーんとしてられるとね、困っちゃうんですよ。ほんとに。作者としては。
山田　確かね、ねじめ正一さんがあの詩のことをすごいって言って、どこかに書いてましたね。
谷川　ああ、そう。書いてくれたね。
山田　なんとか自分でも頑張ったらここまでは書けると。「おやじが死んでた」。で、次行ったら今度はおふくろが死んでた。で、お風呂場で今度はあにきが死んでた。なんとかここまでは、普通の詩人っていうか、まあ例えば自分でも、なんとか書けると。ところがその後ですね、「いつもとかわらぬゆうぐれである」。これはもう絶対谷川俊太郎さんしか書けないって、そんなことを……僕は直接聞いたのかもしれません、ねじめさんから。そんな作品も入っています。それに、タイトルポエムの「よしなしうた」なんかブラックユーモアと言っていいんでしょうか。

谷川　そうですね。僕はエドワード・リアなんかの影響受けて書き始めてるわけですから、ルイス・キャロルとか。

山田　ええ。

谷川　だから要するに本当のノンセンスっていうものは、その世界を意味で解くのではなくて、肌触りで世界を感ずるっていう、鶴見俊輔さんの言葉ですよね。それを目指したんですね。だからほんとはもっとノンセンスなものを書きたかったんだけど、その徹底的なノンセンスっていうのはすごく難しくて、やっぱりある程度どうしてもセンスが残って、それだとやっぱりどうしてもユーモラスなものになっちゃうわけですね。意味をこう……関節を外してるわけだから、なんかおかしいっていう感じに。

山田　確か英訳が「SONGS　OF　NONSENCE」。

谷川　そうですね。

山田　それで「よしなしうた」っていう。

谷川　それは僕の提案で、これはウィリアム・ブレイクのSONGS　OF　INOSENCEをもじってくれと言って、SONGS　OF　NONSENCEって提案したら、嫌々ながら、エリオットさんはその題名をつけてくれたっていう印象ですね。

山田　あ、そう。ブレイクの「無心の歌」っていう、あの、イノセンス。それをもじってナンセンス。

谷川　ノンセンス。

山田　それは初めて聞きました。皆さん勉強になりますね。

谷川　（笑）

●「さようなら」――「夢遊病的に書いた」詩

山田　児童詩の中で、これはほんとにびっくりしたのは『はだか』ですね。
谷川　ああ、はい。
山田　これもやっぱり、ねじめ正一さんが、小学校の授業でこの詩をみんなに読ませていました。
谷川　ああ、やってくれたんです、はい。
山田　その報告文を読んだことあります。このへんで谷川さんの朗読を聞いてみたいと思いますので、お願いします。
谷川　これはほんとはうちの息子が作曲した歌の方がいいんですけどね。

さようなら

ぼくもういかなきゃなんない
すぐいかなきゃなんない
どこへいくのかわからないけど
さくらなみきのしたをとおって
おおどおりをしんごうでわたって
いつもながめてるやまをめじるしに
ひとりでいかなきゃなんない

どうしてなのかしらないけど
おかあさんごめんなさい
おとうさんにやさしくしてあげて
ぼくすききらいいわずなんでもたべる
ほんもいまよりたくさんよむとおもう
よるになったらほしをみる
ひるはいろんなひととはなしをする
そしてきっといちばんすきなものをみつける
みつけたらたいせつにしてしぬまでいきる
だからとおくにいてもさびしくないよ
ぼくもういかなきゃなんない

山田　ありがとうございます。全然難しい事言ってないんですけど、でも、不思議な作品ですね。
谷川　これは前にもこの詩のこと話したと思うんですけど、ほんとに自分でもなんでこの詩が書けたのか分かんない。ヘルマン・ヘッセの言う夢遊病的状態で、書けた詩なんですね。だから……すごく色んな読み方ができるでしょ。
山田　はい。
谷川　これ、死んだ子供だって読む人もいるし……
山田　ええ、ええ。
谷川　自立していく子供だって読む人もいるし。
山田　家出だって言う人も。

谷川　家出だって言う人もいるしね。
山田　里子に貰われていくっていう人もいるし。
谷川　（笑）なるほど。
山田　ちょっと散歩に行くだけだっていうのも。
谷川　そうも取れますしね。だからそういう重層的な意味があるのはやっぱりいい詩だと思うんで、これは自分でも気に入ってるんです、まったく意図的に書いてないんですよね。
山田　ああ、なるほど。
谷川　どの行がはじめに出て来たのかよく覚えてないんだけど、もしかすると「ぼくもういかなきゃなんない」っていうのが最初に出てきて、あと書いてたらこうなっちゃった、みたいな。だからもうほとんど恐山のイタコ状態だったり。
山田　（笑）巫女的な。
谷川　巫女的な。（笑）
山田　「ぼく」っていうのがやっぱり子供ですよね。
谷川　ええもちろん、自分としてはね、十一、十二才の子供って感じなんですけどね。
山田　そろそろ思春期に入るかどうかなっていうぐらい。子供の世界から大人へ移って行くぐらいの。
谷川　そうですね。
山田　小学校五年生とか、六年生とか。
谷川　うん、そんな感じ。
山田　そんな感じですね。やっぱりこれ重層的に読んでいいんですよね。
谷川　もちろんそう読んで欲しいですね。決めないで欲しい。
山田　作者自身も、これはもう夢遊病的に書いてるから。

谷川　はい。
山田　決めてない。
谷川　だからこそ重層的に書けたんだと思いますね。意識が働いてたらね、やっぱりこれは「死ぬ子供の話にしなきゃいけない」とか、「家出する子供の話になってない」っていう風にね、どうしても意味のほうに偏るんですね。
山田　はい、はい。
谷川　だけど夢遊病的に意識外のところで書いてたら、意味にこだわらずに書けちゃう。むしろ全体の口調みたいなもの、調べみたいなもので書けてしまうっていうところがありますね。
山田　でも推敲とかもちゃんとするんでしょ。
谷川　これね、どれぐらい推敲したかちょっと覚えてないんだけど、あんまりしなかったんじゃないかと思うんですよ。
山田　ああ、そう。あえてもうそのままっていう。
谷川　というよりそれはもう推敲する必要がないっていう。まあ、もちろん多少はしてると思うんですけど、そういうふうにして書けた詩で、もうこれはいじっても悪くするだけだなって思う詩がけっこうありますね。
山田　ああ、そういう場合ってありますね。
谷川　そういうときにはもう、いじらないでこのままにしておこうみたいな。
山田　ああ。それは……
谷川　普通、普段はすごくいじりますよ。
山田　そうですよね。徹底的に推敲するっておっしゃってるし。あの……今この中で詩を書いてる人、書こうとしてる人もたくさんいると思いますから。
谷川　はい。

なくて。

山田　非常に参考になるお話だと思うんですけど。ただ、だからと言って推敲しなくていいって言ってる訳じゃなくて。

谷川　だから推敲しなくていい詩が書けたときはほとんど奇跡的であって、僕五十何年書いててもほんとにそれは数篇しかないって感じですよね。

山田　……聞きました？　今。谷川俊太郎が五十何年書いてて今まで数篇しかない。

谷川　（笑）

山田　真似しちゃいけないですよ、だから。皆さんは。でも、たまにそういうこともありうるということ。

谷川　うんうん。

山田　これはそのうちのひとつなんですか。

谷川　そのうちのひとつだったと思うんですよ。それから「芝生」っていう、前に取り上げて頂いた、あれも同じようなものですね。

山田　ああ、あれも。宇宙人的っていうか。

谷川　うん、書けちゃったみたいな。

山田　やっぱり色んな意味に取れる。

谷川　そうですね。

山田　どんな風に読んでいいのか、次々と疑問が浮かんでくるっていう。そういう作品は得てして、そういうことなんですね。

谷川　それで、やっぱり自分はそういう作品が一番なんか、好きですね。自分でよく書けたって思っちゃうんですね。

山田　自分で読み返してもやっぱり謎があるから楽しいとか。

谷川　そう……ですね。なんかあの……うん、自分で読んでもそれこそ解決がない詩だから、いかにも詩らしいなみたいな気がしますね。

山田　質問とか問いとか謎とかいうのは谷川さんの詩のキーワードですね。

谷川　どうなんでしょう。僕は詩かエッセイで、解決ということはありえないって書いたことがあってね。

山田　ええ、あちこちで書いていらっしゃると思います。

谷川　まあそれはちょっとオーバーな言い方ではあるんだけれども、僕は基本的に、ほんとに自分にとって大事な問いに対して、究極的な答えはありえないっていうようなことを思ってるんですね。

山田　はい。

谷川　それから逆に言うと、子供時代に問いかけたことをずっと死ぬまでやっぱり答え続けていってると。で、答えが変わっていっても別に構わないし。「これで解決した」という究極の答えはないっていう風に思ってるから、問い続けるということが、なんて言うのかな、わりと自然と言うのかな、自分にとって。だからこの世界は面白いみたいな、なんかそんな感じじゃないかと思うんですよ。

山田　さっきの『誰もしらない』の中の作品の話に繋がる訳ですよね、「はてな」という作品。

谷川　そうですね。

『そのほかに』から『シャガールと木の葉』まで

山田　最近出た『シャガールと木の葉』の中に「脳と心」という詩がありましたね。その最後の一行が「どこまでも問い続け……いつまでも答えはない」となっていて、すごく気に入ったので、さっき書いていただいたんですけど。

谷川　（笑）結局そういう……人間の頭脳というか感性の構造があるからこそ、詩というものはいまだに書かれ、読まれてるんじゃないか、みたいな気がしますよね。

山田　詩はむしろ問いかけであると。
谷川　そうですよね。
山田　もちろんそれなりの答えは一応あってもいいんですよね。
谷川　そう。問いかけであり、答えでもあるんだけども、それは完結してないっていうのかな。散文っていうのはやっぱり理性の産物としてどこかで完結させなきゃいけない構造を持ってると思うんですよね。
山田　はい。谷川俊太郎の作品における「問いの意味」という大きなテーマでお聞きしているんですが……これで誰か卒論書きませんか。今すごくいい話聞いてると思うんですけど。
谷川　（笑）
山田　児童詩の話ばかりするわけにもいきませんので、次の話題に移ります。集英社からの詩集のシリーズが出始めたのが一九七九年の『そのほかに』。これが最初なんですよね。
谷川　そうですね、集英社ね。
山田　で、以前から谷川さんは、集英社系、思潮社系それからまあサンリオ系と分けて説明しておられて。
谷川　はい。
山田　その集英社シリーズの最初が『そのほかに』なんですけど、そこから数えて今回の『シャガールと木の葉』が六冊目ですね。
谷川　はい。
山田　意識的な出版社の使い分けはあると思うんです。その概略を改めてお聞きしたいんですが。
谷川　うーん……最初から意図的にした訳じゃないんですけど、僕は自分から売り込むことをしたことがないので、集英社の場合も「詩をまとめませんか」って編集者が言ってくれて、その人と相談しながらまとめていったんです。その前に、サンリオから『うつむく青年』出したと思うんですね。
山田　ええ。

谷川　あれは明らかに、例えば「現代詩手帖」なんかに載せたり、思潮社から出る詩集とは違って、若い世代の人たちのいわゆるポップス的な詩を書いてたもんだからそれをサンリオでまとめようとした訳ですね。で、次に集英社が来た時に、そのサンリオともちょっと違って、もうちょっと大人向けの、まあ女性誌とかね、新聞とか、そういうのに書いてた、でも思潮社で出す本みたいな実験的なものじゃなくて、普通の生活者に、普通に届けたいような詩っていうのかな。そういうのを、集英社ではまとめようっていう風に意識したんですね。で、その集英社の最初の詩集が出た段階で、なんとなく思潮社とサンリオと集英社、という三系列があるなって自覚したっていうのか。

山田　なるほど。もちろん他にも新潮社とか小学館とか講談社とかからも出てますから。

谷川　うん、新潮社はもう集英社系列ですよね、あの『夜のミッキーマウス』が初めてで。

山田　あれは集英社系と言っていいんですか。

谷川　ええ。僕としては。

山田　ちょっとお聞きしようと思ってたんです。

谷川　あれは本来なら集英社で出すものを、新潮社が声かけてくれて。ただ、あの中にはちょっと思潮社風のものも入ってるから。

山田　ええ。それなんですよ。

谷川　それでちょっと集英社のとは区別できるかなって。

山田　実際に「現代詩手帖」に出た五行のシリーズですよね。

谷川　そうです。

山田　それから、五行でしばらく、あの『minimal』の三行の後に、五行で形を決めてっていう実験がありましたから。

谷川　はい。そうですね。

山田　それと、そうじゃないのとが合体してるんですね。
谷川　そうです。だからちょっと集英社と思潮社が混じったような感じで。
山田　ああなるほど。
谷川　それと小学館なんかは大体子供の詩……子供、まあ児童文学系のものを含む感じでね。
山田　ええ。ちょっと特殊な位置にある感じはやっぱりそういう思潮社系と集英社系とを……。
谷川　そうね、混ぜてしまったっていうことですね。うん。
山田　そこへ行くと、今度出た『シャガールと木の葉』はもう、従来からの……。
谷川　そうですね、集英社系という風に意識しました。
山田　話を戻しまして、最初に出た集英社からの詩集が『そのほかに』というタイトル。
谷川　はい。
山田　パッチワークみたいな表紙ですね。
谷川　うん。
山田　表紙もそうですが、このタイトルの付け方がちょっと「言い訳じみてる」と学生が書いているんです。
谷川　うーん。
山田　それは、お分かりになりますか？
谷川　ううん、どういうところかしら。
山田　色んな作品が色んな詩集に出て行って、そのあと、余ったモノ。
谷川　ああ、そう取られた訳ね。あれは僕は詩の中の一行っていうか、言葉でただ付けただけだったんですけどね。
山田　ああ、そうですか。
谷川　あ、でもそういう……意図があったかな、もしかしたらあったかもしれませんね。

山田　あったかもしれない。
谷川　あったかも知れません、思い出せないけど。
山田　一応ひとつの解釈としてはそう間違ってはいない、と。
谷川　そうですね。そう取れますよね。なるほどーって感じしますね。
山田　その時その時に、まあ時事的なものも含めて、様々な依頼があって、中には結婚式の披露宴で……。
谷川　そうです。
山田　スピーチに代えて読んだものとか。そういう作品が集英社のシリーズに入ってますね。タイトルもその都度、『詩を贈ろうとすることは』とか、『日々の地図』とか、『手紙』とか……わりと日常的、生活的な匂いのするもの。
谷川　そうですね、できるだけそういう風なものに根ざした作品をまとめようとしてるところがありますね。
山田　こういう詩集は、よく売れていて、よく読まれてはいると思うんですよ。
谷川　はい。
山田　ただ、あまり批評の対象にはなってきてないですね、今まで。
谷川　どうなんでしょう。紹介とか書評とかはされてると思いますが。
山田　ええ、もちろん紹介はね。
谷川　現代詩、の立場から見ると、まあそんなにね、問題にするに足りるという風には思われてないんじゃないでしょうか。
山田　そんなところがあるんですね。ちょっと自分のことで申し訳ないんですが、「現代詩手帖」にこの詩集の書評書かせていただいたので。
谷川　はい。
山田　そこにも書いたことなんですけど、集英社シリーズと大体並行して思潮社からも六冊、出てるんですね。現代詩としての最先端の実験を思潮社の方でやっていて、これは出るたびに色んな人が論じてきて、例えば「谷川俊太郎の新展開」という風に話題になるんですよね。ところが、集英社の方は、よく読まれてるわりには、あまり論じられてない。

谷川　そうですね……でも、僕の詩はそんなに論じられてないんです、全般的に。北川さんの本が初めてでしょ、五十何年書いてきて。田村隆一さんとかはけっこう論じられて、一冊の批評が出てる人はほかにもいたと思うんですけどね。

山田　でも、これからですね、集英社系列の詩集は僕はすごく重要になってくるような気がしています。「作家論的に言えば」という言い方をしてますけど、その時々の等身大のものが、ごく素直に出てますよね。

谷川　ああ、そうですね。

山田　思潮社の中で意識して方法的にやる作品ももちろん一方にあるけれど、どちらかというと、地が出ているというか……。様々な依頼もあるでしょうが、その場合にも、問われたことに対するわりと率直な答えが作品になっているわけですから。いわば天然詩人としての谷川さんの実像が見えると思うんです。

谷川　ああ、はい。

山田　そのあたりちょっと、田原さんにも聞いてみたいと思います。田原さんは……。

田　はい。

山田　集英社から文庫三冊の編集をされたので。

田　はい。

山田　ある程度意識しましたか。思潮社系列のものと集英社系列のものとの作品の配合というか。

田　いや、してなかったです。

山田　してない。ということは、実際に各作品ごとの単位で読んでいったらこういうことになったということですか。

田　うーん……思潮社と集英社系ね……、私の読んでる限り、あまり、先程おっしゃったようなことは感じなかった。
谷川　うん、そんな差はないっていうね。
田　そうです。
山田　田さん自身は、集英社の六冊の中でどの詩集が一番気に入ってます？
田　六冊の中に？　うーん……どれ一番いいか……最初の『そのほかに』もいいですね。『手紙』、それから『日々の地図』……ただ、各詩集に非常に気に入ってる作品があるから。
山田　それぞれね。
田　全体としては……
山田　詩集単位として、ひとつのまとまったテーマとか、世界を持ってるのは思潮社の方の系列の詩集ですよね。
谷川　そうですね。
田　そうです。
山田　集英社の方はあんまりそういうことは……。
谷川　ないと思う。
山田　そういう場合、一番新しく出たものが一番いいって言っておくのが無難だと思うんですけど。(笑)

●選詩集と「総集」と全詩集

谷川　いや、田さんはほんとにそういうこと気にしないで一篇一篇で詩を選んでくれて、いい詩はいい詩、この詩は訳さなくてもいいっていう風に選んでくれてると思いますよ。
山田　ああ、なるほど。

谷川　だから集英社系とか思潮社系とか、こだわってないと思う。
田　関係なく。
山田　関係なくね。
田　まあ、三冊の本の編集した、もっとも大きな目的は、あとがきに書いてるんですけど、谷川俊太郎の詩人としての全体像を分かるように、ということです。普通の読者にね。今までたくさんの詩集が出てて、詩選集も何冊も出てますけど、ちょっとバラバラですよね。
谷川　そうだね。
田　最初から最後までまとめたものはなかったので……まだ最後にはならないですけども。
山田　ならない、ならない。（笑）
田　そうですね、今までのですね、全体像を多くの方に知ってもらう為に、どうしても、と。
山田　全三巻という選詩集は今までなかったでしょ。
田　ないです。
山田　たいてい、文庫本で出る場合は一人一冊。
田　それに、日本の現代詩の中にはいないね。文庫本で詩選集を出す人は谷川先生が初めてですね。
山田　三巻分の詩選集……だって、三巻出したら全詩集になっちゃうもん、ほとんどの詩人は。
田　そうね。
谷川　北原白秋なんてそうはなりませんけどね。
山田　ああ、白秋は……でも詩だけだったらなりますよ。短歌とか童謡とかを別にすれば。
谷川　うーん。
田　分厚い一冊で終わっちゃうんですね。
山田　萩原朔太郎だったら一冊で終わっちゃいますよ、詩集だけだったら。

谷川　そうですね。
山田　もちろん中原中也だって。だから、三冊というのはやっぱり特別ですね。これは最初からの構想なんですか、田さん。
田　そうです。
山田　ああ、やっぱりそのぐらいはしないと全体像は伝えられないと。
田　そのきっかけは、これから中国語版の全選集、詩選集を出そうとしてるから、それをもしかしたら日本語でもできるんじゃないかと思って、それで日本の編集さんに相談したら、ぜひ出版させていただきますと言われて。
山田　中国語版の方は既に二冊出てるでしょ。
田　ええ、二冊出てます。
山田　それ、どうなんですか？　作品の数としては。この文庫本と比べたら。
田　いえもう、それは比べようないですよ。
山田　比べられない。
田　これは全部で約四百篇あるから。
山田　中国語版の方は？
田　あわせて二百……五十篇ぐらいですね。
山田　二百五十。
田　半分ぐらい。
山田　じゃああと一冊ぐらい出すと大体……
田　いや、まとめて一冊、分厚い一冊で全詩集にしたいですね。
山田　全詩集？

田　全……選集ですね。
山田　ああ。
田　中国語でよく言うのは「総集」。総決の総ですね、総集って言うんですよ。
山田　ああ……総合の総、いとへんの？
田　そう、総集です。
山田　総集。ああ、便利な言い方があるんですね。全集でもないし選集でもないし。全体的な選集みたいな。
田　そうです、そうです。
山田　全生涯に渡ってあちこちから抜いてきたっていう。
田　そう。
山田　日本で出てもいいんじゃないですか？　そういうの。
田　いまいち馴染んでない言い方ですよね。
谷川　そうですね、ちょっと日本語になってないんですね。
山田　そうですねえ……
谷川　僕は二〇〇〇年までのを CD-ROM に岩波書店からしてもらったでしょ。
山田　はい。
谷川　それ以後のものを、自費でもいいから CD-ROM で出したいと思って、今色々相談してるんですけどね。ただ、ソフトがもうちょっとね、マックの、新しいやつ読めなくなっちゃったんですよね、岩波の CD-ROM が。だからソフトそのものを変えて、もっと軽いソフトでね、出せないかなと思って。それは簡単に行きそうもないんで。でもできたら僕は、やっぱり CD-ROM で、いわゆる総集、というより全部の詩をデータ化したいですね。
山田　全詩集ですね。
谷川　全詩集。

山田　二〇〇〇年までは出てる訳ですから。
谷川　出てる訳だからそれ以後の。
山田　ソフトだって少し作り変えればデータはそのまま使えるんですよね。
谷川　と、思うんですけどね。どのぐらいお金かかるのかわかんなくて。で、岩波がね、今不景気だからやっぱり僕が自費でやんなきゃなと思って。どのぐらいかかるか分かんないんですが。
山田　そうですか。誰かに相談してみましょうか。
谷川　(笑)
山田　詳しい人に。
谷川　いや、岩波は岩波でプライドがあるからね、そう簡単に、じゃあお願いしますとは言えないですよね、きっと。
山田　ああ、なるほど。CD-ROMの……つまり全詩集最新版ということですね。
谷川　たぶん、CD-Rで無理だったら、今度はDVDだったら絶対おさまるはずなんですよね、全部が。
山田　ああ、なるほど。
谷川　そしたら一枚になっちゃうでしょ。すごく便利なんです。
山田　そうですね。まあ実現したら楽しいなとは思うんですが、でも、キリがないですよね。
谷川　そうですね。
山田　次々また新しいものが出て行きますから。
谷川　そうね。うん。どっかでね、死んでくれなきゃ困るって思ってるんでしょうみんな。(笑)
山田　(笑)いやいやそんな。よくほら、色々なソフトでバージョンアップってあるでしょう。
谷川　そうそう、あれができればいいんですけどね。
山田　ネット上でバージョンアップをダウンロードして、新しくして。

谷川　百科事典みたいにね。

山田　そういう形でやったら必ずしもCD-ROMにこだわらなくても、ネットでもいい訳ですよね。

谷川　そうなんですよ。ただ、それでやるとコピーされたりとかさ、メールで送られたりするから著作権の問題がね、クリアできないんですよ。

田　コピーできないようにできると思います。

山田　そうか、コピーガードとかですね。

●谷川詩の魅力を「ひとこと」で

田　じゃあ、僕から山田先生にひとつ聞きたいんだけど。

山田　はい。

田　最近よく、日本のメディアの記者さんに聞かれることですが、ひとこと、ひとことで谷川さんの詩、どういう所がいい？

山田　……。

田　おっしゃってください。

山田　……僕に？（場内笑）

谷川　ひとこと。

山田　ひとこと……。ものすごい質問来てしまったな。（笑）

田　それ最近よく日本の新聞記者さんに……。

山田　打ち合わせにないよ、そんなの。

田　ないですよ。（場内笑）

山田　僕は、聞く方なんだからさ、そんな。
田　申し訳ないんですけど。
山田　あの、北川透さんの言葉で代えさせてください。
田　いや、自分の言葉じゃないといけないですよ。（場内笑）
谷川　（笑）
山田　……自分の言葉で？　谷川俊太郎の詩の魅力をひとことで？
田　ひとことで。
山田　……ひとこと？　今？（場内笑）
田　あの、実はこのあいだ、朝日新聞の記者さんがね、「じゃあ田さん……」
山田　田さんが聞かれたわけ？
谷川　え、田さん答えたわけ、ひとことで？
田　もう答えないと済まないからさ。（場内笑）
谷川　なんて言ったの。
田　まあ……なんて……まあ……
谷川　それ答えによってはおれ絶交するかもしんないよ。（場内大笑）
田　まあ、あの……いわゆる解説の中にも多少触れてますけども、まあひとことで言えば……いわゆる、あの……深いポエジー、意義でもいいんですが。深い意義が、先生のやさしい言葉に隠されているということ、それだけです。
谷川　……ひとことじゃないじゃん。
山田　六つ。（場内大笑）
田　いや、あの、句点は最後だけでしょ。ひとことでしょ。

谷川　ああ……。
山田　ああ、ひとことっていうのは、ひとつの文でいいの。
谷川　文でいいんだ。短文でいいんだね。
山田　それなら言える。それなら得意だ、任せて。
田　「深い意義がやさしい言葉に隠されていること。」
山田　ああ、なるほど。
田　ひとことでしょ？
山田　そうか。じゃあ僕もね、えっとね、「本能的詩人としての感性と方法的詩人としての批評性が同時に非常に高い領域で……」
谷川　ちょっとちょっとちょっと！……行変えしないと入らない。（場内爆笑）
山田　……統合されている、ところ。
田　それは北川透さんの？
山田　いや、これは僕の。
田　先生の言葉。
山田　北川透さんは、「世界への好奇心」って言ってました。
田　はいはい。「本能的」は面白い言い方ですね。まあ本能的と言えばインスピレーション系の詩人でしょう、多分。
谷川　え？
田　インスピレーション的の意味でしょ。「本能的」は。
山田　「方法的」というのがそこに加わるんですけどね。
田　「方法的」はある意味で技術のことを言ってるんですか。

山田　それと、思想性・批評性を含んでいます。
田　まあ、まずは本能的ですね。方法的になりすぎるとあまりいい詩にならないと思いますけども。
谷川　そうね。
田　技術がありすぎると。
谷川　「だけ」だとね、そうだね。夢遊病的な詩なんかは生まれないもんね、方法的なだけだったらね。
田　そうですね、さっき先生おっしゃった「さようなら」は、ほとんどなおしてない、そのままでしょ？　あれはやっぱりインスピレーションによって誕生したものですね。
谷川　そうだね。
山田　ことというところで、湧いて来る、と言うか、それがどの詩集にも必ずあるんですね。
田　先生がおっしゃったその五十年……半世紀の中に何篇しかないそういう作品。ある詩人は、僕も時には、昔の漢詩の、李白と杜甫とかは、全部そのまま即興的に書いている。まあ別次元の話ですけど……漢詩ですから。現代詩人の場合でも、中国のある詩人は、ほとんどの作品は書き直さない。
谷川　ああ、なるほどね。
田　そのまま。書き直さないというより、いわゆる頭の中に完全に形成してから……
谷川　ああ、出来てから。
田　できてから、文字化するだけです。

●「きもちのふかみに」——沈黙という主題

山田　そういう、インスピレーションで出て来た詩かどうか分かりませんが、もうひとつ、ひらがなだけの詩の朗読を、お願いしたいと思います。今度、理論社から新しく出るそうですけど、今までのところ、児童詩としては一番新しいのが『みんなやわらかい』なんですね。その中の「きもちのふかみに」という短い詩があります。これ朗読していただきたいと思います。

谷川（朗読）

きもちのふかみに

いつしんだってかまわないんだ
だけどできたらいきていきたい
かみさまなんていないんだから
ともだちだけはほしいとおもう
はなしをきいてくれるともだち
てをにぎってくれるともだち

きもちのふかみにおりていこうよ
せんせいとおやとぼくときみと
めにはなんにもみえないとしても
きっとなにかがきこえてくるよ
ほんにはけっしてかいてないこと
うたがはじまるまえのしずけさ

山田　ありがとうございます。短い詩で、すごくわかりやすいシチュエーションで書かれていますが、最後にすごいことを言ってますよね。「ほんにはけっしてかいてないこと／うたがはじまるまえのしずけさ」。今日はこれをもうひとつテーマにしたかったたんです。「しずけさ」。

谷川　はい。

山田　「沈黙」というテーマですね。最近、特に新しい作品の中で「沈黙」ということをしきりにおっしゃってて、今度の『シャガールと木の葉』の中にも、「詩は沈黙をはるかに指し示すことができるだけだ」とか。それに以前から、『旅』の中でしたか、「沈黙を推敲して言葉にいたる道はない」、そういうテーマですね。『minimal』についてお聞きした時にもしきりにおっしゃってたんですけど。

谷川　そうですね。

山田　それにしては、最近は非常に雄弁だと思うんですが。

谷川　でもね、詩って言うのは、あの……こういう、まあお喋りとか、それから散文的な雄弁とちょっと違って、詩っていうのはあらゆる言語の中で一番無口だと僕は思ってるんですよ。

山田　はい。

谷川　つまり言葉数がすごく多くてもいい詩は無口だって僕は思うんですね。それはいい音楽がどんなにフォルテッシモで鳴っていても、どこかにその静けさを隠しているのと似てるって僕は思ってるんです。

山田　『モーツァルトを聴く人』にもそういうこと書いておられますよね、確か。

谷川　そうですね、モーツァルトなんかの音楽はほんとにどこかに静けさが隠れてるっていう感じがするんですね。

山田　音楽の持ってる「音」が……なんて言うんですか、本来的に内在している沈黙、静寂みたいな。

谷川　うん。

山田　谷川賢作さんの作曲されたものを聞いていても感じますが、武満徹はまさにそうでしたね、沈黙と語り合う。

谷川　そうですね。
山田　そういう発想があって。それが、今度は面白い試みになって出て来た、という流れですね。最初に挙げた『あのひとが来て』の中に、歌じゃなくて、また朗読が入ってるわけでもなくて、谷川さんの詩そのものを音で表現している。そういう作品が、賢作さんの曲になっています。「旅」のシリーズ。
谷川　はい。
山田　その中の四番目。元々は一九六八年に出た『旅』というソネット集から取られた作品群が『あのひとが来て』に入っています。その中の四番目の詩。これにも山本容子さんが絵をつけてるんですが、(本を示しながら)……こんな絵がついてるんですけど、これに、一分ほどのインストゥルメンタルの曲が付いています。その音楽がこの詩を表現してるわけなんですが、今日は、初めての試みとして、そこに谷川さん自身の朗読を重ねて頂こうと。つまり「旅」という詩にインスパイアされた賢作さんの音楽に乗せて、「旅」の朗読をして頂こう、と思います。音楽が始まったらいつ読み始めても結構ですので。
谷川　はい。
山田　一分九秒の中に入れれば。
谷川　一分九秒。(笑)
山田　お願いします。
谷川　はい。題名は「旅　4」でAricanteっていうサブタイトルがついています。アリカンテというのはスペインの地名ですね。そこに旅行した時の印象が元になっています。

〔音楽と朗読〕

旅　4　Aricante

一枚の絵葉書を見る
思い出ではない
今でもない
時

心は透けている
心の向こうに海が見える
暗くもなく眩くもなく

さえぎるな
言葉！
私と海の間を

こめかみに
一粒の汗
地名の
なんという明晰

山田　ありがとうございました。

谷川　なんかちょっと早く出過ぎたね。「さえぎるな／言葉！」ってところでピアノがバーンって入って来ると合いそうな感じですね。
山田　今度はもう少し練習していただいて……
谷川　はい。（場内笑）
山田　……次の機会に活かして頂くということで。先程急に申し出て、じゃあやってみましょうかっていうことだったんで。貴重な体験をさせていただきました（笑）。

●「詩は」――「最も正直な姿」

山田　残り時間も少ないんですが、最後に最新作『シャガールと木の葉』の中の一篇を朗読していただいて。あと、会場から質問があれば聞いていただこうと思います。
谷川　はい。
山田　「詩は」という作品ですが、まさに谷川さんの現在の詩についての姿勢をそのまま詩で語っている、そんな作品だと思います。今の一番、正直なところと言いますか。
谷川　まあちょっとね、コミカルな詩なんですけど。これには「かっぱかっぱらった会のために」って副題がついてるんだけど、かっぱかっぱらった会っていうのは、僕のイトコが愛知県でやってくれてる、素人の詩の朗読の会なんですね。で、僕も年に一回ぐらい発表会に付き合ったりしてるんだけど、そのかっぱかっぱらった会っていうのは本当に普通に生活してるおじさんやおばさんなんかが、僕の詩を読んでくれてる会なんで、ちょっと面白いんです。その会の為に書きました。

詩は

詩はふて寝している
株式取引所のトイレの中で
誰もおれを買ってくれない
いつまで待っても値がつかないから

詩はへらへら笑っている
退官する老教授の腹のなかで
誰もおれがここにいると気がつかない
黒板に書かれた文学史を読むのに夢中で

詩はむっつり黙っている
国連総会の塵ひとつない議場で
誰もおれの声を聞く耳をもたない
演説には世界中のマイクが向けられているのに

詩はひとりで歩いている
賑やかな雑踏にまぎれて
誰もがおれの姿を探しあぐねている
ネオンやハイビジョンの光に目がくらんで

詩はかくれんぼしている
出来たての詩集のページで
形容詞や副詞や動詞や句読点にひそんで
言葉じゃないものに見つかるのを待っている

山田　ありがとうございました。「詩はかくれんぼしている」、「言葉じゃないものに見つかるのを待っている」、これが、詩の最も正直な姿というか……。

谷川　私のイメージではそうなんです。（笑）

●「ほうすけのひよこ」について

山田　まだまだお聞きしたい事がたくさんあったんですけれど、このへんでどうやら時間が尽きてきました。あと少しだけ。会場の中から、せっかくの機会なので、今日の話に関係のある質問は大いにけっこうですけど、そうじゃなくても、大抵の質問には谷川さん答えていただけると思いますので、関係ないことでもいいです。何か質問ある人。

学生1　絵本の「ほうすけのひよこ」を読ませていただきました。先生が今日おっしゃってた通り、私が読んだらけっこうしんみりとするんですけども、やはり、子供が読んだら、からっと笑って終わるのかどうか……。

谷川　子供が読んだの聞いたことがないから分かんないけど、あれはそんなにからっと笑っては終わりにくいですよね、お話として。

学生1　そうですね。それと、この作品の中で、私には、ほうすけと墓の魂が重なって感じられるんですけど、このような解釈をどう思われますか？

谷川　ちょっと広過ぎる解釈じゃないかと思います。ほうすけはやっぱりその……荒れ果てた墓を守るということで村である役割を果たしてるんですよね。それが村人の、なんて言うのかな、裏切りでもないんだけれども、あの……視線に怒ってしまって、まあ怒ってって言うのかな、悲しんで、村を去って行っちゃうわけですよね。だから、それが死者である、という風な解釈も出来ないことはないけど、僕の中では、ほうすけっていうのは要するに村共同体からちょっと弾き出された人、村の外に住んでる人っていう、そういうつまり弱者って言うのか、差別された人っていう主人公の設定なんですね。だからその、あくまで村の人じゃないんですよ、ほうすけ。だからお墓の中の死者とは別の人だっていう風に僕は思いますけど。

山田　ちょっといいですか。

谷川　はい。

山田　その疎外された人、まあ異邦人とか異人とか、色んな言い方しますけど、そこに詩人のイメージが重なってませんか。

谷川　ない……僕は、書くときはないです。でも例によってそれは色々な解釈が許されるわけだから、そこに詩人のイメージを持つ人もいるかもしれません。

山田　なんか虐げられた芸術家のようなね。

谷川　（笑）そういう。

山田　僕も、あれ、かなり読ませていただいていて。

谷川　あ、どうも。

山田　歌にもなってるんですよね。

谷川　そうですね。歌の方あれ、曲は誰が作ったんだっけ。

山田　林光さん。

谷川　林光さんでしたよね。それ、僕、ちゃんと聞いてないです。いっぺんは聞いてるけどよく覚えてないから。林光さんの曲は僕は大体好きですけどね。
山田　ええ、他にもたくさんありますよね。
谷川　今、僕と息子が舞台でよく歌うのは、立川市の小学校の校歌というのがありまして、これがすごくいい曲で、林さん自身も曲集に入れてるぐらいなんですけどね。これを歌うと、みんな、初めて聞いた人も、いい歌ですねって言ってくれますね。
山田　ということで、今の質問の方。林光さんのこともちょっとお聞きしました。じゃあ他に、質問のある人どうぞ。

●武満徹とオペラをめぐって

学生2　武満徹さんが晩年にオペラを書くようになったのを、ぼくは大学に入った頃に知ったんですけど、オペラっていうとどうしても……日本語に訳されたオペラなんかを聞くとどうしても……何を言ってるのか分からないところがいっぱいあるんですが、武満徹さんが、その日本語を扱う歌い方にしても、音にしても、言葉を扱う詩人の谷川俊太郎さんに対して、何か仰っていたことがあったら教えていただきたいと思います。
谷川　武満はそんなに歌曲を書いてませんよね、合唱曲は書いてたけれど。とりあえず僕が知ってる武満の曲は、ほとんどいわゆるポップスに属するもので、映画の主題歌とか挿入歌、ですよね。で、彼がオペラを書くって言い始めた時に、大江健三郎さんと対談して一冊本を出してますけれど、僕は絶対日本語で書くなって言ったんですよね。というのは何故かって言うと、オペラっていうのは上演回数によってすごく生活費をもたらしてくれるんです。現代音楽の作曲家なんてあんまりお金がないでしょ。だから現代音楽の作曲家でいい家持ってんのは大体オペラ作曲してるんだって。だから僕は、彼が最初大江さんに台本頼んで、でもそれが潰れて、誰かに台本頼もうとした時に、絶対英語かなんかの方がいいって言って、彼は最終的に英語の台本頼んだんですよね。名前忘れちゃったけど西海岸のちょっとビートっぽい、ヒッピーっぽい詩人ですけどね。映画の脚本なんかも書いてる。で、彼がその書いてた英語の台本というのも僕は読んだんだけど、あんまりオペラっていう感じがしなくて、武満に聞いたら彼はむしろミュージカル的に書きたいんだって言ったんですね。西洋音楽のあの唱法で、イタリアオペラの伝統を引いてる唱法で歌われると、日本語はやっぱり聞こえなくなる。だけどミュージカルみたいな唱法だったらけっこう日本語が聞こえるんじゃないかと思ったんです。で、彼は、ミルバみたいなポップスの人を使いたい、みたいなことを言ってたんですね。だから、もしそうだとしたら、いわゆるクラシックのグランドオペラとは全然違う、武満らしい、ちょっとミュージカルっぽいオペラなんじゃないかなって思ってましたね。で、彼自身は、日本語を声にするっていうことに対して、ほんとにクラシック的な意味での歌曲集とかそういうの書いてないから、わりと気軽に書いてたと思うんです。実際に、彼のポップスは合唱になってもちゃんと歌の言葉が聞こえるし、ひとりで歌っても楽しく歌えるし、それはそれでいいと思うんだけど、彼が英語で田村隆一さんの詩に、「マイ・ウェイ・オブ・ライフ」っていう曲を書いたときに、やっぱり相当英国のひとに色々言われたって言ってましたね、つまりイントネーションとか、アクセントとか、フレージングとかね。だから、向こうの人は英語を日本人の作曲家が歌にするってことについては相当神経質に考えてるんだなと思って、びっくりしたことありますね。

山田　武満さんのそのオペラは結局実現しなかったんですね。

谷川　そうですね、死んじゃったから。

山田　残念ですね。

谷川　残念ですよね。でも変な失敗作を書くより良かったんじゃないかなって気もするけど。（笑）

山田　色々と話題は尽きないんですが、ちょうど時間も尽きましたので、このあたりで。今日は新しい話を色々と聴けてよかったと思います。ありがとうございました。

大阪芸術大学文芸学科特別講義（二〇〇六年十二月一日）

読む詩、聴く詩

●海外での活動

山田　もう毎年いらっしゃって頂いてるんですけども、改めてご紹介します、谷川俊太郎さんです。
谷川　こんにちは。
山田　それから今年も仙台から田原さんが駆けつけてくださいました。田さんよろしく。
田　どうも。田原です。
山田　自己紹介がてら近況などから伺おうと思います。谷川さん、今回で何年めか、覚えてらっしゃいますか？
谷川　さっき聞いたら七回目か……そのぐらいですね。
山田　はい、七年連続ということで。その間にずいぶん学生も入れ替わってるんですけど、田原さんにも第一回からずっと参加して頂いていて。最初谷川さんを大阪芸大に招いてくれたのは田原さんでした。それ以来、この同じメンバーで、秋……もう十二月になっちゃいましたけど、秋になると特別講義、というのが恒例になっています。ひとまず近況みたいなことから伺っていきたいと思うので。ええと……田原さんから先に聞こうか。つい最近中国に行ってたって？　その報告からして下さい。

田　え、私から？　そうですね。ついこのあいだ日本の詩人十一人を連れて一緒に……中国の北京で行われた第一回目の日中現代詩シンポジウムがありましたので……両国の詩人とも皆かなり興奮して、非常に収穫のあるシンポジウムでした。

山田　十一人？

田　そうです。

山田　全部名前言えますか？

田　そうですね、まず、北川透さん。

山田　北川透さん。

田　それから高橋睦郎さん。辻井喬、平田俊子、財部鳥子、それとこれも詩人ですけど中国現代詩の翻訳者で大阪大学の教授、浅見洋二、それから小田久郎さん。

山田　思潮社の会長ですね。

田　はい。それから佐々木幹郎、野村喜和夫、「現代詩手帖」編集長の高木真史。もう一人は辻井喬さんの秘書さん。

山田　すごいな、全部覚えてる。

田　ええ。

山田　いま名前が出たのは日本を代表する錚々たる詩人達ですよね。そこには、今回は谷川さんはいなかったんですよね。その前にノルウェーにいらっしゃったって……。

谷川　ええ、十月のはじめから十日ぐらい。ノルウェーとデンマークでね。

山田　ノルウェーでオーロラをご覧になったと聞きましたけど。

谷川　あの、遊びに行ったわけじゃなくて、オスロからまた飛行機で一時間四十分ぐらい北の方へ飛んだ、北極圏の入り口って言われてるトロムソって町があるんですけど、そこに大学もあって。毎年文学祭的なものをやっていて、今年は日本の特集だったんですね。で、僕のほかに多和田葉子さんとか江國香織さんなんかも見えたし、それから日本の居合い抜きとかね、そういう日本文化全般……俳句はもちろんなんですけどね、そういうのをやる文学祭が四日から五日間ぐらいあって。で、ちょうど運良く夜出て行ったら、オーロラが見えたんですけど、オーロラって普通いろいろ色がついてるじゃないですか。僕が見たのはすごい地味でね、モノクロのオーロラでしたね。

山田　その時のことね、僕聞いてます。

谷川　はあ？　どうして？（場内笑）

山田　なんか中途半端な光り方してて、それでね、もうちょっと、その辺にあと三本ぐらい立ってくれませんかねえなんて、そうじゃないとオーロラとしても中途半端で不本意なんじゃないでしょうかって、谷川さんがおっしゃったと聞いたんですけど、本当ですか？

谷川　本当ですね。

山田　四元さんからね、ほとんど実況中継みたいに毎日連絡があって……あの、みなさん、一緒に行ってた四元康祐さんって詩人がいるんですけど、彼がミクシィに書いてました。（場内笑）

谷川　じゃあ僕が話すことないじゃないですか。（笑）

山田　いや、みなさんに紹介しようかなと思って。（笑）

谷川　そうですね。いや、ちゃんと真面目に詩の朗読もしてきましたからね。

山田　あ、そうですか。はい。

谷川　じゃあコペンハーゲンに行ってたようなことは彼は何も知らないはずですよね？　コペンハーゲン。

山田　コペンハーゲンのことは知らないですね。

谷川　トロムソからコペンハーゲンに行って。
山田　コペンハーゲンは別行動だったんですか。
谷川　うん、もちろん、僕、デンマーク語の詩集が一冊あるんですが、それの二冊目っていうのが出版されたんですね。それのプロモーションでコペンハーゲンに行って。なんかやっぱりバイリンガルの詩の朗読をやって、それから、コペンハーゲンには日本人会みたいのがあるんですよね。
山田　日本人会。
谷川　はい。その日本人の方々の前でまた詩の朗読をして……それはまあ本当に、いわゆるブックラウンチって言いますよね。本が出るとそういう風に、宣伝するためのものでした。
山田　相変わらず世界中を駆け回っている……。
谷川　(笑)嬉しくないんです、めんどくさいんですけどね。義理が絡むとね。もう全部自費で行ってますからね。
山田　そうなんですか。
谷川　はい。
山田　ええ……田原さんはね、まあ、若いし。日中行ったり来たりって、相変わらず活躍なんですけど、谷川さんの相変わらずのエネルギッシュな活躍ぶりっていうのは、本当に頼もしいと思います。出来るだけ、今から言うのも変ですけど、できるだけ続けて来て下さいね、こちらにも。
谷川　はい。
山田　最初にお約束して頂くということで(笑)。

●最近作まとめて紹介

山田　今日は皆さんに配っている資料があります。今日の予定ですが、「読む詩・聴く詩」と今年のテーマを立てました。最初は新作を中心にお話を聞こうかと思っています。資料の冒頭にあるのが「半透明のポートレート」……これは僕が学生達と一緒にやっている「別冊　詩の発見」という雑誌があって、これの第三号がこの春に出ました。そこで谷川俊太郎さんの特集をしました。その時に書いて頂いた書下ろしの新作です。大変これはいい作品だと思って……ただ、ちょっと謎めいているところがあるので、まずこれについて聞きたいというのが最初です。次に新作で、「新潮」という文芸誌の今年一月号に出た「私」という連作……全部で八篇ありますが、その中のひとつです。それから、もっと新しいんですけど「ちくま」という雑誌でいま連載をしています。その第一回。そこまでの新作を「読む詩」ということにします。どちらかと言えば黙読して、じっくりイメージを描いて味わう……現代詩の最先端の作品です。それに対して後半は、最近出た、これも詩集なんですが……「聴く詩」ということで、歌とか、朗読向きになってるものを中心に朗読して頂いた上でお話を伺いたい、という風に予定しています。最初に……少々古いものですけど、一九八〇年でしたか、アムネスティ・インターナショナル日本支部の為に書かれた「歩くうた」というのがあります。詩集で言うと『どきん』という子供の詩集に入ってる作品です。その次からが新作で、まず最初にあるのが、この六月に出ました……去年のこの特別講義の時にも話題になって……谷川さんが予告してました……田さんがどうやって中国語に訳すのか話題になっていた『すき』という詩集。田原さん、この中国語訳どうなりました？

山田　いくつか訳してます。山田先生のご注文があって、昨日急いで訳しました。何篇か。

田　その中国語の朗読も後でしてくれるんですね。

山田　はい、後で朗読します。

田　詩集の『すき』はなんて訳したんですか？　タイトルは。

山田　中国語で？「シーホァン」ですけども、中国語を分からないとここで言ってもあまり……。

田　それをまた日本語に訳したら「好き」って意味になるんですか？

山田　「好き」です。でも日本語の「すき」は……「君が好きだ」は「愛する」意味だよね。

山田　そうですそうです。
田　だから「すき」は、ちょっと中国語の場合はっきりしてるから、「シーホァン」は「愛する」意味はこもってますけども、「愛す」までじゃないですね。
山田　恋人同士では言わない？
田　言うよ。
山田　言うけども特別な言い方ではない？
田　そう。「君を愛してる」、「ウォーアイニー」、「君が好き」、「ウォーシーホァンニー」の場合の方がずっと強い。I love youの意味ですけども。例えば「ウォーシーホァンニー」、まあまあ愛情表現、とも言えます。
山田　結論としては「シーホァン」が訳語ということで。
田　はい。
山田　ということで決定したそうです。日本語の……特に和語の多義性はなかなか翻訳できないのでどうするのかなっていう話が去年出ていました。その『すき』という詩集の中から、いくつか抜き出したのが二枚目のプリントです。そしてその次ですが、その一番下。「うたうだけ」というのがありますけど、ここから残りが、更に新しく出た『歌の本』という……これまだ二週間ぐらい前ですよね……出たばかりの谷川俊太郎『歌の本』。これはいわゆる歌詞集です。これまで書いてこられた歌詞で、今まで詩集に入ってこなかったものを集めています。これもある意味で「詩集」です。なぜ歌詞が詩なのかということを、これから色々お話を伺いながら考えて行きたいという思っています。大体用意してきた資料はそんなところです。

●「さようなら」の詩と歌

山田　前回「さようなら」という詩を紹介しました。谷川さんに朗読して頂いて。非常に不思議な作品でね、夢遊病的に出来た、無意識の内に出来た、谷川さんが確か五十年以上詩を書いてきて、ほんの数篇しかそういうのはないと、おっしゃっていました。その朗読の時に、谷川賢作さん……息子さんの……が作曲した歌がいいんですけどね、って残念そうにおっしゃってたので、僕、探してきました。その「さようなら」を聞いて頂いて、今日の出発点にしたいと思います。演奏は、谷川賢作さんとＤＩＶＡ……今はもうないんですね、谷川さん。

谷川　はい。

山田　……というグループが演奏し歌っているものです。谷川さん、まず朗読していただけますか。

谷川　（朗読）

さようなら

ぼくもういかなきゃなんない
すぐいかなきゃなんない
どこへいくのかわからないけど
さくらなみきのしたをとおって
おおどおりをしんごうでわたって
いつもながめてるやまをめじるしに
ひとりでいかなきゃなんない
どうしてなのかしらないけど
おかあさんごめんなさい
おとうさんにやさしくしてあげて

ぼくすききらいいわずなんでもたべる
ほんもいまよりたくさんよむとおもう
よるになったらほしをみる
ひるはいろんなひととはなしをする
そしてきっといちばんすきなものをみつける
みつけたらたいせつにしてしぬまでいきる
だからとおくにいてもさびしくないよ
ぼくもういかなきゃなんない

山田　ありがとうございました。続いて歌です。

（「さようなら」の演奏）

山田　とてもいい歌だと思うんですけど……本当に不思議な味わいの作品ですね。一体これは何を歌っているのか、物凄く優しい言葉を使っていながらついに答えが出ないっていう、とても不思議な詩です。谷川さん、歌になった時にどうですか？　色々と思いがあって、違うなあとかこれは上手くしてくれたとか、色々あると思うんですけど、今の「さようなら」については。
谷川　詩よりもずっと歌のほうがいいですね。
山田　歌のほうがいいんですか。
谷川　はい。これは傑作だと思いますね、僕は。うちの息子が書いた歌の中でも傑作だと思います。
山田　という風に、作詞者自ら断言されるぐらい良く出来た作曲なんですね。もちろん演奏方法とか声の出し方も……。

谷川　そうね、高瀬麻里子のボーカルもすごく声がきれいな人だから、それでぴったりしてますね。いろんな人が歌ってますけど。

山田　いかにも少年っぽい感じの……。

谷川　そうですよね。

山田　それからバックにあるリコーダーですか、笛が入って。

谷川　はい、あれはベースの大坪寛彦っていう人のアルトリコーダーなんですけど、彼もまたいい曲、歌書く人なんですね。

山田　北原白秋・山田耕作の「この道」に匹敵するぐらいの名曲と言っていいんでしょうか。

谷川　それは、私の口からは申せません（笑）

山田　あ、そうですか（笑）これ今からひょっとしたらヒットするんじゃないかと……。

谷川　いや、ヒットするんだったら今までにもうヒットしてるはずなのに、発売後十年ぐらいたってるのに。

山田　でもそれからブレイクすることありますから。

谷川　そうですかね。

山田　ここにいるみんなに火をつけてもらってあちこちで宣伝してくれたら、もしかしたら。

谷川　いやあ、アマゾンで探してももうＤＩＶＡのＣＤはないかもしれない。

山田　皆さんに聞いていただいたので、広めてください。ぜひ。ただ、歌うのはちょっと難しいですね。

谷川　難しいですね。

山田　カラオケでという訳には行かないですね。元々これは詩として書いたものであって、歌詞じゃないですから。

谷川　はい。

●連作「少年」について

山田　歌詞として初めから意識して書かれた作品と、詩として書いたものに後で作曲家が曲をつける場合と、全然つくりかたが違いますから、そのへんのことも今日お聞きしたいと思っています。その前に、今の「さようなら」で連想したんですが、資料に出てる「少年」という連作ですね、第一回が「雲の道しるべ」なんですが、少年が主人公です。これは第一回で三人称ですけど、確か第二回から一人称「僕」になっています。どうもこの少年がね、「さようなら」の子どもが家を出てこういうところに行ってるんじゃないかという……つまり「さようなら」で書いてしまった無意識のところに触れた部分を、いま谷川さんが意識化して書いてるんじゃないか、という風に僕は読んだんですが、いかがですか。

谷川　これもどちらかと言うと夢遊病的に書いてるんですけどね、だから自分では「さようなら」の、そういった意識は全然なかったです。

山田　なかったですか。

谷川　これのちょっと成り立ちをばらしといた方がいいと思うんですけども。

山田　お願いします。

谷川　「ちくま」っていうちくま書房のPR誌から、一年間連載って言われたんですね。月いちで。僕連載っていうのは凄くプレッシャーになるんで、ひと月に一篇っていうのは。それで十二篇いっぺんに書いちゃったんですよ、一年分を。

山田　あ、もうあるんですか。

谷川　ええ、だからもう終わりはあるんです、十二篇の。で、何故それができたかって言うと、これは僕としては結構珍しいケースなんですけども、ある特定の歌を、ほとんど聴きっぱなしで書いたっていうところがあるんですよ。
山田　歌を？
谷川　はい。だからその、音楽を聴きながら書くということは僕はほとんどないんですけど……まあその場合もだから歌を流しっぱなしでコンピューターに向かってる訳じゃないんですけど、その歌にこの「少年」っていう題の十二篇の詩は触発されてできてるっていうのは明らかなんですね。
山田　その歌が今の「さようなら」だったらズバリぴったりなんですけどね。
谷川　全然違うんですね、知ってる人いるかもしれないけど中川俊郎というピアニスト、作曲家がいて、よくサントリーのＣＭなんか書いてる人なんですけど、彼が「ハックルベリーエクスプレス」っていう題名の……これインストゥルメンタルなんですけど……ＣＤに入ってるんですね。これは確かＪＲ西日本かなんかのコマーシャルに使われてた曲らしいんですけど、僕はそのコマーシャルは見てないんですが。中川俊郎さんとちょっと一緒に仕事したご縁があって。「ハックルベリーエクスプレス」っていうのを聞いてたら、なんか知らないけど言葉が出て来たんですね。それで「少年」っていうことも最初は別に考えてなくて、ちょっと書き始めていたんだけど、その後で確かちくまから十二篇って言われたんですね。連載。それで少年っていうテーマで一貫させることが出来るんじゃないかと思って書いていったのがこの詩です。だから順序なんかも全然ばらばらで、「ちくま」に出すときに一から十二まで番号割り振ったりとか、そういう出来上がり方ですね。
山田　インストゥルメンタルですか、その歌というか曲が。
谷川　はい。
山田　その音楽にインスパイアされながら書いたっていう。
谷川　そういうことです。
山田　ハックルベリーエクスプレス……ご存知の人います？　この中に。ＪＲ西日本のコマーシャルだったらしいけど……。

谷川　中川俊郎、売れてないんだなやっぱり。もっと売れてるのもあるんですよ、サントリーのお茶か何かのCMでね、すごく売れてる曲あったんだけど。
山田　何歳ぐらいの人なんですか？
谷川　四十代の後半ぐらいじゃないかな、ピアノも上手くて。僕一緒に出たことがあるんだけど。
山田　じゃあ賢作さんと同世代ぐらい。
谷川　そうですね、ちょっと彼の方が上かな。
山田　……というような裏話を今うかがいました。「少年」はもう十二篇出来てるそうです。ということは、いずれどこかの詩集に入るということですよね。
谷川　はい。入れたいと思っています。

●詩画集『詩人の墓』について

山田　このあたりが一番新しいところかなと思っていたところ、先程谷川さんにお会いして、たった今、田さんと僕が戴いた、『詩人の墓』という詩画集が登場しました。まだ本屋には出てないんですね。
谷川　そうですね、まだ店頭に出てないんじゃないかな。
山田　十二月十日に発行、ということに奥付がなっていました。『詩人の墓』、集英社から。これは一篇のわりと長い詩ですね。
谷川　僕としてはまあ、珍しい物語詩的なものですね。
山田　そうですね、それをこんな風に……各一連ごと、四行一節で、一節ごとに、これは太田大八さんというたいへんベテランの絵本画家が絵をつけて。で、先に詩があって、絵が後についたという、谷川さんの作品の中ではどちらかというと少数派に……でもないですか？

谷川　先に詩があって後で絵っていうの？
山田　はい。
谷川　絵本と詩画集的なものとはちょっと分けなきゃいけないと思うんですけども、『旅』も詩が先で、香月泰男の絵が後ですよね。絵本の場合にはほとんど僕がテキストを先に書いて絵が後で来ることの方が多いですね。
山田　そうですね。もちろん例外があって。
谷川　例外もありますね。
山田　例外というか……七対三ぐらいでしょうか。
谷川　いや、九対一ぐらいじゃないでしょうか。
山田　そんなになりますか。
谷川　はい。
山田　あの……僕の、ちょっと主観が入りますけど……判断で、絵が先にあって詩を後で書いたほうが名作が多いっていう気がしてるんです。『クレーの絵本』とか『クレーの天使』とか。
谷川　ああ、はい。
山田　それから『スーパーマンその他大勢』とか。それに対して絵が後っていうのはどっちかと言うと……詩だけで十分なような……『旅』だって詩だけで出版されてますよね。
谷川　そうですね、はい。
山田　別に絵は必需品じゃない……単なる飾りと言ったら絵を描いた人に失礼なんですけど、まあ、はっきり言えば挿絵、音楽で言うBGM的なものの方が多い気がしているんですが……。でも、この本は凄く詩と絵が……さっき電車の中で見てきただけなんですた……凄く合っていて。成り立ちなどについて少しだけ、お話しして頂けますか。

谷川　その詩を書いたのはもう多分十年近く前なんですね。それでその頃……やはり詩人という存在が普通の人間の目から見るとどうもちょっと、変わった存在でね、真人間じゃないんじゃないかっていうような考え方にとりつかれてましてね、詩人っていうのはどういう生き方をしているんだろうみたいなことを、他の詩の場合でも大分テーマにしてたんですけど。いつそういう風に物語詩的に書こうと思ったのか覚えてないんですけど、なんか……僕はほとんどストーリーのある詩っていうのは書かないんですけどね、普通の場合には。とにかくストーリーがあって、一種の起承転結みたいなものの形で書けたんですね。ただ自分で「こんなテーマは誰も興味を持ってくれないだろう」と。詩人が酷い奴だなんだ、って話はね。それでちょうど北海道の、小樽だっと思うんだけど、小さい同人雑誌、個人誌みたいなものから何か書いてくれないかって言われてたんで、そこにまず発表したんですね。

山田　「風」という詩誌ですか？

谷川　「風」ですね。それはもう大分前なんですけども。そのままほっといたんですけど、ある日そのコピーを取り出してみて、これ、もしかしたらもうちょっと沢山の人に読んでもらってもいいかなと思って、それで「現代詩手帖」がちょうど何か詩一篇下さいって言ってきた時に、これで良ければって言って出したら載せてくれたんですね。それでどうしてどうなったんだったかな、なんか集英社の人も「あ、これ面白いから出しましょうよ」って言ってくれたんだけど、到底一篇だけでは詩集にならない、じゃあ絵をつけたらどうかしらって僕が言い出して。僕は何となくヨーロッパの中世版画みたいな、すごい古風な、アルカイックな絵をつけて出したかったんですね。そしたら、ちょうどその当時太田大八さんと僕が絵本とかそういうものについての対話というのをずっと続けていて……それももうすぐ講談社から出るんですけれども……そんなご縁があって太田大八さんに頼もうと。そしたら太田さんが「好きに描かせろ」って言い出したわけね。で、僕は太田さんを尊敬してるし凄く良い絵描きさんだから「じゃあお任せします」って言ったら、太田さんはそれまで、本当に絵本界のベテランで、絵本はもう本当にいろんな手法で……僕も二冊ご一緒してるんだけど、でも一応基本的にリアリズムの手法で描いてるかただったんですね。彼も八十……大分過ぎちゃって九十近いんだけど……「私は今死亡適齢期だ」っていう名言を吐いてるんですよね。

山田　死亡適齢期！

谷川　死亡適齢期。それでもうそろそろ、その注文仕事で絵本を描くのは飽きたから、一回勝手にちゃんとしたタブローみたいなものを描きたいとおっしゃってたので、僕が詩を渡したら、そういう一種のアブストラクトな絵を描いて下すって。これはこれで僕は凄く面白いと思って。集英社の人が少し小型のね、なんか……僕は詩画集っていうか絵本みたいな気がしてるんですけども、そういうかたちで出しましょうということで具体化したんです。

山田　いや、これ凄いですね、絵の方法というか……。

谷川　ねえ。凄くね、色が綺麗なんですね。

山田　色彩も形も。もちろん元の絵はもっと大きいんでしょ?

谷川　もうちょっと大きかったと思います。

山田　油ですね。

谷川　いや、グアッシュみたいなもんじゃなかったかな、確か。

山田　ああ、グアッシュ……それを印刷する時には……。

谷川　ちゃんと太田さんは詩が入るスペースを残して描いてくださったんですよ。

山田　あ、なるほど。

谷川　うん、四行が入るように、色んな位置に。ちゃんと。だからそういうところは絵本作家ですね、やっぱり。

山田　そうか。四行分がちゃんと。

谷川　そう、ただのタブローの絵描きだったらそんなこと考えずにね、描いちゃうでしょ。

山田　そうですね。クレーがそんなこと気にしてくれるとは思わないですからね。

谷川　してないしてない。
山田　さすが絵本作家っていう。
谷川　プロです。
山田　だからやっぱりこうね、文字もそうですけど、言葉と絵が本当にぴたっと合っている、そういう第一印象をね、先程さっそく読んで抱いたんです。もうすぐ出るそうです。……というような新刊の情報も、たった今、お聞きしました。

●「半透明のポートレート」

山田　もう少し資料の方見ていただきたいんですけども、先程触れました「半透明のポートレート」。これ、まあ、どっちかと言うと朗読向きではないと思うんですが。
谷川　そうですね。
山田　ですから、こういう機会でもないとなかなか読まれることがないと思います。これは大阪芸大の学生達に、というか「別冊・詩の発見」に書いて頂いた記念すべき作品ですから、今読んで頂きたいと思います。田さんこれ中国語あるんですか？
田　いや、ないです。
山田　じゃあもうちょっと黙ってて下さいね（笑）では、谷川さん朗読お願いします。

谷川（朗読）

半透明のポートレート

ぼくには君が生きているのが見える
庭に大昔から生えている大きな樫の木
君のいささか古風なペチコート
ときどきつまみ食いしているクッキー
君の時代を形づくっているさまざまな細部
隣の家からドラムを叩く音が聞こえる

君の生きている光景は思い出でもないし
想像された未来のイメージでもない
ぼくはただ得体の知れぬ懐かしさを感じるだけ
君の滅びやすい肉体のまわりに漂うオーラに
それからたとえばギンガムのテーブルクロスに
お父さんが運転するツードアのダッジに

人生は大好きなヒット曲の底のほうに沈んでいる
君もそう感じてるんじゃないか？
避けようのない歴史の隅っこで育ってゆき
いつか誰かの記憶の中で消失点へと遠ざかる
愛することと愛されることを知ればそれが出来る
ドラムの音はまだ続いている

いや　君は何も喋らなくていい
君が作るレモネードは澄んでいて冷たい
誰にも人生の意味を尋ねずに
手触りだけを隅々まで知っている
君をそんなふうに理想化したい誘惑に駆られて
ぼくはここでパソコンに向かっている

時代の額縁の中で君は半透明の絵みたいだ
戦争が君の向こうに透けて見える
飢えている子どもらの顔も
今ぼくのいるここと君がいるそこは
暦が示すほどには隔たっていない
ドラムの音はここまで聞こえている

山田　ありがとうございました。
谷川　ええと、これの成立の裏話……って言うのは変だけど、どういうことがヒントになってるかってお話してもいいですか？
山田　ええ、お願いします。ぜひお聞きしたい。
谷川　僕は一九四五年の、十五年戦争の終りは中学二年生で迎えてるんですね。それで、それ以後圧倒的にアメリカ文明の影響を受けている世代なんです、少なくとも僕はそうなんです。僕は敗戦で一番印象的なことは、生まれて初めてジープっていう自動車を見たことなんですよね、疎開先の京都だったんだけど。こんな素晴らしい車があるのかと思いました。それからもちろん、当時日本は本当に食べるものも無くてみんな飢えてた時代だから、アメリカ兵が持ってきたハーシーのチョコレートとか、それからナビスコのウエハースとか、そういう闇市で買う、アメリカのお菓子類も凄くおいしかったし。それからドライブインっていうのが東京の赤坂に出来てそれはアメリカ兵目当てなんですけど、そこに車で入ると窓にトレイがセットされて、そこにハンバーガーとコーラが乗るという。それ何で経験出来たかって言うと、僕の父の弟子筋の中国人がいて……その当時は中国人は第三国人などと言われて、そういう占領軍と同じ特権を与えられてたんですね。彼はアメリカの車なんかを買い込んで、羽振りが良くて、僕をそういうところに連れて行ってくれたんです。で、それと同時に、って言うかもうちょっと後になって、テレビが始まってからかな……まだモノクロームのアメリカの、まあファミリードラマとか、それから映画で言うと例えば「わが生涯の最良の年」っていう僕の好きな映画があるんですけど、そういう映画で、アメリカのいわゆる家庭生活みたいなものが描かれているのが結構あったんですね。そういうものに、なんかあの……何て言うのかな。そのアメリカの、まだ今みたいなアメリカじゃないですからもうちょっと素朴なアメリカで、日本では本当に物が少なかった時代に、向こうではもう電気冷蔵庫があるしなんか食べるものも豊富だし、そういうことを半分羨ましがりながら見ていて。その中でテレサ・ライトとかね、そういう、好きな女優がいたんですね。そういう好きな女優達のイメージっていうのもずっと今でも頭に残っていて。一九四五年以降、五〇年代前半までのアメリカの家庭生活の中の女性に対して語りかけている。この「君」っていうのはそういうイメージなんですね。

山田　これは新作というか、こちらからお願いした時に書かれたんですか？

谷川　これはなんかね、別に注文がなくて、書いてたと思う。

山田　あ、そうですか。

谷川　それでこれはどこにも発表しないからちょうどいいと思って出したんだと思います。

山田　じゃあこの六行×五連で三十行という形とかですね、この長さとかは偶然ですか？
谷川　そうですね、はい。
山田　ちょうどこの雑誌の見開きにぴたっと収まるぎりぎりの長さなんです、間の一行アキとかも含めて。
谷川　あれ？　行数指定してらっしゃいました？
山田　特に指定はしなかったんですけど、見開きは三十七行です、っていうことはお知らせしました。
谷川　ああ、それじゃあ僕これ書いてる過程でそれ意識してそういう風に収めた記憶ありますね、そういえば。
山田　じゃあ推敲の過程で調整はした可能性があると。
谷川　あります。
山田　ということは、この指定で谷川さんの作品がやや変ったわけですね。
谷川　変ったかもしれませんね。
山田　元のはあるんですか？
谷川　ないです。もう全部消しちゃいますから僕、パソコンだから。
山田　ああ……前も申し上げましたけど、別名で保存はされないんですか？
谷川　しません。推敲すればする程良くなるって信じ込んでますから。
山田　はい。分かりました（笑）ということだそうです。でもパソコンはいっぺん入力したものはどこかに必ず記憶として含まれるそうですから……
谷川　探せば残ってますよね。
山田　ええ、そういう技術さえあれば。今のパソコン処分される時は声掛けて下さい。
谷川　いやです（場内笑）
山田　あやしいものが出て来る。
谷川　ちゃんと必ず、全部ぶっこわしますから（笑）

山田　（笑）「半透明のポートレート」の「君」というのは一体誰なんだろうなって、先程の「さようなら」のケースとはちょっと違う意味での謎があって、学生たちとの間で話題になったんです。今お話を聞いたら一九四〇年代後半から五〇年代前半ぐらいの、アメリカの女優さんとか、あるいはテレビドラマに出てた俳優さんとか。そういうイメージということですね。
谷川　そう、なんかつまり、当時アメリカのそういう女性っていうのはやっぱりとっても健康的なハウスワイフっていうイメージの人がいてね、僕はそういう何か一夫一婦制に憧れてたんですよね、その頃ね。家庭作ってちゃんと生活してっていう……。
山田　「名犬ラッシー」の一家とか。
谷川　「名犬ラッシー」は僕見てないんですけどね。
山田　ええと……「宇宙家族ロビンソン」とか。
谷川　うーん……ちょっと違うかな、もうちょっとね、アメリカのつまり小都市とかの郊外に住んでる家族っていう、今で言うと「ピーナッツ」の家族なんかそうなんだけど、あれは大人出てないけれども。
山田　「パパ大好き」とか。
谷川　そうそう、あのへん近いですね。
山田　ああ、わかりました、はい。と言っても皆さん何のことか分かんないでしょうね。
谷川　分かんないよね。
山田　まあそういう健康なアメリカンドリームというものがあった、そういう時代の女性。これ僕ちょっと深読みだったかなと思うんですけど、お母さんかな、と思ったんですよ。
谷川　あ、自分の。
山田　ええ。
谷川　全然違います（場内笑）

山田　ちょっとこう、昔にタイムスリップしたような。お母さんが若かった頃に戻って、ハイカラなモダンな生活をされていたお母さんのイメージで……。

谷川　そうしたら、僕の祖父がツードアのダッジを運転したってことになりますけど、うちの祖父なんか全然運転できませんでしたからね。

山田　そうですか。でも母方のおじいさんはすごく開かれたかただったんですよね？

谷川　そうですね、モダンな人だったですけどね。

山田　それは全く深読みでしたね。はい。

谷川　うちの母大体ペチコートなんかつけてなかったと思うけど。

山田　ああ、ハイカラなお母さんだったから……。

谷川　クッキーはつまみ食いしてたかもしれません（笑）

山田　戦争のことも出てきますね。この「半透明の絵みたいだ」っていうのは……タイトルもそうなんですけど、田原さんにもこれ聞いてみましょう、田原さん、この作品の評価をして下さい。

田　いや、これ、難しい質問です。

山田　翻訳はしてないんでしょ？

田　これ翻訳はしてません。ええとね、さっき谷川先生がおっしゃった、アメリカの強い影響を受けてこの詩を書いたということですけども、もし先にこういう風におっしゃってなかったら、たぶん私は分からないと思います。というのも、これは谷川先生の詩の特徴のひとつですね。どんな文化、どんな文明の強い影響受けても、必ず自分の、自分なりの、あるいは日本語的に自分なりに消化されて、それが自分なりの作品になるんです。だから、これはもう、何回もこの詩は読みましたけども、私本当にこれはアメリカの影響受けたものとは思わなかったです。ちょっとショックでした。

山田　日本人のある程度の年齢の人には、まあまあ、想像がつくヒントはあるんですね。この中に。

田　はい。

山田　ギンガムのテーブルクロスとか、ツードアのダッジとか。確かにさっき谷川さんおっしゃったけど、今で言えばシュルツさんの「ピーナッツ」、あの世界のアメリカ生活状況ですね。そういったものが背景にあるような感じ、というのは、まあ、我々にはちょっとは分かる、そうはっきりはしないですけどね。

●「歩く歌」その他

田　さっき先生のことばから「第三国人」って出てたんですよね。これふっと思ったんですけど、これは石原慎太郎さんが使って、在日韓国人に対する何かの差別語ではないのかっていうね、その時のことばですか？この「第三国人」は。

谷川　だから我々……石原もそうなんだけど、我々にとって「第三国人」って全然差別語でも何でもなくて、つまりその時はもう日本人以外全部第三国人だったんですよ、アメリカ人を除いて。中国の人も。それで三国人っていうのはそういう、占領軍と同じ特権を持った人たちだったんです。だから日本人はそっちのけで、彼らは色んな商売ができたわけ。闇商売とかそういうのが。

田　元々は差別語ではない。

谷川　全然差別語っていう意識はなかった。我々は。

田　なるほど。

谷川　だけどそれがまあ、いつの間にか差別語になってるんでしょうね。だから石原慎太郎は差別する気はなくて、昔の習慣で三国人って言っちゃってるんだなあと僕は思ってましたけどね。

田　なるほどね、分かりました。

谷川　でもまあね、都知事だったらちょっとそういう所神経質にならなきゃいけないんじゃないかね（場内笑）

田　はい（笑）

谷川　あいつはそういうとこはもう凄い何て言うの、……何て言うのかなあ。俺はそこが好きなんだけどね。男っぽいっていうか、なんか無神経なとこがあるし。

山田　無神経……（笑）はい。田さんいい？　時間の都合もありますから次の「聴く詩」の方へ話を移したいと思います。『歌の本』と『すき』。こちらは田原さんが今日中国語の用意をしてきてくれてますので、朗読もして頂くつもりです。その前に、ここで……急遽なんですけど、数日前に僕から声を掛けて、ここの大学院生による演奏が入ります。この三月に「ほうすけとひよこ」という谷川さんの書かれた絵本をミュージカルの形で発表したんですね。僕それを見させてもらって、凄く良かったの。歌の上手いのは当然なんですが、表現力、演劇的な表現力がね。それで今日、こういう機会ですから、井上洋美さんに声をかけて、何か谷川さんの詩で歌いたいのない？って聞いたらこの「歩くうた」ということに決断してもらったんです。どうぞ。大学院博士課程の、今現役の大学院生です。井上洋美さん。ピアノ伴奏は山田真由美さんです。谷川さん、ちょっと、しばらくお聞き下さい。

（「歩くうた」演奏）

ひとは歩く
てくてく歩く
ひとは歩く
のそのそ歩く
ひとは歩く
ぶらぶら歩く

ひとは歩く
道がなくても
ひとは歩く
砂漠をこえて
ひとは歩く
よそ見しながら
ひとは歩く
好きなほうへ
ひとは歩く
今日から明日へ
ひとは歩く
自分の足で
ひとには歩く自由がある

ひとは歩く
すたすた歩く
ひとは歩く
とぼとぼ歩く
ひとは歩く
のしのし歩く
ひとは歩く

扉をあけて
ひとは歩く
錠をこわして
ひとは歩く
壁をつきぬけ
ひとは歩く
大地を踏んで
ひとは歩く
国境をこえて
ひとは歩く
ひとを助けて
ひとには歩く自由がある

（拍手）

山田　どうもありがとう、ごくろうさま。僕もね、歌として初めて聞いたんです。谷川さんはもちろん聞いたことおありでしょうけど、いかがですか。

谷川　はい。これは林光さんが書いてくださった曲なんですけども、はじめからアムネスティに書く、ということがはっきりしてましたからね、そういう風な歌詞っていうのはあんまり僕ないんですよ。だからそういう風に狙いがはっきりしているっていう点でとても単純な歌になってるのがいいっていうように思います。

山田　もちろんこれは曲がつくということを前提にして、歌詞として書かれた。

谷川　そうだったと思います……。

山田　出来ばえというか納得度と言いますか……先程「さようなら」の、賢作さんの大絶賛がありましたけど、林光さんのこの曲についてはいかがでしょうか。

谷川　これはだからそのアグムネスティっていう目的がはっきりしてる曲ですから、ちょっと「さようなら」とは違いますよね。林光の中で僕が一番好きなのは、東京都の立川市立幸小学校校歌っていうのが、林光・谷川コンビの、僕の一番好きなものです。

山田　幸小ね、今度の『すき』に入ってますね。

谷川　入ってます。

山田　ここには校歌もいくつか入ってて。

谷川　はい。

山田　校歌もずいぶん作られてますでしょう。いくつぐらい？

谷川　百三十ぐらいです。

山田　百三十！

谷川　小中高大学、それから老人ホーム、幼稚園……。

山田　老人ホームも入れてですか。

谷川　入れてです。

山田　今度の『歌の本』の最後のはそうですか？「生きとし生けるものはみな」。

谷川　あれは違いますね。あれは木村弓さんの……確か曲先（きょくせん）で書いたと思うんだけど……歌で一番違うのは曲先、曲が先にあって書くか、歌詞として言葉を先に書くかで凄い大きな違いがあって、僕は曲先はあまり、まあ「鉄腕アトム」は曲先なんですが、それからあんまり曲先やってないんで、曲先は慣れてないんですけどね。でも木村弓さんに声かけられていくつか曲先やってますね。「世界の約束」も曲先です。

山田　あれは大変な……近年の大変な傑作だと僕は思いますよ。
谷川　そうですか？　いや、あれけっこう苦労したんですよ。言葉はめるのが。
山田　いやもうね、言葉と、曲が本当にぴったり。
谷川　そう聞いていただけると嬉しいですね。
山田　これ以上ぴったり合う歌ってあんまりないっていうね、頭韻も踏んでますね。
谷川　それ意識してませんけどね（笑）
山田　それは多分無意識でしょう、音が本当に……自然に頭韻になってたりとか。
谷川　あれカラオケ入ってますから歌ってくださいね。この前もそんな話だったけど。
山田　ええ、もう、僕この二日間で三十回ぐらい聞きましたけど、難しいですね。
谷川　ちょっとね。でも慣れれば。最後のね、ちょっと上がるところがね。ちょっと難しいんですけど。
山田　なかなかあの表現……倍賞千恵子さん、あの方の歌唱力も抜群ですから。
谷川　でもあんな歌い方じゃなくていいですよ。あんな綺麗に歌わないで、もっと心を込めて歌って欲しいです（場内笑）
山田　わかりました、来年までに、練習しておきます（笑）
谷川　いやあ、来年はここで聞かせて頂くの楽しみにしてます。
山田　ここで聞くんですか。
谷川　はい、もちろん。
山田　ここでするんですか。
谷川　ここで。そうでしょ。
山田　はい。誰か伴奏してね（場内笑）
谷川　けっこうやる気になってる……（笑）

山田　すぐ調子に乗ります（笑）

●ひらがな詩論争

山田　「聴く詩」の方なんですけれど。いま曲先という話が出ました。ここにある資料のお話を全部聞くわけに行かないんで、『すき』と『歌の本』と、両方をあっち行ったりこっち行ったりしながら、今からお話続けたいと思います。田原さんの翻訳のあるもので、『すき』という詩集の中に入ってる「歌」という作品のことを。これはこの詩集の中では珍しく漢字かな混じり。全部ひらがなだけの詩が多くて、これは例外的に……というのは、全部で五章あるんですけど最後の章だけが、十一篇でしたっけね、漢字が入っていて。これは去年も谷川さんにお聞きしたんですけど、ひらがな詩にはやっぱり今もこだわっていて、これからもこだわって書いて行きたいっていうことを去年おっしゃってたんで、そのこだわりが形になった一冊、というふうに考えていいんでしょうか。

谷川　はい。

山田　それでそのこだわりに対して田原さんは、ちょっと異論があるんですよね。

田　今でも変わらなく批判してます。

山田　ではこの『すき』に関してはどうですか？　今回の詩集についての、ちょっと寸評を聞きたいんだけど。

田　全部ひらがなで書いた詩集ですよね。『すき』。

谷川　漢字混じりもあるよ。

田　最後のほうに少しありますけども。例えばこのレジュメに「歌」という詩ありますけども、この中に漢字を使ってます。やっぱり私、漢字は自分の母語ですから、それから私中国人ですから、漢字のある詩に、非常に親しく感じます。ひらがなだけって、なんか、アルファベットみたいな、抽象的に思ってしまうんですね。

感じてしまうんです。これはまあ、論文にも書いたんだけど「ルール違反」という風に書いてますけど。
山田　ルール違反。
田　そうです。
山田　今度だから翻訳してきたのも、ひらがなだけの詩は避けましたね。
田　いや、ありますよ。ええとね……ダイアモンドは……
山田　雨のしずく。それから？
田　ダイアモンドと、それから、「世界の約束」？
山田　漢字入ってます。
田　「私の胸は小さすぎる」。
山田　漢字入ってますね。
田　ああ、このレジュメに入ってない。
谷川　（笑）
田　そうね、まあやっぱり、抵抗あります。正直に。
山田　やっぱり？　あの……田原さんに『すき』の全訳をしてもらったら面白いかなと思ってるんだけど、する気ないですか。
田　全訳？『すき』の。
山田　『すき』の。
田　いやあ……苦しめる……うーん。
谷川　いや、だから、この前も言ったように、もし訳してくれるんだったら全部漢字かな混じりに、俺がさ、打ち直すって言ったじゃん、ワープロで（場内笑）簡単なんだよ、そんなの。
田　（笑）いやいや、あの……何て言ったらいいかな、これは詩人の谷川先生、何で漢字を使わずにひらがなだけで詩を書くか、こういう行為自体、非常に興味あります。それは私も、ひらがなだけで表現できるようにというその努力ね、分かります。非常に分かりますけれども、どうかな、これからひらがなだけで書いていけるかなあ。

谷川　ひらがなだけで全部なんか書かないよ、当然。

田　でもかなり書いてるじゃない、作品。

谷川　うん。だから、どこが悪いんだよ（場内笑）

田　悪いというか、だから、ルール違反。

谷川　どこがルール違反なんだよ。

田　日本語の場合は漢字・ひらがな・カタカナ、という表記文字が構成されてるから、一方的にひらがな使うのはまあルール違反じゃないですか？

谷川　うーん……それはやっぱり、漢字しか知らない中国人の偏見だと思うな。

田　例えばですね、例えば日本語に、六十パーセントの漢字あるでしょ。漢字だけで詩を書いたらどう思いますか？

谷川　読めればそれはそれで面白いんじゃない？

田　いやあ……

谷川　いや、普通の人読めないでしょ、そんなことやったって。万葉仮名、万葉集みたいに書くのは結構、きっと面白いかもしれないから今に誰かやるよね。今もうみんな手が色々無いからさあ。

田　実際私ね、これから一篇でもいいですから、日本語の漢字だけで詩を書こうかなと思ってます。一篇ぐらい。

谷川　それは何か、表音文字的に漢字を使って書くのね？

田　そうです。助詞、例えばてにをは使わずに。

谷川　え、てにをはを使わずに書くの？

田　はい。
谷川　じゃあ漢詩じゃん。
田　漢字は、日本語の漢字ですよ。
谷川　日本語の漢字？
田　あるじゃないですか、日本語に。それ中国語にない漢字あるから。
谷川　うんうん、それを使ってね。で、てにをは無しで。
田　無しで。
谷川　それじゃあ読むときは、てにをは無しでどうやって読むわけ？　日本人は。
田　いや、だって、昔の日本人の方はみんな……
谷川　「サカ・ジョウ・サカ・ゲ」とか読むの？　坂を上がって坂を下るって言うのは。
田　いや、それは読者によって。
谷川　坂を上がって坂を下るって読んでもいい訳？
田　うーん。
谷川　ルール違反じゃん（場内笑）
田　違います、そうなんです、だから話に戻りますと、同じルール違反ですけども。
谷川　うん。
田　確かにひらがなだけの詩を訳すときは少し苦労します。だから、いわゆる日本語の、曖昧的なところありますよね、ひとつの単語にいろんな意味が含まれます。
谷川　そうそう。うん。
田　だからこの、ひらがなだけで、これは何の漢字、何の意味、非常に考えなきゃいけない。
谷川　すぐにだから電話してくれりゃいいのに。

田　いやいや、あんまり迷惑ですから。
谷川　そんな、変に意地張らないでさあ。
田　はい。
谷川　「これどういう意味？」とかって電話かかって来たらちゃんと答えますから。
田　はい。
山田　田原さんの漢字詩、というのが……谷川さんのひらがな詩に対抗して、漢字詩っていうのがもうすぐ出来るそうですから。あの、出たら真っ先に送って頂いて、クラスで合評しましょうね。
谷川　（笑）
山田　ぜひ書いてくださいね、それ。
谷川　じゃあI　ｌｏｖｅ　ｙｏｕって書くのは「私愛君（シ　アイ　クン）」とかってなっちゃう訳？「わたくし　あい　きみ」。シ　アイ　クン。
田　ただ、ニー（中国語「あなた」）が、I　ｌｏｖｅ　ｙｏｕは、これ日本語の場合も英語の場合も「相手」のこと言ってないでしょ？　第二人称。
谷川　いや、中国の知らないよ。日本語の漢字だけ使って日本語の詩を漢字だけで書くって言ったでしょ？
田　うん。
谷川　じゃあそういう場合には中国語の語順ではまずい訳じゃない、日本語の語順にしないと。
田　日本語の語順に従うよ、もちろん。
谷川　じゃあ「僕はあなたを愛します」は「僕君愛」って書くの？
田　僕……いや、「僕愛君」。
谷川　それは「I　ｌｏｖｅ　ｙｏｕ」で日本語の語順と違うじゃない。
田　えー……

谷川　それはまあ「僕愛君」でも「僕君愛」でもいいんだけどそれを読むときは「ボク　クン　アイ」とかって読んじゃうわけ？

田　うーん。

谷川　まあよく考えないとね。

田　そうですね。

谷川　二人で一緒に作りましょう、なんか。漢字だけで書くっていうの面白いかもしれない。

田　はい。

山田　連詩ですね。

谷川　まあ連詩になるのか何か……

山田　田原さんと谷川俊太郎さんの、漢字バーサスひらがな連詩。いいですねそれ、ぜひ。公開でするときにはお声掛けて下さい。

谷川　はい（笑）

●「歌」について

山田　せっかく田原さん翻訳して来ていただいたんで……「歌」という、漢字かな混じりのルールに則った詩です。これを中国語と日本語と両方で、今から朗読して頂きたいと思います。

谷川　中国語先で。

田　最初ですか。この「歌」は名詞に理解してもいいし動詞に理解してもいいと思います。中国語で朗読致します。

田　（「歌」中国語朗読）

山田　ありがとうございました。今、日本語を見ながらね、中国語の響きで目と耳で両方で追っていくっていう、ちょっと面白い体験をしたと思うんですけど。やっぱり田さん、こういう詩の方が訳しやすい？　訳したとき気持ちいい？

田　ええとね、漢字がありますと、その詩に入りやすいんです、とにかく。

山田　じゃあ元の詩の方で谷川さん、日本語の方も朗読お願いします。

谷川（「歌」朗読）

母さんのおなかの中で
羊水にただよいながら
ぼく　もう歌っていた

草の揺りかごの中で聞いた
青空が子守唄を
歌ってくれるのを

ご飯のときはスプーンやお皿や
ニンジンやお芋といっしょに
唇も舌も歌った

なんの物音もしない夜
静けさのかなたからの歌に
ぼく　黙って声を合わせた

初めてキスしたとき
あのひとのからだが歌って
ぼくのからだも歌って……

ぼくらが生きるこの星の大気は
喜びと悲しみと苦しみをひとつに
いつも歌に満ちている

だからぼく　いつか死ぬときもきっと
歌っている
誰にも聞こえなくても

田　これとってもいい作品ですね。
山田　いいですね。
田　なんと言うかな、谷川先生の特に、得意の作品だと思いますね。
山田　歌とは何か詩とは何かという作品の中に最近の谷川さんの傑作というのがいくつもあって。この『すき』の中にもやっぱり歌について歌っている作品があって……。

谷川　この詩集はですね、もうひとつ「歌っていいですか」っていう詩が入ってると思うんですが、これは『ソング・ブック』という題名でうちの息子が僕の詩で彼自身が作曲した歌を集めて、それを色んな歌手が歌ってくれたCDを出した、その中で何か、詩を読んでくれって言われて、彼らはあるものでいいと思ってたらしいんだけど、僕はせっかくその『ソング・ブック』って名前で出るんだったらと思って書き下ろした詩なんです、二篇とも。

山田　その二篇だけが谷川さんの朗読なんですよね。

谷川　そうです。

山田　他の作品は全部いろんな歌手の人が歌ってて。

谷川　はい。

山田　「歌」と「歌っていいですか」っていう、これだけが歌になってないっていうところがまた面白い。これは今でも作曲はされてないんですか。

谷川　多分してなかったと思いますね。

山田　そうですか。これは歌についての詩であって、歌詞として作ったわけじゃないんですね。

谷川　そうです、そうです。

山田　それに対して、先程「曲先」というお話ありましたけど、曲が先にある場合はもちろんそうなんですが、曲はまだなくても、歌詞を意識してある程度歌いやすいように音を整えるとかそろえるとか、そういうこと意識して書かれた詩もかなりあるんですか？

谷川　はい。ありますね。特に学校の校歌なんかはね、最初から歌ってこと決まってますしね。

山田　その場合はメロディがまだできてないっていうこともあるわけですか？

谷川　ああ、学校の校歌の場合は曲先ってことありえないです。ほとんど、完全に歌詞が先ですね。

山田　なるほど、やっぱり地名を織り込んだりいろんなことしなきゃならないっていう事ですか。

谷川　ええ、それはまあ、また別の話で色々あるんですけど、長くなりますよ（笑）

●未作曲の歌詞

山田　三枚目のプリントに集めてるのが今回の『歌の本』の中の作品です。ひとつは「長谷川きよしに」っていう献辞がついて、先程電車の中で、ここに来る途中に聞いたんですけど、これは長谷川きよしという……皆さん若い方はあんまり知らないかもしれません、目の見えない歌手なんですね。大変なギターの名手で、僕らの世代の人は大抵みんな知ってます。特に七十年代から八十年代ぐらいに活躍した盲目のシンガーですね。日本のレイ・チャールズとかスティービー・ワンダーとか言われた人です。その長谷川きよしさんの為に書かれた詩なんですが、「僕のめざめるすべての夜は美しい」という、これ全部五行ずつ三連ですから、五行ずつで一番二番三番というように歌えるようになってる歌なんですね。それともう一つは、「ダイアモンドは雨のしずく」っていう、これもちょうど五行ずつ、こちらは四連ですね。になってるんですが、先程お聞きしたら、谷川さん、この二つともまだ曲がない？
谷川　多分ないと思います。
山田　誰も作曲してないわけですね。
谷川　と思います、でもＪＡＳＲＡＣのリスト見ないと分かりませんけどね。黙って作曲しちゃう人いますから。
山田　ああ、でも黙って作曲してる場合はまあ谷川さんの関知しないところでしょうから、別にオリジナルと認める必要ないわけですよね。
谷川　いや、別に作曲した人にしたらそれはやっぱりオリジナルの作曲でしょうね、よく分かんないけど。
山田　ああ……じゃあ例えば今ここにいる人の中で、これまだ曲がないんだから、自分が作曲したい、作曲して自分が歌い始めたい、という人がもしいたらしてもいいんですか？

谷川　いや、そんなのもう、全然みんな僕に声掛けないでいっぱい作曲してますから。要するに利益を生むようなコンサートとかそういう場合にはJASRACに作品届けを出さなきゃいけないということだけです。あとはだから作者の許可なんかなくてもいいんです。

山田　まあでもちょうどこういうね、ご縁があるわけですから、谷川さん自身が認めた、ということでオリジナルの歌ということにするとして。作曲したい人誰かいません？

谷川　自分の詩の好みってあるからねえ、やっぱり。これは作曲しにくいとかあるでしょ、きっとね。

山田　でもこれだけいたらね、きっとやってみたいっていう人がそのへんにいそうですよ。まあ後でいいから声掛けて下さい。……という詩が二つ、でもこれちょっと、歌にしにくいかもしれないけどすごく詩として読んで、別に歌詞という風に意識しなくても、ということはメロディ、曲がついてなくても……実際ついてない訳ですからね、今……詩としてのみあるわけで。すごくいい詩だと思うんで。田原さんこれ、どっちか……。

田　ダイアモンド。

山田　ダイアモンドの方があるんですね。ですからぜひこれは、谷川さんと田原さんに朗読を、歌という事を意識してね、皆さんに聞いて欲しいと思います。どうしましょう、今度は一行ずつぐらい相互に、二ヶ国語朗読ということで。

谷川　一行ずつでも大丈夫？　一節ずつ……

田　大丈夫ですよ。どっちがいいかな。どっちでもいいですよ。

谷川　ちょっと切れちゃうね、つまり中国語がみんな分かれば一行ずつで面白いと思うんだけど、うん、じゃあ一節ごとにしよう。

田　はい。

「ダイアモンドは雨のしずく」朗読（日中）

生まれたときから分かっていた
人生には今しかないっていうことが
悲しみはいつまでも続くけれど
涙はこぼれるたびに新しい
ぼくにはきみに話してやれる物語がない

目の前の木をみつめるだけで
ふるえるように笑った子どものころ
一日が終わると夢が始まり
そこでは誰もがわけもなく生きていた
ぼくにはきみに話してやれる物語がない

いつ死んでもいいと思っているから
ダイアモンドは雨のしずく
別れのさびしさも映画みたいだ
忘れまいとしても明日はやってくる
ぼくにはきみに話してやれる物語がない

流れる川の源は大地にかくれている
愛しているから未来が見えない

傷つけた昨日は暦のしるし
波紋のように今がひろがる
ぼくにはきみに話してやれる物語がない

山田　ありがとうございました。いい詩ですね。いわゆる歌、歌謡曲なんかの歌、として聴いたり歌ったりするということを考えると、ちょっと難しいかもしれませんね、内容的に。どうですか？

谷川　これはね、イギリス人でクリス・モズデルという男がいまして、イエローマジックオーケストラなんかといっしょに、歌詞を書く人なんですね、一応、リリシストって自分を呼ぶんですけども、ポエットって言わないで、わざわざリリシストって言うのはやっぱり彼は歌の詞を書くっていう意思があるんですけど。普通の詩も書くんですけどね。彼が僕と大岡信と白石かずことそれから……吉増剛造に、なんか本を出すから、書き下ろしで歌詞を書いてくれっていう風に依頼して来たんですね。それで僕は、彼はほら、英語しか分かんない男だから、何書いてもいいみたいな感じだし、どうせ彼は日本語で書かれた歌詞なんか歌えないだろうと思ったから、ただなんとなくクリスの書く歌詞、それからクリスっていう人間のイメージを頭に置いて書いたのがこの詩ですね。だから厳密に、歌になるっていうことを考えては書いてません。半分詩みたいな感じで。

山田　ああ、なるほど。ある程度歌は意識してるけれども、実際に歌われるということは……

谷川　歌われる必要は別にないやみたいな感じ。うん。

山田　でもそういう作品の方がまたむしろ、現代音楽っていうのか。

谷川　そうね、自由に書けますよね。

山田　そうですね。作曲するほうもまた、作曲のしがいがあるっていう人もいるでしょう。

谷川　かもしれませんね。はい。

山田　誰かいませんかね。

谷川　（笑）
山田　もうひとつ、今おっしゃった、同じ事情でできた「星より遠い出口」っていう作品、これも同じことなんですね。
谷川　そうですね。同じような感じです。
山田　やっぱり五行一連で書かれていて。
谷川　うん。
山田　まあ、リフレインはこちらには無いんですけど。こちらの「ダイヤモンドは雨のしずく」なんかは最後に必ず一箇所、同じところがあって。
谷川　はい、リフレインがありますね。
山田　歌い流すには難しいけれども、じっくり歌い込むには非常にいい作品じゃないかなっていう気がするんです。
谷川　これロックにしたらいいんじゃないかと思うんですけどねえ。
山田　ロックですか。ああ……ちょっと、慌しすぎません？　これだと、ロックのリズムには。やっぱり中川俊郎さんあたりに……。
谷川　いやあ、やっぱり矢沢永吉に書いてもらいたいな（場内笑）
山田　矢沢永吉（笑）今度交渉してみましょうか。

●「世界の約束」

山田　「世界の約束」という作品……これは、田原さんが中国語訳を用意してきてくれてます。田原さん、この「世界の約束」は、中国語で歌えるんですか？

田　歌ってないから……
谷川　「ハウルの動く城」は中国で公開されたんだっけ？　映画は。
田　ああ、ありました。
谷川　その時は何、吹き替えしなかったのかな。
田　ええ、なかったんです。
谷川　じゃあ日本語でそのままやってるわけ？
田　ただ、吹き替えたCDが出てます。中国語訳。
谷川　それ田原さんの訳じゃなくて？
田　いや、私じゃなくて。それね、全然合ってない。
谷川　あ、訳してないんだ。適当に？
田　適当に、そう、言葉を。原作の意味を無視してる。
谷川　わかった。うん（場内笑）
山田　田原さんはその原作の意味を無視しないで今度訳してるんですけど、ただ、それであのメロディで歌えます？
田　歌えないですね。詩のつもりで訳したので。
山田　そうか、あくまでも詩として訳した。
田　そうですね。
山田　だから詩としての翻訳だけども、じゃあ今度は多少意味を曲げてもしょうがない、最低限ね、最小限、それで歌バージョンを作りましょうよ。
田　もう一つは、ええとね、谷川先生の詩ももちろんですけども、他の詩人の詩の場合でも同じですが、自分の母語に直す時、意識的に、外的にリズム……韻ですね。踏まないようにしてるの。意識的に。自然に任せて、そういう風にしてるから、ある意味で中国語で歌いにくいかもしれない。

山田　まあ詩と歌の一番大きな違いっていうことですね。要するに、詩は意味をどうしても優先する、もちろんそれだけじゃないにしても意味を優先しなきゃいけない。歌は何と言っても音が優先ですからね。どっかでぶつかるっていうことで、どちらを重視して訳すか……。僕も多少翻訳の仕事してますけど、何を諦めて何を取るか、何にこだわるか、その取捨選択のところに翻訳者のセンスも、思想も、考え方も、色んなものが全部凝縮して出て来る。田原さんの考え方がこの詩の中に当然反映されてと思うので、これは谷川さんにまず朗読して頂いて、それから田原さんに、中国語でどうなるのかっていうことを、読んでいただいたら面白いと思います。谷川さん朗読お願いします。

谷川　「世界の約束」朗読

涙の奥にゆらぐほほえみは
時の始めからの世界の約束
いまは一人でも二人の昨日から
今日は生まれきらめく
初めて会った日のように

思い出のうちにあなたはいない
そよかぜとなって頬に触れてくる
木漏れ日の午後の別れのあとも
決して終わらない世界の約束

いまは一人でも明日はかぎりない
あなたが教えてくれた
夜にひそむやさしさ
思い出のうちにあなたはいない
せせらぎの歌にこの空の色に
花の香りにいつまでも生きて

田　「世界の約束」中国語朗読

谷川　これは「ハウルの動く城」の為に書いた詩では全然ないんですね。木村弓さんが新しいCDを出すときにメロディを……まあ曲先ですから、メロディを僕に渡してくれて、それに言葉をつけてくれっていう。それでその時に、「失恋の歌だけど失恋して悲しくない歌」って注文がちゃんとついてたんですよ。それで僕はこういう言葉を当てはめて行ったんですよね。
山田　じゃあ必ずしもアニメの為じゃなくて、倍賞さんの為でもなくて。
谷川　はい。
山田　ちょっと聞いてみましょう、せっかく持って来ましたから。

（楽曲「世界の約束」）

山田　すごくいい歌ですよね。本当に言葉と音、メロディがぴたっと重なって、これしか、この音にはこの言葉しかないっていうのが、本当にすごく合ってると思うんですけど、これが……曲先でした？

谷川　曲先です。
山田　ということはこれからもこういう活動は、ある程度、仕事の比としては増やして行こうというような気はおありなんですか？
谷川　今やってるのはね、グリーグっていますよね。グリーグが結構たくさんの歌曲を書いているんですね。その内の何曲だったっけな、八曲かな。それ僕一人では出来ないから覚和歌子さんっていう、これは作詞のプロだけど、「千と千尋」の主題歌書かれたかた。
山田　はい、作詞家ですね。
谷川　うん、ちょっとお願いして。二人でそのグリーグの歌曲の曲先に日本語の詩をつけるっていうのをやってるんですよ。
山田　それは凄い。
谷川　これまた結構難しいんですけどね。
山田　訳詩じゃなくて？
谷川　訳詩じゃなくて。
山田　じゃあ、さっき田原さんが言っていた「世界の約束」方式ですね。意味を変えてしまう。
谷川　まあできるだけ原詩にちょっと近いものにはして下さいみたいなことはあるんですけどね。だけど題名も変えていいし、ただ「ソルヴェイグの歌」みたいな有名なやつはね、やっぱりある程度原詩の、何か残さないとまずいんじゃないかと思いますけどね。だからポップスじゃなくてクラシックだとまたちょっと難しさが違いますよね。
田　この「約束」、タイトル、実際難しい言葉です。
谷川　これはちょっと、日本語でもね。
田　難しい。日本語の単語でも五つぐらいの意味あると思いますね。ひとつは「約束」の意味あります、ひとつは「規則」の意味も持つね。もうひとつは、例えば前世の約束という言葉あるじゃないですか、決まってること。だから、どういう風に中国語にしたらいいか大分迷ってしまったんです。

谷川　そうですね。

山田　田さんの中国語は「世界的約定」。

田　「約定」、日本語にはありますか？

山田　約定っていう言葉は……谷川さん、ありますよね？

谷川　日本語に約定ってありますよ。

山田　ちょっと意味違いますよね。

谷川　ちょっと法的な感じだけど。

山田　なるほど。そういう翻訳の苦労の話もお聞きしたところで、そろそろ時間が尽きてきました。谷川さんがグリーグのメロディに詩をつけるという、作詞活動ですね。

谷川　一種のね。

山田　これ、ぜひ楽しみにしたいと思います。それからもうひとつ、思潮社と言っていいんですか？　詩集がそろそろ出るんですよね？

谷川　いや、まだ全然それは頭の中で考えてるだけで、まとまってません。

山田　あ、そうですか。また近々……。

谷川　写真の荒木と一緒に写真詩集が出ます。

山田　荒木さんと。

谷川　はだかなしで、空だけですから。買って下さい（場内笑）

山田　ああ、今度ははだかなしの空。はい（笑）荒木さんとの写真詩集が出るそうです。質問の時間を設けたかったんですけど、時間が過ぎちゃいました。来年もまた来て頂けるように皆さんから、お願いの意味で拍手お願いします。
（拍手）
谷川　皆さん、どうもありがとう。
山田　田さん、谷川さん、どうもありがとうございました。

大阪文学学校特別講座（二〇〇七年十月十一日）

詩の朗読と翻訳をめぐって

●近況など

山田　谷川さんに前に来て頂いたのは二〇〇二年でした。谷川さんが詩をあまり書かなかった「沈黙の十年」と言われる時期があるのですが、その沈黙を破って二〇〇二年に『minimal』という詩集が出ました。その時のエピソードをお話しいただいたのですが、実はあの詩集の仕掛け人の一人は田原さんだったんです。上空八千メートルで谷川俊太郎がふたたび詩を書き始めたという劇的なエピソードが語られました。それから五年間、ほんとうに堰を切ったように、質量ともにすごい創作活動を展開されています。今日はそのあたりの話から入って、近況や新作のことを少しお聞きした後、田原さんが用意してくれた資料に沿って「詩の朗読と翻訳をめぐって」という題で進めていこうと思います。もちろん、谷川さんに詩の朗読もしていただきます。田原さんの中国語の朗読も入れながら、二時間ほど聞いていただこうと思います。途中で一度質疑応答の時間をとります。フロアから質問を出していただいて、その内容を受けながら後半を続ける――そんな感じでやりたいと思っています。

それでは、まず自己紹介がてら、近況をお話しいただけますか。谷川さん、ようこそ。どうもありがとうございます。

谷川　こちらこそ。皆さん、こんばんは。（場内拍手）

山田　毎日お忙しいようですね。

谷川　なんか、頭がこんがらがっていますね（笑）。今日がどういう日かもよくわかっていないんですけれど。ここは、大阪ですよね。

山田　ここは大阪文学学校です（笑）。明日は大阪芸大で、明後日は京都ですね。たしか、先週は仙台に行っていらしたんですよね。

谷川　明後日は京都で「絵本の学校」があります。仙台では「せんくら」――「仙台クラシックフェスティバル」というのがあって、あちこちの会場でいろんなクラシックの音楽会が開かれましたが、そこで息子の賢作と、それから管楽四重奏のアンサンブルと共演しました。僕の詩から名前を付けた〈あんさんぶる・であると〉というグループなんですけれど。

山田　イタリア語みたいですね。

谷川　そうなんですけれど、実は詩集『わらべうた』の詩の題からとったんです。そのアンサンブルと一緒に、子ども向け四十五分、大人向け四十五分という二ステージをやりました。その前がまた京都で、「俊読」という、若い人たちが僕の詩と自分たちの詩を朗読するというイベントがあって、そこにラッパーが来たんですよ。

山田　ラッパーですか。

谷川　主催者が面白い奴で、ラッパーを二人連れてきたんです。彼らがすごい大音量でラップして、その中に僕の詩がちょろちょろ入っていたりするんですよ。引用というか、リミックスというか。それを聴いていたら疲労困憊しちゃってね、打ち上げをさぼってホテルに帰って来ちゃいました。でも、自分の詩が他人の詩とごちゃまぜになるというのはすごく面白くて、四元康祐さんも「別冊・詩の発見」の中でやっていらっしゃいましたけれども、ああいう考え方はすごく好きで、人はすぐ盗作とか模倣とか言うけれど、「そういうのは、もう関係ねえだろう」と言いたいところがあるんですね。

山田　私も一つだけやらせて頂きました。申し訳ありません。

谷川　いや、全然申し訳なくないですよ。

山田　谷川俊太郎と小野十三郎をリミックスしちゃいました。

谷川　そういうのは名誉だと思います、引用される方が。

山田　あ、そうですか。皆さん、引用してくださいね。（場内笑声）

谷川　金がからんだ場合は、著作権料を行数で払っていただかないとね。三十行のうち一行引用があれば、一行分は払って頂くことにしましょう。

山田　あくまでも著作権料が発生して儲かった場合の話ですね。

谷川　ほとんどありえませんけれどね、詩の世界では。――その前は、吹田のメイシアターというところで、スイスの作曲家でギーガーという人がいるのですが、この人は日本語の詩に作曲をしているという変わった人なんです。日本の尺八なんかとも共演していて、もともとはロック歌手という不思議なクラシックの作曲家なんですけれど、その人が私の『minimal』という俳句っぽい詩集と『よしなしうた』というほとんどナンセンスな詩集とをまぜこぜにして、歌曲集みたいな連作を作ったんです。それを在日の韓国の女性がソプラノで歌ってくれて、伴奏がバイオリンとコントラバスという非常にめずらしい組み合わせなんですよ。

山田　主旋律がわからなくなりませんか。

谷川　いや、伴奏としてはすごくよかったですね、歌がよく聞こえて。それがすごく面白かったんです。歌の前に、自分で詩を朗読をするというプログラムでした。その前は何だったかしら……そう、朝日新聞が出している「アエラ」という雑誌がありますね。僕の「なんでも××××」という詩がネット上で非常に評判になっているらしくて、検索すると一万件以上も取りあげられているのはなぜか、ということを作者に聞きたいというので家に来て、僕は「なんでも×××」を連発しながらお話をしました。

山田　「×××」というところには、ほんとうはちゃんと言葉が入っています。今日はちょっと遠慮していらっしゃいますね、今のところ。

谷川　もしかしたら、そういうのを不快だと思われる方もいらっしゃるといけないなと思って。僕は平気なんですけれどね。そのまた前の日は……というふうに話し出すとキリがないので、もうやめましょう。

山田　というわけで、本当にお忙しい中、よくおいでくださいました。また後でゆっくりお話をうかがいます。続いて田原さんをご紹介します。中国の詩人で、谷川俊太郎の詩の翻訳をずっと手がけておられます。中国で、今度三冊目が出たのかな。

田　いや、まだです。

山田　日本語版では、集英社文庫から『谷川俊太郎詩選集』というのがすでに三冊出ています。中国では「総集」という言い方があるらしいんですが、谷川さんの初期から最近に至るまで、全部で六十冊近くあるオリジナルの詩集の中から選んだ詩を三冊に編まれました。田原さん、自己紹介をお願いします。

田　ご紹介いただいた田原と申します。少し緊張しています。日本に来て十数年になりますが、なかなか日本語が上手にならないです。これからお二人の先生といろいろ話しますけれど、舌足らずの日本語を我慢して聞いていただけたらと思います。よろしくお願いします。（場内拍手）

山田　私も舌足らずな日本語ですから（笑）、田原さんもどうぞ遠慮なく、くつろいでお話をしていただけたらと思います。皆さんのお手元にある資料も、田原さんが用意してくれたものです。この資料のお話が今日の本題なんですけれど、その前にちょっとだけ時間を頂きます。

●最近作のことなど

山田　この前、二〇〇二年に来ていただいてから後の谷川さんのご活躍については、先ほど少し触れましたが、詩集だけあげても『夜のミッキーマウス』（新潮社）、『シャガールと木の葉』（集英社）、少年詩集『すき』（理論社）、そして画家の太田大八さんとのコラボレーションで『詩人の墓』（集英社）、つい最近に出た『写真ノ中ノ空』（アートン）。これは写真家の荒木経惟さんとのコラボレーションですね。さらに『谷川俊太郎　歌の本』（講談社）というのが去年出ていますね。歌詞として書かれた詩を集めた詩集です。他にも文庫版や評論集などいろいろ出ています。田原さんの詩選集については、後ほど詳しくお話をうかがいます。

それらの他に、谷川さん、田さんと僕との三人の話をまとめた『谷川俊太郎《詩》を語る』（二〇〇三年、澪標）という本が出ました。その後、『谷川俊太郎《詩》を読む』『谷川俊太郎《詩の半世紀》を読む』という本も出ています。さらにその後、「別冊・詩の発見」という雑誌の第三号で「谷川俊太郎の現在」を特集しました。同じ雑誌の最新号にも谷川さんの詩を掲載しています。今年は中原中也の生誕百年ということもあって、中也に捧げる詩を書かれています。それを提供していただきました。一番新しい作品ということで、今日はまず谷川さんにこの詩を朗読していただこうと思います。

谷川　特に「生誕百年」にひっかけて書いたわけじゃないんですよ。山口で生誕百年のコンサートがあったりして、それに行って何だか中也漬けになっていたら、自然と中也の口まねをしちゃったんですよ。

山田　憑依したんですね。

谷川　それで書けたという感じです。完全に中也の口調にはなっていませんけれど、この辺は私にとっての中也調だというところはあるんです。

山田　最後はしっかり七五調ですね。この話は明日ネタにしようと思うので、あまりここでは話しませんが、せっかくですから皆さんにご披露ということで、朗読をお願いできますか。

谷川　はい。「言葉だけに」というタイトルです。その後に「呈　中也」と書いてあります。

言葉だけになってしまって
山はぼうっとうずくまってる
港は薄曇った空の下
何事か思案している

他処の国でもそうなのだろうか
海は淡々と陸と陸を隔て
罪人たちの深い嘆きの感嘆詞さえ
言葉だけになってしまって

転んでもただで起きない商人は
電子まみれでバスタブにいる
大昔に書いた恋文も
言葉だけになってしまった

緊縛された若い女の首筋に
青い静脈が浮いている
言葉だけになってしまって
詩は世界から剥落しかけて……

嘘だ！嘘だ！
何が言葉だけなものか！
太腿を脇差で刺して
小姓は居眠りすまいとしたではないか！

――静けさだ
あとは静けさあるのみだ
案山子たちは尾羽打ち枯らし
藁の頭で瞑想し

どっかの家の食卓の
夫婦茶碗によそわれて
ご飯が湯気を立てている
ほのかに湯気を立てている

という詩でした。（場内拍手）ちょっと解説すると、「緊縛された若い女の首筋に／青い静脈が」というのは、どうも『写真ノ中ノ空』を書いた時のエコーで、アラーキーの写真がここで出て来ちゃってるんですよね。僕は、緊縛されている女は好きじゃないんですよ。されていないのは好きなんです。だけど、されているのは抵抗があって、一つ前の『優しさは愛じゃない』の時も「縛るのだけはやめてね」ってアラーキーに頼んだの。そうしたら、彼はちゃんと縛らないでやってくれましたけれどね。

山田　荒木さんの趣味なんですよね。
谷川　そうなんですね。僕はちょっと趣味じゃないんですよね。山田さん、どう？
山田　いやいやいやいや……。
谷川　なんか、否定の仕方があやふやだから。
山田　幾分、まだ若いものですから（笑）。
谷川　ああ、そうですか（笑）。それから「太腿を脇差で刺して／小姓は居眠りすまいとしたではないか！」というのが突然出てくるのは、中也調だと思ってやってみたんですが。
山田　講談か何かみたいですね。
谷川　僕が子どもの時に読んだ講談の一節で、何の話だったかは憶えてないんだけれど、とにかく小姓が大名の傍に侍っていて、夜中も起きてないといけないんですよ。居眠りが出そうになると、脇差で太腿を刺して居眠りしなかったという話。
山田　ありましたね、そういう話。
谷川　あ、ご存じですか。
山田　忍者漫画にもよくありますね。催眠術にかかりそうになると、「あ、いかん」と言ってぐさりと刀で突く。
谷川　そうそう、そういう感じ。子供心に脇差しで刺すなんて、すごい痛いだろうと印象に残っていたのが、この時ぽこっと出てきたんですよ。
山田　唐突にぽっと出てくるのは中也調ですね。
谷川　そうです。それは中也が一番多いと思います。最後のところは、おっしゃったように七五調で、なんとなく中也っぽい感じでまとめてみました。
山田　なるほど。ご本人に解説されてしまったので、明日のネタに困ったなと思っているのですが（笑）。実はミュンヘンの四元康祐さんからメールが来まして、この「星　中也」についていろいろ聞きたいと書いてありました。「山田さんが谷川さんにどういうふうに聞いて、どう解釈したか……作者自解と研究者他解を期待しています」というメッセージが入っていたんです。

谷川　ああ、そうですか。

山田　でも、その話は明日しましょう。

谷川　はい（笑）、わかりました。

●小野十三郎からの手紙

山田　ここで田原さんに話を振る予定だったんです。ところが、先ほど谷川さんから大変なものを頂きまして、この大阪文学学校と大変縁の深いものですので、ここで披露します。こういう古い手紙です。裏を見ますと、差出人が小野十三郎。消印が昭和四十年五月一日です。中身はちゃんと入っています。（取りだして）手が震えるんですけれどね（笑）。これを私が頂くことになったいきさつを少しだけお話します。思潮社から『谷川俊太郎のコスモロジー』という本が出ています。その中に谷川さんに宛てた手紙を紹介したコーナーがあって、詩集『六十二のソネット』へのお礼状を集めたページに、三好達治や草野心平など、いろんな詩人からの手紙が掲載されています。そこに小野十三郎からの手紙も紹介されていました。私は谷川俊太郎論を書くにあたって、この手紙の文面が一九五三年に出た『六十二のソネット』へのお礼状の文面であるはずがない、と推測しました。一九六五年に『谷川俊太郎詩集』という大きな詩集が思潮社から出ていますが、それへのお礼状じゃないかと。この手紙には、小野さん自身の詩集『異郷』のことが出てきますが、『異郷』は一九六六年に出ています。そのことや、何よりも文面から考えて、おそらく編集の間違いだろうと考えました。実物があれば証明できそうなものですが、この手紙には日付だけで年号が書いてありません。しかし、田原さんがあの鋭い眼差しで消印を読み解いてくれました。確かに昭和四十年とあります。これで私の説は実証されたことになります。自慢したかったわけではなくて、この手紙から、小野十三郎と谷川俊太郎が一九六五年にどういう交流をしていたかということが伝わってくるんです。今ちょっと読ませて頂いていいですか。(場内拍手)。

谷川　昭和四十年は、田原さんが生まれた年なんだよね。

山田　一度活字になったので、だいたいの文章は憶えているんですが、ただ、ものすごい達筆です。この自筆を全部読めるかどうか自信がないんですけれど、間違ったらどうか許してください。

　いきなり本文が始まります。「今日は立派な詩集をお贈り下さってありがとう」。皆さん、私の声を小野十三郎だと思って聞いてください(笑)。「詩を読むたのしさと云ったものがほとんどなくなった今日、わたしにとっては、あなたの詩だけが例外でいつもたのしく拝見していました。このたのしさは決して一ときのものではありません。それはわたしの内部に折れ曲ってきて、ややともすると、詩以外の要素で拡散されようとするわたし自身の詩の構造力学をひきしめる態のものです」。すごいことを言っていますよ。「未知の作品もたくさんあって、この本とともにいるこれからの毎日がたのしみです。仕事の合間に少しずつ味読させていただきます。それにしても、こんな豪華なまとめ方をされますと、あなたはもうこれまでのように精力的に詩をお書きにならないのではないかと心配です。どうかそんなことになりませんように。それはわたしにこれからも詩を書きつづけさせる力に関することがらでもありますから。近くわたしも「異郷」という詩集を思潮社から出します。目下原稿整理中ですが出来上りましたらまっさきにお送りいたしましょう。お礼まで。　五月一日　谷川俊太郎様　小野十三郎」、以上です。(場内拍手)

谷川　僕は文字では読んでいたけれど、声で聞くのは今日が初めてです。やっぱり、すごくよかったです。

山田　ありがとうございます。なんか今、小野さんがこのへんにね……。

谷川　憑依してますか(笑)。それにしても、大先輩が本当に同感するような口調で書いてくださっていますよね。本当に謙虚な文章ですよね。

山田　謙虚だし……深いですね。先ほどの「構造力学」云々というのは、本当に当時の小野十三郎の詩論です。

詩というものを構造として捉えるという、それが「折れ曲がって入ってくる」なんで、すごい難しいことを言っています。谷川さんがこれを受けとられたのは何歳の頃でしたか。

谷川　一九六五年のことですから、三十四歳ですね。

山田　小野さんが一九〇三年生まれですから、六十二歳。

谷川　ほとんど倍近い年なのに、本当に対等な書き方をしてくださっているのは感動的ですね。

山田　六十二歳と言えば、当時の小野十三郎は大家中の大家ですよ。三十四歳の谷川俊太郎も、もう駆け出しではないですよね。

谷川　もう少し薹が立っていましたね。

山田　思潮社から全詩集が出ているわけですから、中堅にさしかかる時代の旗手というぐらいのスタンスですね。その二人の間に一九六五年、田原さんの生まれた年にこういうドラマがあったということです。これはすごくいい話だと思ったので、ぜひ皆さんにご紹介したいと思いついたんです。ここからは田さんにお願いします。では、「朗読と翻訳」というテーマでお二人にいろいろ話し合って頂きます。

●漢詩の翻訳をめぐって

田　では、そろそろ本題に入りましょう。「朗読と翻訳をめぐって」、朗読は声を出して詩を読むということですけれど、翻訳については、私はそれほど経験のある翻訳者じゃないと思います。浅い経験の中で、谷川先生の詩をめぐって話をしたいと思います。まず用意した資料をご覧ください。一ページ目の「母語と越境」は後で読んでいただくことにして、二ページ目の漢詩「勧酒」の翻訳を見てみたいと思います。この詩を書いたのは于武陵という、日本で大変有名になった唐の時代の詩人ですが、今の中国ではまったく無名です。だから彼は井伏鱒二さんに感謝しないといけないですね。この詩には三つの日本語訳があります。まず、もともとの漢詩を中国語で読んでみます。

勸君金屈巵
滿酌不須辭
花發多風雨
人生足別離

この漢詩は平仄・押韻・字数などがちゃんとしています、つまり漢詩を作るルールを守っています。この詩の日本語訳がどうなっているか、まず吉川幸次郎先生の訳を見てみましょう。「訓読文」と書いてありますね。日本語で読み下したものです。これを先生に読んでいただきましょうか。

谷川　読めるかしら。（読む）

酒を勧む

君に勧む　金屈巵
満酌　辞するを須いず
花発けば風雨多し
人生　別離足る

田　うん、上手じゃないですか。（場内笑声）

谷川　そうかな。僕、日本語わりと得意だからね。

田　ＮＨＫで一度見たことがあるんですよ、漢詩の朗読を。それと似ていますよ。このような読み方は日本人に独特もの、或いは日本語にしかないものだと思いますが、何か今の時代と離れているような気がします。このような「読み下し」は現在の日本の若い人にとっては、この訳はどうですかと聞いたら、おそらく……

谷川　全然わかんないでしょうね。

田　こないだ谷川先生とも電話で話したんですけれど、来年中国でオリンピックが開かれる時までに、李白の漢詩を全部で三十五篇、四カ国語に訳すことになりました。ロシア語、フランス語、そして英語と日本語です。その日本語訳を田さんにしてもらいたいと頼まれました。訓読の読み下し文ではなくて、現代文に訳してほしいというんです。その訳詩集をオリンピックに合わせて出すという話があって、だから中国の方も、日本語の読み下しの文章の難しさを多少は知っているみたいです。私は、吉川先生のことは大変尊敬しています。もう大漢文学者ですね。

谷川　そうですね。

田　それに吉川先生の作った漢詩も見事うまい。おそらく現代の中国人より上手なのではないかと思われます。それから井伏さんの翻訳ですけれど、この朗読もお願いします。

谷川　これはカタカナの方ですか。ひらがなの方ですか。それによって違いますから。

田　えっ、違う？

谷川　いや、私の読み方が変わってくるんです。

田　なるほど。じゃあカタカナの方を。もともとはカタカナだから。

谷川　わかりました。ではカタカナで……まあ、でも、あんまり変えるわけにはいかないですね（笑）。

コノサカヅキヲ受ケテクレ
ドウゾナミナミツガシテオクレ

ハナニアラシノタトエモアルゾ
「サヨナラ」ダケガ人生ダ

田　谷川先生が何年か前『詩ってなんだろう』という本を出した時に、これを入れたんですよね。
谷川　そうだったっけね。よく憶えてません（笑）。
田　もう一つ、ミッドナイトプレスから出た『祝婚歌』にも。
谷川　この「「サヨナラ」ダケガ人生ダ」というのは、寺山修司なんかが引用してましたよね。ほんとうに心に残っちゃう。日本人好みの一行になってますよね。
田　いろんな資料を調べてみますと、この訳詩は井伏さんの弟子である太宰治さんという人のおかげで有名になったらしいですよ。皆さん、この二つの訳をお読みになればわかると思いますけれど、井伏訳は厳密に言うと意訳をしています。吉川訳はまったくの直訳です。漢詩もそうですが、現代詩を訳す時、教条的な直訳というのはどうかなといつも私は疑っています。外国語の詩を母語に訳す時に一番大事なことは、まず一篇の現代詩作品として成立するかどうかということだと思います。直訳なら、外国語ができる方が誰でもできます。問題なのは、自分の母語に訳して、一篇の現代詩として成り立たせることですね。現代詩は百パーセント翻訳できるものだろうかと私はいつも考えています。この井伏さんの訳は「「サヨナラ」ダケガ人生ダ」という訳語がすごく巧く、胸に染み込んで来るんですよ。「人生足別離」という意味が、日本語の方がもっと上手に表現ができたと思います。
谷川　意味として、正確なわけですよね。
田　そうです。うまいですね。資料の一番下に現代語の訳文も載せました。これも先生にお願いします。これはインターネットに流された訳文です。
谷川　じゃあ訳者が誰か、わからないんだ。（読む）

君よ、この酒杯を受けてくれたまえ。
なみなみとついだこの酒、遠慮するものではない。
花咲けば嵐はつきもののように、
人生に別れはつきものさ。

田　これもいいんですよね。どうですか、先生。
谷川　悪くはないけど、井伏さんの訳を知っていると、やっぱり、なんかすごい薄味になってるって感じだね。
田　それが現代語の弱いところですね。
谷川　やっぱり散文化してますよね。井伏さんのは、詩としか言えないけれどね。

「かっぱ」の中国語訳

田　現代語による現代詩の翻訳はどうしても難しいですね。私も谷川先生の詩を訳する時には、かなり苦労しました。一番苦労した作品は、これまでに何回も話したことがあるんだけれど、「かっぱ」というただの六行の詩なんですよね。
谷川　これは苦労する方がおかしいの。
田　えっ？
谷川　これを翻訳しようと思う方がおかしいんですよ。
田　はいはい（笑）、なるほど。まあ、音を中心に遊んでいるものだから。意義を重視していないからね。
谷川　すごい時間がかかったんでしょう、これを訳すの。

田　自分が満足するまでには、やや二年間かかったんです。

谷川　おれもこれ、書くのに時間がかかったけれどね。ひと月ですからね。二年とはだいぶ違うね。

田　一度先生の原稿を見せてもらったことがあるんですよね。もうびっしり。何回書き直してこういう形になったのかと思うくらい。

谷川　言葉の組み合わせを一所懸命やっているんですよね。

田　実際このような作品は、厳しく言えば訳せないと思います。普通現代詩というのは、意義を重視しなければ作品に成り立たないものだから。でも、『ことばあそびうた』は先生にとって非常に重要な作品群の一つだから、これを訳さないと全体像としての谷川俊太郎が出てこないわけで、ぜひとも何篇かくらいは訳したいと思って、この詩と「ののはな」などの詩を訳しました。資料に載せたのは中国語の現代語訳ですが、その右側に載せたのがピンインなんです。なぜこれを載せたかというと、現代中国語に直すと、原作の音が完全に失われてしまうからです。意味だけを訳そうとすると、なんとか中国語に訳せるんですが、そうすると音がすべて失われるんですね。原作の音も、中国の読者たちに味わってもらえるように無理にピンインを書いたんですが、たぶん無駄だと思う。というのは普通の中国人にとって、あるいは大学の研究者や作家にとっても、まずピンインから読むということはないからです。拒絶感が強いと思います。だって表記文字は漢字しかないし、これは平仮名・カタカナ・漢字・ローマ字が同時表記できる日本語と違って、生まれてから象形文字しか慣れてないものだから。

谷川　そうだろうね。

田　ピンインは抽象的でアルファベットみたいなものなので、中国語を母語とする者にとって無意識のうちにも読みたくないというよりも、読めないですね。だから、意味は無理に原作に沿って訳しました。ある意味では、これは直訳に近いものです。音の方は、一応三行と三行でちゃんと韻を踏んでいます。朗読しましょうか。じゃあ先生、まず日本語でお願いします。

谷川　僕が先？（一気呵成に読む）。

かっぱかっぱらった
かっぱらっぱかっぱらった
とってちってた

かっぱなっぱかった
かっぱなっぱいっぱかった
かってきってくった　（場内爆笑・拍手）

田　（笑）いいですねえ。
山田　では、中国語もこの調子で。
田　いや、日本語のスピードと中国語のスピードは全然違うんですから。日本の人、それも中国文学の研究をしている日本の先生から「中国語のスピードは速いね」ってよく言われるんですが、実際は日本語のスピードの方がはるかに速いです。では、朗読いたします。

河童乗隙速行窃
偸走河童的喇叭
吹着喇叭滴答答
河童買回青菜葉

河童只買了一把
買回切切全吃下

……まったく日本語のかっぱには敵わないですね。

谷川　今の朗読を聞くと、中国の人には言葉遊び的に聞こえるの？

田　もちろん。ただ、中国にも「ことばあそびうた」に近い童謡や民謡のようなものがありますけれども、現代詩を書いている中国の詩人にとっては、あまり縁のないものですね。だから、中国の読者が先生の「ことばあそびうた」をどういうふうに受けとめているかはよくわからない。

谷川　いや、日本でも、現代詩人は「ことばあそびうた」を認めていない人の方が多いと思いますよ。

田　「ことばあそびうた」のような作品を書く人も少数派でしょ。本当は何人かしかいないでしょう。大阪の島田陽子さんとか。

谷川　そう、島田さんなんかはお仲間ですけれどね。

田　だから「ことばあそびうた」を中国語で書くのは不可能です。韻を踏んでリズムを整えた上で、なおかつ意義を入れるのは難しい。

谷川　もう長いこと日本の現代詩は日本語の持っている音のおもしろさとか豊かさを完全に無視して、活字だけで伝達しようというのをやってきたわけじゃないですか。僕はそれに対して、それではやはり言葉のある面しか伝えてないんじゃないか、言葉にはもっと音のおもしろさや豊かさがあって、それも詩の大事な要素だから、そこのところを補いたいと思って始めたわけですよ。中国語の現代詩の場合には、音の要素というのは、ちゃんと保持されているというか、魅力的に使われているんですか。日本の現代詩はすごく意味に偏っているわけですよ。

田　そうですね。中国の現代詩もやっぱりそうですか。ただ、こないだ北京で有名な学者・人民大学の教授・程光先生と話ができて、彼が谷川先生の詩を読んで、これからの中国の現代詩人は「ことばあそびうた」の方向を重視すべきだと。そういう話を聞くと嬉しかったですね。今までにないものだから、先生の影響を受けて、これから出てくるかもしれない。子どもたちに喜んで読んでもらうような詩とか……。

谷川　中国にはわらべうたはあるんですか。日本のわらべうたみたいな、子ども達が歌いながら遊ぶような。

田　童謡ですね。

谷川　それには節がついているの。

田　と思います。

谷川　歌になっちゃってるの。

田　歌になっているものもあれば、なっていないものもある。

谷川　リズミカルに唱えるものもあるのね。その点は日本と同じですね。

田　もう一つ、「打油詩」と呼ばれるものもあります。これは先生の「ことばあそびうた」に近いものです。ただ、今の詩人には重視されていない。無視されている。意義を重視してないものだから。

●初期作品「Kiss」について

田　今紹介したのは『ことばあそびうた』の訳ですけれども、次に七ページの「Kiss」という詩をご覧ください。これは谷川先生が二十代の時に書かれたものですね。一九五五年に出された『愛について』という詩集に入っているものですが、なぜここにこのような古い作品を取り上げたというと、実際は、数年前に、谷川先生の幼なじみだった陳真さんという方から、もう亡くなられましたが、まだ元気でおられた頃に、北京から一冊の本を送ってこられました。その本は「日本文学研究」、本というよりも雑誌なんです。一年に一回出版されているもので、北京にある中国社会科学院の日本文学研究という中国において最高の研究機関としているところですけれども、そこに李徳純という、谷川先生と同い年くらいの研究者がいます。日本文学研究界ではわりと知られている研究者です。彼は「日本文学研究」の中に日本現代詩についての論文を書いていました。陳真先生は、谷川先生が詩について書いているから「読んでください」という気持ちで送ってこられたのだと思いますけれど、実際その論文には谷川先生のことが結構書かれて、李徳純さんはなかなかいい論文を書く人ですが、先生の詩を一篇だけ引用して訳していた。それがこの詩でした。私はそれを読んで非常に驚きました。というのも自分ではまだこの詩を訳していなかったからです。すぐに原作を探し出して、訳文とくらべてみたら、これがひどい訳だったので腹が立って、自分で訳してみようと思った。私は日本の現代詩を訳するために、必ずしも詩の創作経験が必要だとは思っていません。その人の言語感覚が優れていれば十分だと思っていますけれども、彼の訳はたぶん原作の意味をきちんと理解していないところがある。日本語は、特に詩の場合は、主語を省略することが多いです。この言葉はどの言葉を修飾しているのか、それを正しく読解しないといけない。彼の訳はそれを逆にした部分が二箇所あって、これでは先生の作品にダメージを与えてしまうので、早く正しい訳をして発表しようと、北京外国語大学のかなり有名な「外国文学」という雑誌に出したんです。では、まず先生に日本語の朗読をお願いします。

谷川　（読む）

Kiss

目をつぶると世界が遠ざかり
やさしさの重みだけがいつまでも私を確かめている……
沈黙は静かな夜となって

約束のように私たちをめぐる
それは今　距てるものではなく
むしろ私たちをとりかこむやさしい遠さだ
そのため私たちはふと　ひとりのようになる……

私たちは探し合う
話すよりも見るよりも確かな仕方で
そして私たちは探しあてる
自らを見失った時に――

*

私たちは何を確かめたかったのだろう
はるかに帰ってきたやさしさよ
言葉を失い　潔められた沈黙の中で
おまえは今　ただ息づいているだけだ

おまえこそ　今　生そのものだ……
だがその言葉さえ罪せられる
やがてやさしさが世界を満たし
私がその中で生きるために倒れる時に

田　いい詩ですね。聞いただけで心地がいいですね。
谷川　若かったからさぁ、なんか、接吻が新鮮なんですね。
田　この人は、若い時も今も、かなり恋愛を上手に捧げる詩を書いてきたのよね。（場内笑声）
谷川　別に特定の女性には捧げていませんよ。読者に捧げてるんですよ。
田　（笑）いやぁ、特定の女性がいると思いますけれど。この作品をこういうふうに訳しました。読ませていただきます。

（中国語朗読）

中国語になっても、やっぱりいいんですよね。特に青春期にいる中国の若い人は、恋人ができると、いい恋愛詩を写して相手に贈る習慣があるですよ。日本ではそういうことがないかな。
谷川　ありますよ。僕は時々手紙をもらいますよ。谷川さんの詩のおかげで恋人をゲットしたみたいな。
田　本当ですか。前も話したことがあるんですが、先生にとって女性という存在はやっぱり大きいですよね。
谷川　ほとんどすべてですよ。
田　うん、そうですね（笑）。
谷川　先手を打っておかないと、何を言われるかわからないから。
田　まあ、「日本現代詩壇の種馬」みたいなものですね。
谷川　ちょ、ちょ、ちょっと、それは君、日本語のニュアンスを知らなさすぎるよ！（場内笑声）
田　あっ、そうですか。
谷川　「種馬」っていうのは、すごく下品な言葉なんだから！
田　そうですか！
谷川　そうですよ！（場内笑声）

田　いや、中国語としては非常に精力的で元気で……。
谷川　もちろん日本語にも「精力的で元気」っていう意味があるから、年寄りの私としては嬉しいんだけれど、こういう場で「君は種馬です」って言われたらさぁ、そりゃ、恥ずかしいですよ！（場内爆笑）
田　いや、ごめんなさい。いやいや、とてもいい言葉だと思ったのに。
谷川　うーん、「いい言葉」のニュアンスが微妙ですから、公開の場ではあまり使わない方がいいです。
田　はい、わかりました。
山田　でも田さんが言うからいいんだ、笑い話で済んで。僕が言ったら大変ですよ。（場内笑声）絶交されますからね。気をつけましょう（笑）。

●「世界の約束」――歌詞の場合

田　次は「世界の約束」。今中国で大変有名になっている歌。若い人は皆歌っています。ただ、歌っている歌詞は中国の作詞家によって書かれたもので、原作の三十パーセントくらいの内容をとっているんです。
谷川　歌詞の翻訳はそんなものですよね、日本でも。
田　中国のカラオケに行くと、「作詞」のところに谷川俊太郎と中国人の名前が二人並んでいます。
谷川　ほんとう？　中国のカラオケ屋さんでおれの名前が出てるの？　テレビの画面みたいなところに？　写真とってきてくれよ、そういうのは！　自慢できるのに。（場内笑声）
田　著作権の問題。
谷川　まあ、それもあるけれどね（笑）。
田　では、最初は先生に朗読をお願いしましょう。
谷川　（読む）

世界の約束

涙の奥にゆらぐほほえみは
時の始めからの世界の約束
いまは一人でも二人の昨日から
今日は生まれきらめく
初めて会った日のように

思い出のうちにあなたはいない
そよかぜとなって頬に触れてくる

木漏れ日の午後の別れのあとも
決して終わらない世界の約束
いまは一人でも明日はかぎりない
あなたが教えてくれた
夜にひそむやさしさ

思い出のうちにあなたはいない
せせらぎの歌にこの空の色に
花の香りにいつまでも生きて

山田　いい詩ですね。これは去年も大阪芸大で読んで頂いて、田さんの中国語の翻訳も聞いたんですけれど、なんといっても歌ですからね。

谷川　これは曲先ですから、音に詩を当てはめるのが結構大変でした。

山田　作曲が先にあって、その譜面に当てはめて谷川さんが詩を書く。つまりプロの作詞家の仕事です。まず谷川さんの詩があって、それにいろんな作曲家の方が曲を付けている歌というのもたくさんありますが、まず楽譜を渡されて、詩を書くのはなかなか難しい。だけど、これは近年の谷川さんの作詞中では大傑作と僕は思っていて、去年大学で歌も聴いてもらいました。どこがすごいのか、歌も聴いてもらわないとわからないですからね。最近は作詞のお仕事もされていると伺ったので、ここで少し田さんに休んで頂いて、そのお話をしたいと思います。歌って頂きたいですね、谷川さん。

谷川　カラオケがあれば歌うんですけれど、アカペラで歌う自信がない。

山田　（CDを取りだす）

谷川　ちょっと、やめてくださいよ。それはだめ。（場内笑声）

山田　この中にカラオケバージョンが入っているんですけれど。

谷川　そのカラオケは難しすぎて、出がわからないんです。とちっちゃうんですよ。

山田　去年そう聴いたんで、僕は一年間ずいぶん練習したんですよ。

谷川　じゃあ、山田さん歌ってくださいよ！　それならいいですよ。（場内拍手）

山田　いや、僕は聞き役ですから、そんな差し出がましいことはいけません。クラスの皆さんとは、カラオケに行った時にでもやりますから、今日は許してください（笑）。

谷川　この頃「千の風になって」という歌がすごい売れているでしょう。この歌はあれの先駆けみたいな感じですね。

山田　いや、ずっとこっちの方がすごいです。
谷川　ねえ。僕は詩としてはこっちの方が好きですけれど。
山田　コンセプトとしては確かに似ていますよね。
谷川　今の日本人って、皆死んだ後のことをすごく気にしているんだなと思いますね。死んだ後のことを、自分の中にちゃんと取り込みたいという思いがあって、死んだら終わりというふうには考えたくないんだなということを感じますね。
山田　そうですね。この詩はもっと具体的に、ある一人から一人への歌になっているけれども、すべてに通じていくという……。
谷川　これは木村弓さんという歌手が僕に曲をくれて、詩を書いてくれって言われて、その時に「失恋の歌だけれど幸せな歌」っていう注文をされたんですよ。結構難しいでしょう。それで、こういう歌になっちゃったんですよね。それを宮崎さんが映画の主題歌に採用したというだけのことです。だから、歌が先なんですね。
山田　いろんな読み方ができるんですが、たとえば僕は、亡くなった武満徹さんの奥様――浅香さんが武満にむかって歌うというようなモデル探しをしてみたんですけれど。当たらずと言えども遠からずでしょうか。
谷川　そうですね。浅香さんは歌いませんけれど、それと同じようなことは、ファンの人から聞いたことがあります。「この歌のおかげで、死を受け入れられるようになりました」というようなことを。
山田　倍賞千恵子さんが、すごい歌唱力で歌われていて、歌の表現力ということもありますね。それも全部込みにしてすごい傑作だと思います。
谷川　そうですか。ありがとうございます。
山田　これに匹敵するのは「鉄腕アトム」しかないというくらいの傑作。
谷川　褒められてるんだか、おちょくられているんだか、よくわからないな（笑）。

●歌詞の翻訳、そして中也

山田　他にも谷川さんの歌というと、言いたいことはいっぱい出てきて……立川市立幸小学校の歌とか。大阪芸大の歌というのもあります。これもすごい詩ですよ。こんな詩、こんな歌を入学式で聴かされた日には、俺は明日からどうしたらいいんだろうと道に迷ってしまうような。

谷川　あれは誰も歌ってないんじゃないですか。

山田　コーラスの人たちが歌いますから、それを皆で聴きます。

谷川　ああ、ほんとう。なんだか申し訳ないような気がしますね。

山田　今ここに卒業生が何人か来ていますから、証人になってくれます。

谷川　諸井誠の作曲というのが、すでに校歌としては大丈夫かしらみたいな。

山田　難しい歌ですよね。

谷川　難しいでしょう。長いし。

山田　でもやっぱりすごくいい歌ですよ。聴くぶんにはすごくいい歌です。さて、先ほどの「世界の約束」を中国語でという話になるわけですが、田さん、いきましょうか。

田　中国語の朗読をする前に、少し翻訳について話をしたいと思います。私の浅い翻訳経験の中で感じたことが二つある。一つは、翻訳できる詩人と、できない詩人があるということです。できない詩人がどんな詩人かというと、書いた作品が難しいということではなくて、書かれたテキストが翻訳されることを拒んでいる場合です。谷川先生の場合は、そういう作品が存在しますが、多くの作品は翻訳可能だと思います。翻訳可能ということは言語が開放的にあると思います。世界的に考えてみれば、ヨーロッパの詩人、ロシアの詩人、あるいは中南米の詩人、日本の詩人の場合でも、普遍的意義のある詩人はだいたい翻訳できるのではないでしょうかね。少なくとも、中国語に訳する場合はそういうことが言えます。パステルナーク、パス、エリオット、オーデンなどは、かなりいい中国語訳になるんです。私はこれまでに日本の詩人の作品を、谷川先生以外にも二十人くらい訳していますけれども、たとえば先ほどのお話に出た中原中也の詩は、どうも今まで中国語に訳したものに満足できない。私が生まれる前、中国の偉い日本文学研究者の何人かによって訳されたことがあります、半世紀以上の年月をたちましたが、中也は今までほとんど無視されています。訳された詩は合わせて二十篇くらいあると思います。訳者は少なくとも五、六人くらいいたと思います。去年北川透先生から本を一冊送っていただきましたが、先生の教え子で、非常に勇気のある方だと思いますが、『中原中也詩選』を中国語に訳して出版しました。

谷川　ええ、ほんとう？　日本人？

田　いえ、山東省出身の中国人留学生です。すごくびっくりしました。北川透先生に「この訳を読んでみてください」と言われましたので、原作と対照しながら読んでみましたが……うん、よく頑張ったなと思います。自分も訳者だから、あまり否定的なことは言えないですよね（笑）。同じことをやっているから。私は中也のテキストが閉鎖的だとは思っていない。たぶん、日本語のよさがありすぎなんじゃないかな。

谷川　中原中也は、あまりにも日本語の繊細微妙なところで勝負していますよね。ほとんど意味からも離れていますからね。

田　そう。アメリカ人の学者で、北原白秋などを訳している人がいます。数年前、その人に中也の話をしたら「彼のテキストが難しくて、英語に訳しにくい、直訳すると三流の詩人になってしまう」と言われていました。中国語とまったく同じ。だから、ある意味で彼の詩句は外国語を拒んでいるかもしれませんね。

山田　中也の話になったので、少しだけ注釈を入れます。中也の詩が、つい最近フランス語になったんですね。古くから日本の詩を研究してきているフランス人の学者です。ご存じのように、中也はフランスに行きたくてしょうがなかった人です。彼自身、ランボーのほとんどの詩を翻訳しました。中也の詩は英語でも中国語でもだめだったということですが、フランス語ではどうか。私はかなり受け入れられるのではないかと思っています。中也のベースにはフランス語の近現代詩がある。もちろん、日本語の非常に微妙な部分もありますが、少なくとも半分はフランス人に伝わるんじゃないかと思っているのですが、私はまだフランス語訳を見ていませんので、これからフランス語訳を読んでみようと思っています。それでは、田さんに戻します。

田　それでは、「世界の約束」の中国語訳を朗読します。

（中国語朗読）

山田　中国語は全然わからなくても、響きだけはわかりますから、なんか歌になりそうな気がします。でも、このままじゃ歌えないいんですよね。歌えないけれども歌的な何かを伝えている気がします。すごく響きがいいと思いました。

●質疑応答（1）

山田　では、一旦ここで話を中断して、会場の皆さんから質問を受けます。聞きたいことがあれば、何でも聞いてください。

A（男性）「翻訳と朗読」ということなんですが、特に翻訳について。僕は今三十代ですが、僕らの世代から下の人は、ふだん流れている洋楽の歌詞の翻訳などに影響を受けて詩を書いている人が多いと思います。谷川先生と山田先生に伺いたいのですが、そういう若い人たちの詩を見て、今までの詩と違うものを生み出しているというふうにお感じになることはありますか。

山田　翻訳されたものも含めて、歌から詩の方に影響が行っていることがあるかということですね。特に若い人たちの詩について、そうお感じになることはありますか。

谷川　それはすごくあるんじゃないでしょうか。歌詞の内容とかそういうことじゃなくて、今はもう現代詩というものが成り立たなくなっていると僕は思うんです。詩が非常に広い世界のほうに拡散している。ポップスの歌詞なんかは、そういう拡散された詩の流れの一つに見えます。これは現代詩を中心に考えた場合ですけれどね。音楽は原語でも日本語訳でも聴いているだろうけれど、活字で、たとえば「荒地」の詩集とか、あるいはもっと前の三好達治や中原中也を読むよりも、耳から入ってくる声になった歌詞とかリズムとかメロディの方が、はるかに彼らの詩に影響を与えているし、彼らの詩はむしろそういうものから出発しているという感じがするんですね。そういう意味で、非常に広い文化的な状況を見た場合には、今若い人たちの詩はそういうものと混ざり合っているという気がします。

山田　入口とか、出発点ということは、たぶんそうだと思うんですけれど、その次の段階ということは考えられませんか。

谷川　そこまで行く人は相当真剣に詩を書いてるということでしょうね。

山田　ある程度書きつづけて、これはいかんと。いつまで経ってもマンネリだし風俗から抜けられない。さあ、どうするとなった時に、もっとコアの部分に到達する。そして、谷川俊太郎を読むとか……。

谷川　いや、別にそれがコアの部分だとは思っていないんですけれど、詩というのは先行している詩作品だけじゃなくて、あらゆる現実の分野から影響を受け栄養を取ってくるものだと思うので、ほんとうに詩を書き続けようとしている人たちは、今のポップスの訳詞がどうのこうのよりも、もっと広く、それこそ分子生物学とか、文化人類学の成果とか、毎日の新聞にあらわれてくる世界の状況に影響を受けているものだと思います。そうしないと、言語の枠だけで影響を受けていたら、これからの詩は書けないと思うんですよね。

山田　それは谷川さん自身も、たとえば写真とか絵とか音楽とか、いろんなものとのコラボレーションをされていますよね。

谷川　それもありますね。僕はやっぱり詩の未来に関しては、ある意味では悲観的なんです。詩がどんどん拡散していってしまって、われわれが現代詩だと考えていたものが成り立たなくなっていくんだったら、自分が何をすればいいのかということは、一種の危機感とともにあります。

山田　「現代詩手帖」で四元さんのインタビューを受けていらっしゃる時にも、後半はかなり悲観的な展望を語っていらっしゃいましたね。
谷川　そうですね。でもそれは現代詩の立場から見た悲観であって、人間としての立場からは、もっとおもしろい、新しい可能性がありうると思っていますけれどね。
山田　今の現代詩なんかなくなったってかまわない、もっとおもしろいものが出てくればいいと。
谷川　はい。それに、詩というものは絶対になくならない。詩っていうのは、つまりポエジーのことです。
山田　一つ非常に印象的だったのは、子どもの詩は違うんじゃないかとおっしゃっていましたね。子どもの詩には何かあるんじゃないかと。
谷川　自分の立場でいうと、そうですね。これから自分が書いていく上で、「現代詩手帖」に書くよりも、子どもの詩を出した方が手応えがあるという感じがするのと、子どもを念頭において書くときに、まだ自分の中から出てきてないものが出てくるかも知れないという気がするんですよね。しかも、やさしい言葉で書かなくちゃいけないでしょう。やさしい言葉で書くということは、自分にとってずっと課題になっているようなところがあるので、子どもを意識するということは自分にとってプラスだと思っていますね。
山田　最近の詩集で言えば、理論社から出た『すき』がそうですね。思潮社などから出ている『minimal』『世間知ラズ』は、もちろん谷川さんの現代詩の代表作だけれど、たとえば『すき』とか『どきん』とか……。
谷川　あと雑誌「飛ぶ教室」なんかに、まだ出版されていない詩を書いています。
山田　それがなかなかわれわれの目に入ってこないんで、ちょっと気をつけなくちゃいけないなと思っているんですけれど、またまとまったら詩集が出るんですよね。すごく大事なことを、実は子どもの詩で今展開しているということですね。ジャンルにこだわらないでということになるのでしょうが、月並みなまとめ方になってしまって申し訳ありませんが、時間にも限りがあるので、次の質問に行きましょう。
B（女性）　先ほど朗読を聴きまして、詩を読むっていうのと、朗読を聴くっていうことにすごく違いを感じたんです。私は音楽を聴くのが好きで、谷川さんの詩に武満徹さんが作曲をした「死んだ男の残したものは」という歌を何度も聴いているんですが、歌になると朗読とはまた違ってきます。また、このCDですと石川セリさんが歌っている声を聴いて感じるものがある。そんなふうに、どんどん印象が変わってくるんです。詩を作る時に、音楽をどのように考えていらっしゃるのかということについてお聞きしたいと思います。

谷川　日本語に内在している音楽ということは、自分で詩を書いている時には考えていません。外からくるもの、たとえば器楽の伴奏とか、歌手の歌唱とかいうことは、詩を書いていることしか考えていませんね。ただ、学校の校歌なんかを委嘱された場合には、子どもが歌う歌なんだからということで、歌ってよく通じる言葉とか、歌いやすい言葉にするということはすごく意識します。普通活字で発表する詩の場合には、日本語の音の質とか、音の豊かさ面白さということは意識しますけれども、直接音楽というものとは繋がってはいないんです。ただ、こうやって声に出して詩を読んでいるとね、歌うこととのあいだは繋がっていて、ギャップはないんだということは非常によく感じますね。だから、朗読の舞台の後に、つい歌をうたっちゃったりするんですけれどね。案外、自分にとっては差別がないんですね。

山田　「死んだ男の残したものは」という作品名が出ましたけれども、あれについてはどうなんでしょう。あれは曲先じゃなかったですか。

谷川　あれは詩先です。ベトナム戦争たけなわの頃に、市民団体の委嘱で反戦歌を書いてくれと言われました。それで詩を書いて、武満に渡して、それで武満が曲を書いてくれました。

山田　歌ということを意識して書かれたんですね。

谷川　もちろん、あれは反戦歌ということを非常に強く意識して、いかに反戦の歌を書くかということを課題に挑戦したという感じです。

山田　繰り返しのパターンとかも使っていますからね。歌を意識しているけれども、曲先ではないという作り方ですね。

谷川　それは結構多いですね。
山田　校歌などはそうですね。ある程度注文とかはあるんですか。
谷川　校歌の場合は「校名を入れてくれ」とかね。この頃は少ないですけれど。入れるのにふさわしい——たとえば立川市立幸小学校なんかだと、入れやすいですね。だけど、なんとか県立なんとかかんとか小学校みたいになると入らないんで、作曲家と相談して歌の最後に校名だけを一行ぶら下げるんです。
山田　それは、作曲者が適当にうまく処理するということですね。地名を入れてくれということもありますか。
谷川　それは一応アンケートを採って、入れたい言葉というのを書いてもらいますね。だけど地名とかそういうのは、今頃はすぐマンションが建って山が見えなくなるとか、川の流れが変わるとかいうことがあるので、そういうのはできるだけ入れずに、学校内の人間関係、教師と生徒の関係とか地域との関係とか、そっちの方をテーマにするように心がけているところがありますね。
山田　なるほど。ちょっとだけ補足すると、谷川さんの校歌、老人ホームの園歌などもそうですが、ほんとうに歌い手の気持ちになって書かれていますね。小学校だったら、小学生の視線です。親や教師が歌わせたい校歌じゃないんです。そういう校歌で育った人が多いでしょう。谷川さんの場合、もうほんとうに子ども目線なんですよ。「わたしがあすを　あきらめたら／あさは　もうこない」というのがありましたね。完全に引きこもりの女の子の立場に立った言葉ですね。
谷川　そんな感じですけれどね。
山田　老人ホームの歌もすごいですね。「ひとのなさけは　ふかくとも／おのれはついに　ひとりなり」。
谷川　あれは老人ホームのテーマソングですけれど、たとえば「認知症の老人が一緒に歌えるような歌」という注文で書いたのは、もっとすごく歌いやすいですよ。
山田　そんなのもあるんですか。
谷川　「おはよう。ご飯はまだですか」みたいな。（会場笑）「こんにちは。お話しましょうね」とか。ちょっと幼稚っぽくなるんですけど、でもお年寄りが歌うと結構いいんです。
山田　だそうです。（笑）。『歌の本』は去年出て、歌詞として書かれた詩が集められていますので、それを読まれたらいいんじゃないかと思います。それから、あとは校歌ですね。どこか、校歌集を出してくれる出版社はありませんか。
谷川　前にそういう話はあったんですが、やっぱり校歌というのはある幅に収まっちゃって、バラエティがないんですよね。僕は今度の『すき』という詩集に、小学校の校歌を五つばかり入れましたけれども、あれが最上のものですね。
山田　でも、谷川さんの校歌なら結構いろいろあるんじゃないですか。
谷川　作曲まで含めれば、結構バラエティはでてくると思いますけれど。
山田　いいものだけでも選んで撰歌集みたいにできないでしょうか。今までに幾つあるんですか。
谷川　百三十か、百四十あると思います。
山田　そのなかの三十ぐらい選べば、いいのができませんか。楽譜も入れて。いっそ歌も入れるとか。
谷川　ＣＤも出すとか。（場内笑声）
山田　そう。その学校へ行って、生徒達に歌わせたものを録音して付ける。そうすると、生徒達の親も買うし。
（場内笑声）
谷川　大阪芸大がスポンサーになるという気持ちがおありでしたら、ぜひ。（笑）
山田　提案してみます。（笑）じゃあ、次の質問行きましょう。
Ｃ（女性）一つだけお聞きしたいのですが、谷川さんは書けない時期には、どのようにして日常を過ごしますか。
谷川　書けない時期というのはないんです、僕。さっき沈黙の時期があったとおっしゃったけれど、あれは嘘です。つまり、表面的にはそう見えているんだけれど、みんながそう言っている期間に、僕は詩集を二冊くらい出しているんですよ。ある種の詩を書かない時期というのはありました。たとえば「現代詩手帖」に載せるようなものは書かないでおこうと思った時期はありましたけれども、それとは違う、子ども向きの詩とかは書いていましたからね。ただ、詩を書こうと思ってコンピューターの前に坐っても書けないということはありますよね。そういう時は、翻訳とか、機械的にできる仕事の方にぱっと切り替えちゃって、「また書ける時に書けばいいや」というふうになっちゃいますね。あとは……僕は日常生活を規則正しくやっている独居老人なんですけれど（場内笑声）、手仕事するのが好きなんですよね。詩を書けなかったら、お皿を洗ってればいいみたいなところはあります。だから、日常生活をするのは嫌いじゃないんですが、事務仕事が一番苦痛ですね。ファックスが来たりとか、電話で日程調整したりとか、そういうことをやっていると、だんだん詩が書きたくなります。詩を書く時の方が幸せなんですよね。

山田　なんか、最近すごいですよね。長編詩がどんどん出るし、もうすぐ新しい詩集も出るし、なんでそんなに書けるのかなと思うけれど。

谷川　年寄りの冷や水ですね。

山田　（笑）まあ、一つだけ言えそうなのは、一種類や二種類の書き方をしていたら、どっかで書けなくなったりということはあるでしょうね。

谷川　そうですね。ただ僕は、前にも話したように飽きっぽいので、この書き方はもうだめだと思ったら、自然に次の書き方に移っていっちゃうということがあるから、それでスランプから逃れているんじゃないかなと思います。

山田　どんどん変容していく、変貌していくというのは、一つのポイントなんでしょうね。それも単に変わるんじゃなくて、増えるんですよね。レパートリーが増えるというのか。

谷川　僕はわりと地理的に広がっていますね。歴史的な成長というんじゃなくてね。

山田　よく学生たちに言うんです、「谷川俊太郎は一人だと思っちゃいけない」と。少なくとも十人はいます。十人の谷川俊太郎のうちの、どの谷川俊太郎を好きになるかというところで、もうすでにその人の個性が出ています。それを選んだ時点でね。そう言っていたんですけれど、どうも最近は十人どころじゃない。北川透さんは「怪人百面相」と言っていましたからね。少なくとも、二十くらいはいるんじゃないですか。

谷川　そんなに自我分裂しているように見えますか。（場内笑声）

山田　いや、自我じゃなくて作風ですね。

谷川　作風の分裂？　それはもう、書くことでお金を稼いできたからしょうがないんですよ。つまり、いろんなものを書けないと、収入が減っちゃいますからね。

山田　でもそれは過去のことで、今はそんなに書かなくたってね。

谷川　そうですね。じゅうぶん食えますけれども、癖がついちゃってるんですよね。

山田　ということだそうです。では、もう一人だけ、

D（男性）　国際的な著名な政治家が演説をする場合に、自分の言葉が各国の言葉に翻訳しやすいことを意識して話をすると聞いたことがあります。先生が詩を作る際にも、自分の詩が世界各国の読者に読んでもらえることを意識しながら、翻訳しやすい言葉を選んで書いておられるのか。それをお聞きしたいと思います。

谷川　まったくそういうことはないですね。「日本語命」ですから。だから、中国語に訳せないと言われても、「それはおめえが悪いんだ」とか言っていますよ。

山田　こないだから話に出ている、ひらがな詩ね。田さんはひらがな詩が嫌で嫌で、谷川さんがひらがなの詩を書いたら「ぞっとする」と言っていますからね。こないだの『すき』なんて、大変だったね。

谷川　彼は、本当にひらがなで書くのを嫌がるんですよね。ルール違反だとまで言い出すんですよ。

山田　「もっと漢字を覚えるように」とかね。

谷川　言語のルール違反。漢字の国の人は、すぐ簡体字なんかを作っちゃう癖にさ、よく言うよって感じだよね。

山田　この話を始めると延々続きますので、このへんでちょっと休憩しましょうか。

●田原の詩「墓」

山田　では、後半に入ります。ひとまず話を主題の方に戻しましょう。資料には、あと谷川さんの作品がいくつかと、田原さんの作品があります。これ、日本語を僕が読んで、田さんが中国語を読むことにしようか。じゃあ、申し訳ありませんが、私が田原さんの「墓」という詩の日本語を読みます。後で中国語を田原さんに読んでもらうことにしましょう。この詩は中国語と日本語、どちらが先ですか。

田　これは、日本語が先。

山田　日本語が先で、それを自分で翻訳した？

田　そう。今年の四月に沖縄に旅行に行くチャンスがあって、沖縄人のお墓の前でヒントをもらって書いた詩です。

山田　ということは、沖縄を舞台にした作品ということですね。(朗読)

墓

数羽のさえずる鳥が
周囲の静寂を破り
墓の上にとまる

涼風がひとしきり
目に見えない木櫛のように
墓の上の枯草を梳く

死者は運ばれ埋められ
悲しみと記憶は
その時からここに定着する

生者はやって来て
墓碑の前で手を合わせ
足跡を残して、去る

砂漠は駱駝の墓
海は水夫の墓
地球は文明の墓

墓は詩のもうひとつの形
美しい乳房のように
台地の胸に隆起する

墓も成長する、そこに立ったまま
洪水が流れ込もうとも
暴風に曝され砂塵に覆われようとも

墓は
地平線に育てられた耳だ
誰の足音かを聞き分けている

田　じゃあ、読ませていただきます。（読む）
山田　いい詩ですね。素晴らしい。三行一連という形で、一種定型に近いんですが、これを中国語でどう読むか、聴いてみましょう。
（中国語朗読）
山田　これはずいぶんいろいろ苦労したんでしょう。
田　最初に「墓」という詩を書こうと思った時は、実は谷川先生のお父さんのお墓の前だったんですよ。二年前ですよね。谷川先生に連れて行ってもらって、初めてお父様のお墓を拝見……。
谷川　お参りする？
田　そう、お参りしました。どうしても谷川徹三のお墓にお参りしたかった。かなり遠いところにあった。神奈川県ですよね。
谷川　そう、神奈川県の鎌倉。
田　周りに岩波書店の社長のお墓とか、超有名人のお墓ばかり並んでいました。ただ、当時先生のお父さんのお墓には、墓碑だけがあって、昔の墓のような丘のような形にはなっていなかったよね。
谷川　そんなの、今の日本人のお墓は皆そうだよ。
田　だから、丘のような沖縄人のお墓の前で……。
谷川　要するに天皇陛下の御陵みたいなものを想像していたわけ？
田　そう。だから、墓の詩を書きたいなと思ったけれど、すぐには書けなかった。今年の四月、去年度の留学生文学賞の受賞者を連れて沖縄に旅に行った時、沖縄人の墓を見てびっくりした。中国人の墓とまったく同じ。山のようになっていた。もうこの詩は書けると思った。たしか帰った後で、先生に詩を送ったんですよね。日本語を何ヶ所か直していただいたんですけれど、中国語の方は自分で訳したものです。だけど、さっき細見（和之）先生ともお話したんですけれど、自分の詩を訳す時は困るんです。というのは、どうも原作のよさが、自分の母語にならない。うまく置き換えることができない。そういうところがあります。

谷川　一篇の詩を書く時には、たとえば日本語で書こうと思ったら、いつも日本語で出てくるの？

田　そうでない場合もあります。日本語で詩を書くときに、日本語先行と母語先行両方があります、両方混じる場合も。頭の中で詩の構想をする時は、私は中国人だから、自分の記憶、自分の体験、自分の文化を裏切ることはできないんですよね。

谷川　もちろん、詩はそこから生まれてくるわけだからね。一篇の詩を書く時に、最初日本語で出てきても、途中から中国語で出て来ちゃうとか、そういうこともあるの？

田　あります。混乱する時もあります。

谷川　うーん、そうだよね。きっとね。

田　だから、やはり、亡くなられた米原万里さん、私が大変好きな人ですけれど、その人がどんなに長く外国語を勉強しても、「どんな外国語も、最初の言語である母語以上に巧くなることは絶対にない」と。つまり後天的に外国語を学んで、自分の母語を越えるものは絶対にないことという言葉に、すごく同感したよりも、慰められたよ。

谷川　でも彼女は、ロシア人よりもロシア語がうまいと言われているんだよね。

田　そうなんです。彼女のことをすごくよく知っているロシア人の研究者に会って話を聞いたら、現代のロシア人よりもロシア語がうまかったそうです。けれども、彼女は自分の母語を第一だと考えていた。

谷川　さっき陳真さんの話が出ましたよね。僕の亡くなった幼なじみの。彼女は北京放送のアナウンサーとして、ずっと日本語で放送していたんだけれど、彼女の日本語を聴いていると、ほんとうにきれいなんですよね。あの人、戦前の教育を受けているから。彼女は日本語が母語じゃないのかと思えるくらいに、日本語がうまかったんですよね。

田　おっしゃるとおり。彼女は日本語が母語だと思う。何回も一緒にお食事したりしたでしょう。時々中国語で会話しましたが、やっぱり、日本語のほうがずっと自然。

谷川　あ、ほんとう。日本語の方が自然なんだ。日本語で話していると、もう全然日本人だからね。

田　彼女が書いた本も何冊か読んだことがあるけど、日本人以上ですね。

谷川　なにしろ彼女の日本語は品がいいの。

田　なるほど。私もそう思いました。

●集英社文庫版『谷川俊太郎詩選集』のこと

田　さて時間の制限もありますので、次に集英社の詩選集について少し話したいと思います。この詩選集は、初版が二〇〇五年ですね。本格的に仕事にとりかかったのは、二〇〇四年の春からです。三巻を完成させるまでに、ほぼ一年間かかりました。正確に言えば十ヶ月間くらいですね。集英社のベテラン編集さんとやりとりしているうちに、議論になったこともありました。つまり、私が「絶対この詩がいい」というと、編集者は「日本人には、この詩の方がなじみがあるから入れた方がいいよ」という。妥協したところもありますけれども、大体自分の思ったとおりに編んだものです。もちろん、先生について論文を書いていましたから、それまでも何度も先生の詩を読んでいましたが、この本を編集したことを通してよくわかったのは、谷川俊太郎という人間、このような詩人は、おそらくどこの国にもいないだろうということです。そう強く思いました。少なくとも中国においては、現代詩の始まった時から今日まで谷川先生のような詩人はまずいない。というのは、ほとんどの詩人は詩を書き始めてから終わるまで、大体一つの書き方で終わってしまうんですね。でも、谷川先生の場合は、さっき山田先生もおっしゃったように、書き方が多元的。先生は一つの書き方に飽きちゃうとおっしゃってるけど、実際は絶えず新しいものを求めているんじゃないかなと思うんですね。

谷川　自分にとって新しいものを求めますね。それが文学の世界にとって新しいかどうかは別問題ですけれどね。

田　そう。歌詞的なものも書いているけれど、これは先生の作品全体の中ではごく一部です。それだけ、見てはいけないですね。純粋詩、現代詩的なものもかなり書いている。

谷川　「現代詩手帖」に載るような詩は、けっこう書いていますね。自分ではメインだと思っているから。

田　たとえば、もし歌詞的な詩だけを書いていたら、今の先生はいないと思います。

谷川　そのかわり、阿久悠みたいになってさ、大金持ちになっているかも。（場内笑声）

田　でも、金は墓に持っていかれないものだよ。（場内爆笑）

谷川　それは、そうだね（笑）。

田　それから「ことばあそびうた」は、ある意味で日本の現代詩の創作空間を広げるのに貢献したのではないかと思いますね。もちろん、川崎洋さん、島田陽子さん、他に何人かそういう詩人はいましたけれども、谷川先生のように系統的に精力的にそれを書いた詩人はいないんです。この詩選集は、『二十億年の孤独』から『シャガールと木の葉』まで、私なりの選び方をしていますけれども、いい作品を選んで入れたつもりです。集英社のベテラン編集者からも、出版社として、いくつかの作品を入れた方がいいんじゃないかという助言がありました。全部で三冊、毎月一冊ずつ出していただいたんですけれど、まさかこんなに売れるとは思っていませんでした。現代詩が売れないのは、どこの国の詩人にとっても同じなんです。ところが、二〇〇五年のうちに、第一巻は五刷まで行ったんですよね。今出ているのは八刷ですけれど、現代詩集で何十万部も売れる詩人は、どこの国にもおそらくいないと思います。だから皆さん、谷川先生をもっと大切にしてください。（場内笑声）

谷川　これが出るって聞いた時に、本当に僕はびっくり仰天したんですよね。なにしろ外人じゃん、この人は！　たとえば日本人がフランスへ行って、フランスの現代詩の詩集を編纂して、フランス語で解説を書くみたいなことは、ちょっと考えられないですよ。だからこういう形で、中国人の田原さんが自分の詩を編集してくれて、しかも詳細な解説も書いて、おまけに僕のことを書いて博士にまでなって、というのが信じられなくてね、あれよあれよという間にこういうものが出ちゃったという感じですね。だから田原さんは、ある意味で僕の恩人なんですよね。

山田　いきなり大きな息子が生まれたって、どこかで聞きましたけど。

谷川　そう。ちょっと迷惑しているところもあるんですけれどね。

山田　息子っていうのは、必ずしも有難いばっかりじゃないしね。

谷川　そう、反抗期もあるしね（笑）。でも、本の最後で田原さんがいろいろ質問してくれたでしょう。自分ではあれはすごくおもしろかったですね。日本人だったらこういう質問はしないだろうというのもあるし。

田　三巻目に先生の著作年譜と、書簡インタビューが入っています。実は書簡インタビューで一冊の本を作ろうかなと思ったことがあって、全部で五十くらいの質問をしました。その中に、答えにくい質問が一つあったんですよね（笑）。「女性を今まで何人も愛して、なぜ今一人もいなくなって、独身老人になったんですか」という質問。（場内爆笑）

谷川　今、個人情報保護法というのがあるんだからね！

田　最初編集部の方は「田先生、これはちょっと失礼じゃないかね」と言ったんだけれど、「いや、これは正直な気持ちだから。知りたいし、ぜひ送ってください」といって、そのまま先生のところに回したんですよね。

山田　この時の質問は、田さんから一旦僕のところにメールで送られてきて、日本語がこれでいいかどうか、チェックを頼まれました。だから、谷川さんのところへ行く前に、この質問集を見ているんです。僕は編集者とは立場が違うので、「僕にはこんなことはとても聞けない。田原さんしか聞けない質問だから、聞いてよ」って言ってね（場内笑声）、けしかけた記憶がありますね。それに対して谷川さんは、見事に返しましたよ。田さん、ちょっと紹介する？　じゃあ、私が田さんに代わって日本語の質問を読みます。そして、答えを谷川さんに読んでもらいます。

谷川　ええっ（笑）。

山田　では読みます。「私は谷川さんの創作のエネルギーの源の一つは女性だと考えています。以前、冗談半分で「名誉、権力、金銭、女、詩歌」のうち谷川さんにとって一番大事なのは、と尋ねたことがありますが、答えに非常に驚きました。一番、二番と「女」で、「詩歌」が三番目だったからです。改めてお聞きしますが、「女性」は谷川さんにとってどんな存在ですか？　女性がいなければ生きていけませんか？　そんなに「女性」を大切に思っていながら、いま「独身老人」になっている心境をお教えください。」（場内爆笑）

谷川　「女性は私にとって生命の源であり、私に生きる力を与えてくれる自然の一部であり、また私にとって最も手強い他者でもあります。私は女性によって自分を発見し、更新し続けていると思います。女性がいない生は私には想像できませんが、現在は結婚制度の中で女性と生きてゆくことが唯一の選択肢だとは考えていません。女性を大切に思っているからこそ独身老人を択んでいると言ってもいいでしょう。」（場内笑声、拍手）

山田　すごい質疑応答でしょう。

谷川　けっこう真面目に答えているよね。

山田　すごいですよ。聞く方も聞く方だけど。

●最新作朗読（初公開）

谷川　もしよかったら、最後に詩を二つばかり読ませてもらえませんか。

山田　ぜひお願いします。

谷川　たぶん山田先生もご存じない詩です。これは「小説新潮」という雑誌に連載したんですけれど、たぶんご存じないと思います。ちょっとクイズっぽい詩なんです。近代詩が読み込まれています。すごく当てやすいのもあるし、ちょっとわかりにくいのもありますけれど、これを二つ三つ読みます。「道を歩いていると」という総題がついていて、一行目は常に「道を歩いていると」で始まるんですけれど、一篇一篇の詩にはそれぞれの題がついています。

雪

道を歩いていると
道端にどら猫がごろりと横になっている
ふてぶてしい態度だ
人生を問われているような気がする
答えてやる義理はないから行き過ぎた
うちへ戻ると太郎と次郎が布団の中から
「お帰りなさい」と言った
いつの間にか雪が降り出している
どら猫の奴はどうしているか
雪の布団は冷たかろう
ちょっと気になる

わかる人？　そう、三好達治の「太郎を眠らせ」ですね。

虹

道を歩いていると
雨が降ってきた
雨には負けないぞと思うが
傘を忘れてきたのが腹立たしい
早く小降りになって虹が立たないものか
そうすれば歩く張り合いがある
虹が立つのは空が人間を愛している証拠だ
風も吹いてきたが
風にも負けないぞ
これから恋人と会って
玄米食を食べに行くのだから　（場内笑声）

これはわかるよね、みんな。宮澤賢治。じゃあ、もうひとつ。

穴

道を歩いていると
道に大きな穴があいている

こわごわのぞいてみるが真っ暗だ
と　何やら呟く声が聞こえてくる
「あいうえお　かきくけこさし　すせそたち」
ははあ　穴で誰かが句を案じているらしい
脇を付けてやらずばなるまい
「つてとなにぬね　のはひふへほま」
穴の中へ小声で言ってみたら
きれいな蝶が穴からひらひら出現して
韃靼海峡のほうへ飛んで行った

山田　安西冬衛ね。すごいな。いつの間にそんなことしてたんですか。
谷川　いや、これはね。宗左近さんが「小説新潮」のトップページで詩を鑑賞してらしたら、突然亡くなったんですよ。一年分の残りがあいちゃったの。僕はピンチヒッターを頼まれて、詩をいくつか書いたんです。
山田　全然知りませんでした。「小説新潮」は読んでないからなあ。これからは文芸誌だけではなくて、すべて見ておかないとチェックできませんね。子どもの雑誌もそうだし。困ったな。
谷川　いや、本になってからでいいんですよ。いつかは本にしますから。
山田　今度また新しい詩集が出るそうなんで、楽しみにしています。
谷川　年内か来年早々に、『私』という題名で。
山田　「私」を否定し続けてきた谷川俊太郎が『私』。すごいでしょう。
谷川　否定してませんよ別に！　私を韜晦して隠れていただけですから。
山田　ああ、なるほど。ついに本当の正体が……。

谷川　その一部です。つまり、フィクションもあるし、わりとリアルなのもありますから。組詩みたいになっています。
山田　ご存じの人もいると思いますが、たしか「新潮」の一昨年の正月号に出た組詩ですね。それがメインになるのかな。他の作品もいろいろ一緒になって、『私』という詩集が出ます。
谷川　もう一篇読んでもいいですか。
山田　お願いします。
谷川　さっき子どもの詩がいいとおっしゃってくださったでしょう。僕もそれを大事にしたいという話をしたんだけど、それ最新作を一つ読みます。といっても今年の初めくらいに書いたものですけれども。（読む）

しんでくれた

うし
しんでくれた　ぼくのために
そいではんばーぐになった
ありがとう　うし

ほんとはね
ぶたもしんでくれてる
にわとりも　それから
いわしやさんまやさけやあさりや
いっぱいしんでくれてる

ぼくはしんでやれない
だれもぼくをたべないから
それに　もししんだら
おかあさんがなく
おとうさんがなく
おばあちゃんも　いもうとも

だからぼくはいきる
うしのぶん　ぶたのぶん
しんでくれたいきもののぶん
ぜんぶ

山田　小学校の三年生が書いたって言っても信じますよ。ほんとに、子ども目線ですから。すごいですね。あとはもう、よろしいでしょうか。
谷川　ありがとうございました。気が済みました。

●質疑応答（2）

E（男性）朗読について聞きたいんですけれど、谷川さんの朗読は何を聴いても素晴らしい、ある種の芸だなといつも感じるのですが、詩によっては朗読しづらいものがあると思うんです。谷川さんご自身の作品のなかで、この詩だけは読めないなという作品はありますか。

谷川　ありますね。そういうのは読まないんですが、「読んでくれ」って言われたら、どうしても読まなきゃいけないから読みますけれど、なんかこう、伝わってないなという感じになっちゃいますね。具体的に「この詩」って言えるといいんだけれど、ちょっとすぐには頭に浮かびません。だから、声に出して読む詩は常に自分で選んでいます。簡単に言うと、たとえば何かな。

山田　『定義』なんかは、そうですか。

谷川　「りんご」とか何篇かは読めるんですけど難しい詩もありますね。

山田　『21』もちょっとね。

谷川　『21』も、読めるのもあるんですけれど。一篇一篇微妙に違うんでね。一冊の詩集として、これはだめとは言いにくいですね。

山田　ということです。いいですか。じゃあ、もう一人どうぞ。

F（女性）私は詩を書き始めて一年も経っていないんですけれど、現代詩ってものすごい閉鎖的だなと思うんですよ。いかに、他人にわかりにくく、自分の独自色を出して「自分の世界はこれよ」っていう感じを出さないとだめって言われたり、相手の立場に立って書くと、「もっと、自分のことを書きなさい」とすごい怒られたりするんです。

谷川　ああ、ほんとう？

F　そんな抽象的なことはいらないっていうか、相手の立場なんか考える必要はないとか、もっと具体的なことを書かないといけないというふうに怒られた経験があって、書いていてすごい窮屈さを感じるんです。書いていて窮屈さを感じるということは、読む人はもっと窮屈さを感じると思うんですね。そんな中で、谷川先生ってすごい異色なんですか。

谷川　異色ねぇ。異色なんでしょうねぇ。

F　なんで、もっとわかりやすくならないのか。というか、わかりやすさはだめだと言われているような。

谷川　今でもそんな空気があるんですか。現代詩はわかりにくいとか、閉鎖的とかいう感じだったし、そういう感じは少しは残っていると思いますけれど、今でもそんなことを言って怒る人がいるとは、ちょっと信じられないんだけれど。僕が他の人と一番違うのは、詩を書くより他に、社会での役立ち方がなかったということです。皆他にだいたい職業を持って何かしているでしょう。僕は最初から詩しか書けなくて、大学にも行っていないし、手に職はないし、とにかくどうやって食っていこうかという時に、物を書くしかなかったんですね。もちろん、詩だけじゃ食えないんだけれど、来る注文はエッセイでも脚本でも翻訳でも、できるものは全部受けてきて今に至っているわけです。常に他者にわかってもらわないと、受けとってもらわないとお金が入ってこないという非常に現実的な制約があって、それも一つはあると思うんですね。僕自身が、権威的なものがすごく嫌なんですよ。ていうのは、うちの父は大学の先生でさ、ちょっと権威的だったのね。わりとなんかこう、偉い人みたいな顔をしてて。だから現代詩の中の権威的なところが僕はすごく嫌で、それを最初から壊したい、もっと開いていきたいというのは、僕が最初に書いた「世界へ」というエッセイの中ですでに言っていて、その路線で今まで来たなという感じがしていますね。詩ってすごく多様なものだから、自分がすごく好きなように書いていいと思うけれどね。

加島祥造さんという「荒地」の詩人が、老子をずっと書いてきて、今や『求めない』という詩集で十万部ですよ。その加島さんの変貌の仕方なんかをみていると、僕はすごい面白いと思うのね。「荒地」の詩人が老子に行って、ヒッピー的なところに来ていると思うんです。だから、あなたに向かってわかりやすいのはだめだという方は、たぶん加島さんなんかは否定すると思います。もう、ほとんど相田みつを路線なわけだから。現代詩の人で「相田みつをもいいね」という人は、あまりいないと思うのね。僕もあれと一緒くたにされたら、どうかな。つまり、「あなたの好きな詩人は」と聞かれて「相田みつをと谷川俊太郎です」という人がいたら、半分嬉しくて半分悲しいみたいなところがあるんだけれど、相田みつをを多くの人は受け入れますね。それは、読者にとっては、ああいう言葉がある程度有効なんですよね。加島さんは自分の本を詩集とは呼んでいなかったと思うんだけれど、NHKはあれを詩集だと言っていますね。詩のことばってすごい多様で、受けとる人によって、ほんとうに優しい言葉がいい人もいるし、人を寄せ付けないような言葉がすごく面白いと思う人もいるわけだから、やっぱり自分がいいと思う詩を書くことしかないんじゃないかな。他人の基準に左右されない方がいいと思いますけれどね。

山田　現代詩の雰囲気も少し変わってきているところがありますから。多様になってきているということが言えますね。

谷川　若い人なんか、現代詩なんか全然知らずに書いていますからね。

山田　それを読んでみたら、現代詩として面白いじゃないかというところがありますからね。

谷川　そうそう。最初に紹介した「俊読」っていう京都のラッパー二人は、僕の名前を聞いたことがないと言っていましたから。今のラッパーなんかは、そういうところで自由にやっていられるわけだから。

山田　というあたりで、時間も尽きてきました。まだまだ話を聞きたいとか、質問したいと思う人もいるんじゃないかと思うんですが、谷川さんはこれからも作品を書かれますし、パフォーマンスやコラボレーションもされています。いろんなところで出会う機会もあると思います。もちろん田原さんはまだ若いですし、これから活躍をしてくれると思います。何年後になるかわかりませんが、またここに来ていただくこともあると思います。大丈夫です。ぜったい百歳まで生きますから。（場内笑声）一緒に生誕百年祭をやろうという約束をしました。ぜひまた来ていただきたいという気持ちを込めて、皆さん、もう一度拍手をお願いします。それから、田原さんにも拍手をお願いします。（場内拍手）

大阪芸術大学文芸学科特別講義（二〇〇七年十月十二日）

最新作を読む

●近況——スチル・ムービーのことなど

山田　今年も谷川俊太郎さんにお越しいただきました。これで八年連続ということになるんですが、過去のことは一応置いて、今日のテーマは「最新作を読む」。つまり雑誌などには発表しているけど本にはまだなってない作品で、大体この一年の間に書かれたものを中心に進めて頂きたいと思います。今年も仙台から田原さんに来て頂きました。まずお二人をご紹介します。谷川さん、とにかくお忙しいんですね。昨日は大阪文学学校だったんですが、明日もまた何かあるんですよね。

谷川　明日は京都の方の、美術のカルチャー・スクール的なところで、絵本と宣伝芸術の話があります。

山田　絵本のお話も伺いたいところですが、去年からの話の続きをまずすれば、写真詩集が出ましたね。去年は『歌の本』も出ました。色んなジャンルの芸術とのコラボレーションの仕事がまた増えてきていますね。そういえば、最近映画を監督されたとか。

谷川　共同監督なんですけどね、言いだしっぺは覚和歌子さん。『千と千尋の神隠し』の主題歌「いつも何度でも」を作詞した、プロの作詞家なんだけど詩人でもあるんですね。彼女が原案で脚本を書いて、すごく色々あって途中からピンチヒッター的にお手伝いすることになって。一応名前は監督なんだけど。覚さんの作品だから覚さんにも共同監督という名前にして頂いて。一番の特徴はスチルの写真だけを使って編集して作るんですね。だからムービー、動く場面というのは、まあ一箇所か二箇所は使うかもしれないけど、基本的にスチル写真を編集して、それにナレーションと音楽をつけて、ストーリーのある映画を作ろうと。フランスに「ラ・ジュテ」っていうクリス・マルケルっていう人が作ったモノクロのそういう、スチルばかりの映画があるんですけど、ご覧になりました？　五十年代だったと思うんですけど。

山田　いや、知らないです。ちょっと僕には古すぎて……。

谷川　飛行場か何かが出て来て、まあそんなに面白い映画じゃないんですけど、スチルのモノクロ写真を積み重ねて映画を作ったっていうんで、当時、評判だったんですね。これも一箇所だけムービーを使ってるんです。でも、ほとんどお手本にならなくて。ロケーションに行ってもね、普通だとムービー・カメラが据えてあって「よーいスタート」って言ってもいい訳ですよね。だけど「よーいスタート」って言ってもスチルのカメラなんだから、シャッター押してるだけなんですよね。シャッター・チャンスっていうのはカメラマン任せでしょ。監督がスタートと言った瞬間に押すんじゃ遅いじゃないですか。それこそ現場に行かないと分かんないんでね。ロケやっててもなんか欲求不満感が横溢してるみたいな感じで。

山田　カメラマンがすごく重要な。

谷川　そうなんですよ、スチルですからね。

山田　ムービーで撮って静止画像で切り取っていくっていうやり方は駄目なんですか。

谷川　普通そう考えるでしょ。それは卑怯なやり方じゃないかと我々考える訳ですよ。それから今はもう、要するに全部デジタルで撮るわけですね。何百万画素の。それとハイビジョンのムービーで撮ってやるのとでは相当コスト的に差があるんですね。物凄い低予算の映画ですから。だからやっぱりデジタルの、割と画素数の多いもので撮っていって、それを一応映画館で上映することになってるから、大画面にブローアップして、ちゃんと見られるかどうかが相当問題になるらしいんですね、カメラマンの側にすると。だからまずそのテストをして、それで結局デジタル上で編集したものをフィルムに起こすんです、基本的に。フィルム上映だけじゃ多分資金回収できないので、デジタルのディスクかなんかで、ハイビジョンのプロジェクタを使って映すというのもやるだろうから二本立てなんですね。だから技術的にはムービーを撮るより複雑になっちゃうんですよ。

山田　写真をたくさん撮る訳ですね。それで編集して選んでいくと。

谷川　そうです。

山田　最終的には何枚ぐらいのものになるんですか。

谷川　今のところは二百五十かな、それぐらいだったと思う。できるだけ少なくして、名画なんかはじっと見てても見てられるじゃないですか、飽きずに。そういう写真を重ねようという理想があった訳なんです。つまりスチル写真一枚を見てても感動的なものを、できるだけ枚数少なくして、まあ例えば四十五分ぐらいの映画を作ろうと。だけど、じっと見てて飽きない絵っていうのはそう簡単に写真では撮れないということがわかりましたね。

山田　音は入るわけでしょう。

谷川　音楽、ナレーションが入ります。ナレーションも最小限にして写真だけで決めたかったんだけど、現実に始めてみるとそれじゃあ到底進まなくて、やっぱり音楽の力を借りたりナレーションの力を借りないと成立しない、という風に段々変わってきてますね。

山田　写真だけではなかなか……。

谷川　難しいですね。すごくゆっくり作る映画ならいいけど、低予算でスケジュールが物凄くタイトだった訳です。そんな中でこっちがある程度、俳優に対してね、演出なんかして、構図を決めて照明を当てて、みたいなことをやってたら物凄く忙しいロケでね。

山田　映画と同じようなセッティングはしなきゃいけないんですよね。

谷川　本当はね。

山田　ところが動いてるのはムービーじゃなくて。

谷川　スチルであると。それで今のムービーって大体デジタルのモニターを見ながら監督が指示できるじゃないですか。ところがスチルカメラだとそんなこと出来ないんですよね。それでいちいちカメラマンに「ちょっとカメラ貸してよ」っていうわけにもいかないし、そこのところは誤算でした。そこまで想像力が働かない。だから今編集で大変苦労してます。

山田　夏にね、田原さんから「谷川さん今長野県で映画撮ってるよ」と聞いて。映画っ？て（笑）

谷川　映画じゃないんですよね。

山田　今度は何を始めたのかなと思って。写真なんですね、要するに。

谷川　そうですね。

山田　写真を並べて、紙芝居みたいなというか……そこに言葉が入って。やはりある種の言葉と映像のコラボレーションというか。

谷川　うーん……まあできれば映像的なものをもっとメインにしたいんですが。「ヤーチャイカ」っていうのが映画の題名なんです。若い人は知らないと思うけどワレンチナ・テレシコワという、ロシアの、旧ソ連の女性宇宙飛行士が、人類初めて女性で宇宙に出たんです。そのテレシコワのコードネームが「ヤーチャイカ」つまり「私はカモメ」というんだけど、それがテレシコワの宇宙からの第一声だったんですね。覚さんのテレシコワの詩は宇宙と人間の関係みたいなことをテーマにしているんです。映画は、言ってみれば一種のラブストーリーではあるんですが。男がね、香川照之というすごく人気のある俳優で。今、再撮影と追加撮影を計画してるんだけど全然スケジュールが取れないんですよ。今彼はね、日本アルプスの頂上で映画撮ってるの。女優さんの方はこないだカンヌで賞取った「殯の森」の主演女優なんですよ。彼女もそれまではそんなに忙しくなかったけど、カンヌであの映画が賞取ったおかげで三本ぐらい映画が入っちゃって、彼女を捕まえるのもけっこう大変になって。運がいいんだか悪いんだかわかんないんですね。

山田　こないだＮＨＫで、そのドキュメンタリーを見ましたけど。それがどういう形になって出て来るのかはまだ誰にもわからない。

谷川　そうですね。

●田原さん、天才アラーキーとの出会いなど

山田　……というような、近況というか、新しい試みをやってるということを、最初にうかがいました。今日は皆さんにプリントを用意してます。どこまでやれるかわかりませんが、これを中心にお聞きして行きたいと思います。僕もね、まだ出たばかりでちゃんと読み込めてないものが多いんです。ですからまあ色々聞きながら、作品について具体的に伺おうと。田原さん、ご紹介まだしてませんでしたので、ちょっと皆さんにご挨拶など。

田　はい、ご無沙汰しております。田原と申します。

谷川　こないだ北京にずっと行ってたんでしょ？　北京で何してたのかちょっと、教えてくださいよ。

田　それはプライベートなことだから。

谷川　プライベートなこともあるけどそうじゃないこともあるでしょ。

田　はい、はい。（場内笑）ええとね、日本に来て十数年間になるんですが初めて、丸二ヶ月、自分の母国に行って過ごしました。北京だけじゃなくて大連、天津、それから自分のふるさと、河南省。それから北京で主に……そうですね……私の初めての中国語版の詩選集が出て、インタビューを受けたりして。

山田　それ、いま持ってないの？
田　持って来てない。
山田　残念、写真だけでも見せたらよかったのに。昨日見せてもらったけど、すごい良い写真なんですよ。
谷川　アラーキーが撮ってるんだよ、この人の顔。
田　いやいや、今年の四月、現代詩フェスティバルが東京であって、中国の詩人于堅さんと私の二人が参加して、その時に谷川先生の紹介で……。于堅さんという方は一九五四年生まれ、大先輩の詩人で、中国現代詩壇において大変重要な存在の一人。彼が趣味で写真を撮ってるんです。中国で海賊版であった荒木経惟さんの写真集を何冊も買ってるそうです。東京に行ったら、すごく自分の尊敬する写真家に是非会わせてくれと言う。私も荒木さんの写真は好きだけど面識がないので、それで谷川先生に電話して聞いたら、「ああ、じゃあ連絡取ります」と言ってくれて、それで新宿で会ってくれたんですね。その時に、まあ写真家ですから、会ってからずっと写真を撮ってくれたんですよ。黒い鞄の中に十数台もの色々なカメラがあって、ずっと撮ってたので、その中の一枚を使わせて頂いたんです。
谷川　それ、いくら払った？
田　無料です。
谷川　おかしいそれ。俺、小室等とCDをプロデュースしてさ、小室等のジャケット写真を撮ってもらったんだよね、一枚ね。その時は彼のスタジオで撮ったけど、××万だよ、一枚。それでも安いんだよ。
田　いやいや、私の本、印税あわせて何万円ぐらいの見込みしかないからそんなに払ったら自己破産してしまいますね。
谷川　いや、今度アラーキーの写真のモデルになれって言われるよ、裸になってほら、吊るされたりする。
田　いやいや（笑）あの、新宿のバーで言われたんですよ「田さん、いい身体してるから脱いでくれる？」って。
谷川　やっぱりね。いつか脱がなきゃ申し訳ないでしょ。（場内笑）

田　いや、出来ないですからね。

谷川　国立大学の先生がアラーキーの裸の写真のモデルなんてやったら朝日新聞に出るよね。読売にも出るかも。

田　それはモデルになったら解雇されますよ。まあ、いろんなこともあって、北京で過ごした間に日本文学のシンポジウムにも参加したりしてたんで、大体それぐらいですね。

山田　まあ、相変わらず忙しいということで。

●新曲披露「ぼくのめざめるすべての夜は美しい」

山田　新作について今から色々伺って行きたいんですが、その前に去年からの一つの流れがあります。去年、谷川さんが歌詞として書いた詩をまとめた『歌の本』が出ました。その中に作曲されてない歌があるということで、だれか作曲しませんか、と募ったところ、一人現れました。それで今日初めて披露します。谷川俊太郎作詞の「ぼくのめざめるすべての夜は美しい」。これ、とてもいい詩ですね。

谷川　長谷川きよしが……ご存知だと思うけど盲目の歌手なんです……長谷川きよしに委嘱されて書いたんだけど、彼の気に入らなかったらしくて、作曲しなかったっていう、そういう詩です。

山田　この詩に、文芸学科の四回生、小桜優子が作曲しました。それを大学院博士課程の羽山絵里奈さんが編曲して、今日ピアノを担当します。歌は畑澤紘さん。同じく大学院生です。今から歌って頂くんですが、その前に、谷川さんに詩の朗読をお願いします。一つだけ皆さんにお断りしておきますが、実は途中一行だけ抜けていたんです、製本の時のミスで。

谷川　違う、僕のミスです。原稿渡す時に一行抜かしちゃったの。

山田　この一行が分からないんですよね。

谷川　え、山田さんが一行付け加えてくださったんでしょ？
山田　ええ、あの……。
谷川　それどこにあるんですか？　このプリントにはないですよ。
山田　文字にしてお見せするのはいくらなんでも失礼だから、その一行は抜けたままにしてあります。
谷川　失礼なことないですよ、それないと読めませんよ。
山田　（畑澤さんから歌詞カードが渡される）谷川さんにこれを読んでもらうんですか？（笑）えーっと、もう少し皆さんに説明します。一行抜けていることが分ったので、本人に聞こうかとも思ったんですが、それも失礼だと思って……私が谷川俊太郎研究者としての全力を傾注して一行だけ、谷川さんの言葉遣いで作りました。それがどの一行なのか、皆さん聞いてもたぶん分からないと思います。
谷川　あ、それ当てたらなんか賞品とか。
山田　当てたら凄い。何か差し上げようかな。
谷川　もう僕のオリジナルより良かったりしたら悔しいですね。
山田　いやいや。
谷川　うちに帰ればあるんですけどね。
山田　そのはずですけど、正解はそのうち教えて頂くことにして、こういうこともたまにはあっていいんじゃないかということで。では谷川さんにまず読んで頂きます。
谷川　（朗読）

ぼくのめざめるすべての夜は美しい
ぼくは見る　輝く闇にのぼる四角い太陽
明日へと羽ばたく翼あるライオン

降りつもる悲しみの虹色の雪
ぼくの夢みるすべての闇は美しい

ぼくのめざめるすべての夜は美しい
ぼくはさわる　ふるえる指に歌うギターの筋肉
明日へと波うつ黒髪のトレモロ
歩み去る人々のさびしさの肩
ぼくの夢みるすべての闇は美しい

ぼくのめざめるすべての夜は美しい
ぼくは聞く　愛する人の近づくかすかな足音
明日へとささやくそよ風のアダージオ
こみあげる魂のもえあがる声
ぼくの夢みるすべての闇は美しい

谷川　さあ、分かったかな？
山田　一行だけ偽物が入ってたんです、今の朗読の中に。多分皆さん分からないですよね。では歌って頂きましょう、お願いします。
〔演奏、続いて拍手〕
山田　ありがとうございました。畑澤さん、羽山さん、どうもありがとう。作曲者、小桜優子さんにもう一度拍手。〔会場拍手〕という訳で、谷川さんいかがでしたか？

谷川　きれいな曲ですよね。
山田　ちょとレトロな感じで。
谷川　そうですね、ちょっとフォーク調……長谷川きよしはフォークですからね。
山田　ということで、いま谷川俊太郎作詞の歌が新たに一曲生まれたということです。

●長篇詩「トロムソ・コラージュ」「問う男」「絵七日」

山田　さて、今年に入ってですね。色々と最近の谷川さんすごいんです。ものすごい勢いで……という風に僕らには見えるんですが。
谷川　全然勢いはないんですけどね。
山田　いや、書かれてる量がもう半端じゃないでしょう。
谷川　全然自分では意識してないんですよ。去年ノルウェイのトロムソっていう北極の入り口にあるところで国際的な詩祭があって、日本からも多和田葉子さんとか江國香織さんとか。
山田　四元康祐さんもいらっしゃったんですね。
谷川　四元さんもね、ミュンヘンから。僕も行ったんだけど。その前に新風舎という出版社があって、そこの松崎さんという社長が、自分も詩人なんですよね。「未来創作」っていうすごい豪華な詩の雑誌を出していて、そこに何か長編詩を書かないかって誘いがあったのね。二百行ぐらいの。僕はそれまで長編詩書く気なんか全然なかったんだけど、あんまり長い詩書けてないもんだから書いてみようかなと思って。それでノルウェイに行くので丁度いいやと思って。そのノルウェイでの出来事、トロムソでの出来事を「トロムソ・コラージュ」っていう名前で、旅行中もずっと書き続けて、帰ってきてから色々手直しなんかして。自分が撮った写真と一緒に「未来創作」に発表したんです。それで書いてみたら「あ、二百行書けるじゃん」と思ったのね。僕、短い詩しか書けないような気がしてたんだけど。

山田　わりとそう仰ってましたね。

谷川　はい。でも、書けるんだったらもう一個書いてみたいなと思って。別に二百行の注文は他にはなかったんだけど、僕にしては珍しく自発的に、「問う男」っていうのが、書けちゃったという感じなんですね。始め、いきなり何か変な男が自分の部屋に入ってきたというシチュエーションを考えただけで、後はわりと楽にずっと続けて何日間かで書けたんですね。で、これを普段だったら例えば「現代詩手帖」とか、でなければ商業的な「文学界」とか「すばる」とかへ持ち込んで載せてもらうんですけど、なんかあまりにも詩の雑誌や文芸雑誌が元気がなくて、部数がどんどん減ってってくし、みたいなことがあって。ちょうどその頃糸井重里さんのウェブサイト「ほぼ日刊イトイ新聞」で「質問箱」というのやってたんですね。今は本になってますけど。それでふっと考えて、糸井さんのこのHPは一日百万ヒットとか言うじゃん、みたいな感じでさ。これに出してもらった方がたくさんの読者が読んでくれるんじゃないかと思って。糸井さんのところに話持って行ったら「いいです、出してあげますよ」って言うんですね。それで「問う男」は「ほぼ日」に載せてもらうことにしたんだけど、後はもう全部お任せにしておいたら、さすが「ほぼ日」でね、連載にするんですよ。小出しにして。『質問箱』を出版するときにも僕すごく学んだんだけど、普通の出版社だったら活字だけで作るんですけどね、ああいうものは。なんかすごく可愛いイラストがあって。おまけにビーチボールがおまけ、みたいなね。本当につまり、「おいしい生活」を書いた糸井さんとその仲間ならではの。

山田　確か俊マーク付きとかもあったでしょ。

谷川　マークじゃなくてサインですけどね、七百冊。

山田　サインしたんですね、「俊」だけ。

谷川　七百冊全部書くの大変だから。そういう売り方みたいなことを「ほぼ日」のお陰で勉強したんですけどね。それで「問う男」を連載するというアイディアにも感心したし。で、その後でもう一つ。とにかく五、六篇書いて一冊の長編詩の本作ろうっていう気持ちがずっとあったもんだから、もう一つ書こうと思って。一週間の出来事を書いたらどうかななんて思って。考えてたら、平田俊子さんに「詩七日」という詩があったことを思い出したんですね。僕、実は「絵七日」という題名を「詩七日」を意識しないで付けて、後で「あ、そうだ平田俊子に詩七日あったじゃん」みたいな感じで書いたんだけど。月曜か火曜から始めて一週間ということで、僕がわりと昔から絵が好きっていうこともあって、いろんな絵の中に出たり入ったりする男の話にしようということに自然になったんですね、書いてるうちに。だからこれはある程度美術に対する言及があるので、その絵をなんとなく思い出してもらわないとちょっと分かりにくいんじゃないかなと思うんだけど。

山田　具体的な絵がある訳ですよね。

谷川　ある程度。でもその絵そのものじゃなくて、少し違ってるかもしれないけど、その絵から何となくヒントを受けて絵が何枚も出て来るんですね。そういう形で「絵七日」を書いて。

●「午後おそく」による十一の変奏

谷川　もう一つここにある「「午後おそく」による十一の変奏」というのはちょっと違う系列だと思います。組曲形式みたいになってますね。

山田　連作というか。

谷川　そうですよね。他のはある程度ストーリーラインがあって、分けて組むんではなくて、一つの長い詩になってますよね。でもその十一の変奏というのは、これも、僕はすごく音楽が好きなもんだから音楽からの発想なんですが。僕は十六、七の時にベートーヴェンの「アパショナータ（熱情）」というピアノ曲に触れて、このピアノ曲そのものも好きだったんだけど、第二楽章の「変奏曲」というのにすごく打たれたんですね。この変奏という形式そのものに発見があったと言えばいいんでしょうか。つまりこれは音楽だけのことではなくて、書く上でも、ある一つのものをいろんな角度から見ていくとか、いろんな時系列に移してみるという形で、そのバリエーションを書くことが可能じゃないかと思って、その変奏形式というのを凄く意識してたんです。で、その後まあ、いろんなモーツァルトの変奏があるし、変奏曲を楽しんでは来たんだけれど。ピョートル・アンデルジェフスキーという若手のすごいピアニストがいるんですよ。それがベートーヴェンの「ディアベッリ変奏曲」という難曲を弾いてるＤＶＤがあるんです。これはそういう演奏をドキュメンタリーに作る事で有名なフランスの映画作家、ブルーノ・モンサンジョンが作った一枚なんです。それを買って来て見たら、その若いピアニストが変奏曲を説明するしかたが凄く面白いんですよね。演奏も素晴らしいんです。その変奏を聞いてたお陰でこの詩が出来たという感じで。アイディアとして面白いのは、僕が十代の頃に……一九五〇年でしたっけ？

山田　一九五〇年一月九日になってますね。

谷川　はい、それは大学ノートに日付まで書いてあるんだけど、その詩をテーマにして変奏しようというアイディアが生れて、そのアイディアのお陰で書けたような詩ですね。

山田　元は十八歳の時に書かれた詩なんですよね。これが主題で、それを変奏する、と。詩集『十八歳』の中に入ってます？

谷川　入ってます。

山田　そのノートと言うか、『二十億光年の孤独』の中に入れなかった作品を後に『十八歳』に入れた、その中の一つですね。

谷川　そうです。

山田　十八歳の時の自分の作品を変奏するという、ずいぶん長い時間経ってる訳ですけど、まあ言ってみれば過去の自分とのコラボレーションみたいなものですね。

谷川　もう自分はいないっていう感じですね。言葉しかないっていう感じで、常に。だから万葉集であろうが中原中也だろうが全部言葉なんですよ。その人がいつの時代に生きていて何歳だったか、ということは僕にとってはほとんど問題になってないんです。だから自分の詩も、十八歳の時に書いた詩でも言葉として読んでるっていう感じですね。だからその時の自分の感覚とかそんなのは一切思い出せないし、それを思い出して書こうという気も全くなくて。

山田　ほとんどそこにある言葉そのものということですね。

谷川　そうです、それが自分の書いたものでなくても構わない。だからこのテーマが自分の詩である必要も全然なくて、何でもいいんですよ。だけど、自分のそういう若い頃の詩をテーマにするのは、読む人は面白がるだろう、みたいなのがありますよね。

山田　ええ、この芝生の感じ、日の光の感じ、その感覚が今……変奏の方では……「老人は」って出てきますよね。そこで「老人」は「ホーム」に戻っていくんですけどその光の感じとか、その変化とか……。

谷川　そうですね、自分が今同じ場所に住んでるんですけど……建物自体は変わりましたが……僕が十代の頃、当時の昭和初期の、いわゆる文化住宅と言われてるものは、ほとんど和室の家の端っこに何故か洋間がついてたんですね。それは定型としてある文化住宅で。うちではその洋間が父親の書庫兼書斎になっていて、その部屋で僕はよく百科事典を見たりとか、自分が詩を書き始めた時はその部屋に籠もったりしてたんですね。その部屋と、それから東京にしてはわりと広い庭があって、そこに植わってる芝生とかいうのは自分の原イメージみたいな形で残っていて、それだと思いますね、この詩のイメージは。

山田　なるほど。最初の主題になっているものと、現在「変奏」しているものとの、その違いとか変化を読者は、「ああ半世紀以上過ぎてこうなるのかな」という風に、作家論的な興味もあって読みますよね。そうすると、例えばこの二つ目の変奏なんかはちょっと『六十二のソネット』みたいなところもあるような気がしませんか？「木は空へと伸びてゆく」。何だか、ひとつひとつの変奏がですね、谷川さんの過去のあの詩集とかあの頃のとかあの感じ、とかいう風に僕なんかはすぐに浮かんでしまうんですが。

谷川　ああ……きっと当人は意識してないけど、そうでしょうね。

山田　一つ目のはちょっと分かりにくいんですけど、二つ目のは『六十二のソネット』のような……形は違いますが、雰囲気が似ていますね。で、ほかにも『世間知ラズ』みたいな感じのものもあるんです。

谷川　なるほどね。僕はだから今まで自分が使ってきた、と言うか書いてきた方法は全部、動員して書こうみたいな感じだから、やっぱり過去の詩集と似たような文体は当然出てきますね。

山田　ああ、なるほど。それもまた、過去の様々な方法を改めて変奏しているような、そんな感じなんですね。

多様なコラボレーション

山田　このへんで田原さんに聞いてみたいんですけど、新作の中でどのあたりが一番気になりますか。傾向はそれぞれ違うけど。いま谷川さん自身に自己解説的なことをして頂いたんですが。

谷川　田原さん分かんないことあったら何でも聞いて下さいね。

田　ええとね……最初、この三篇の長篇詩読んだのはウェブですね。北京にいたとき先生からメールをいただいて……「ほぼ日」のHPですよね。「ほぼ日」に長い詩を書いたのでご覧になって下さいと。それで北京でパソコンで読んで、それから下訳みたいなことをしたんですが、多分当時も先生にメールを書いたと思います。非常にドラマチックというか。これまで先生の作品の中にドラマチックな作品もありましたけど、あるいはその、物語性、あるんですけど、これほどドラマチックに、直接的なものはあまり感じてなかったね。すごく新鮮に思ったんです。それから他に、先生が仰った「現代詩手帖」に発表した詩、これ少し私にとっては難しいんですよね。それから「すばる」に発表した絵……七日?

谷川　「絵なのか?」っていう質問形になってるんですよ。

田　ああ、「絵なのか」。

谷川　平田さんも「詩なのか」って。

田　それも難しいんです。さっき、先生に話したんですけど、長篇詩を新劇に作ったら面白いかもしれない。

谷川　劇作品としてね。

田　そうそう、あるいは前衛的な新劇とか。

山田　長篇詩からもこれから目を離せないですね。谷川さんの作品を追いかけようとすると、こちらがいくら追いかけてもどんどん新しいところに行っちゃうので、なかなか追いつけない。今回の一つの特徴としては、いろんなジャンルのものとのコラボレーションが詩そのものの中でも行われている、ということですね。もちろん他者とのコラボレーションもあります。荒木経惟さんの写真と一緒になった写真詩集を今日は持って来ました。『写真ノ中ノ空』。谷川さんが昔から書いてきた空の詩と、今度荒木さんの写真に新たに書き下ろした空の詩が並んでいます。写真と詩とがぴったり重なって一つの独創が生じています。ほかに、去年も話題に出ました『詩人の墓』。太田大八という画家の方との詩画集で、詩と絵が一緒になっている。そういう様々なジャンルの芸術家との共作もコラボレーションですが、もう一つは、詩そのものでやってても……例えば「絵七日」の背後には具体的に絵画作品があるんですね。で、「変奏」の方はもちろん今ご自身から説明がありましたように、音楽を意識してると。更に言えば、その変奏というのは過去の自分の作品を変奏している訳で、これも過去の自作とのコラボレーションと言えなくもない。広義でのコラボレーションというのがいま現在の谷川さんのキー・ポイントかな、と思います。

●「言葉だけに　呈中也」

山田　もうひとつのコラボレーションの話を伺いたいと思います。今年は中原中也の生誕百年ということで、様々なイベントが行なわれてます。そのうちの一つ、中原中也の生まれた山口市で行なわれた「中也の会」で、谷川さんが中也の詩も読んだんですね。

谷川　はい。

山田　それからご自身も「呈中也」という副題のある「言葉だけに」という詩を書かれて。これを「別冊・詩の発見」の第六号に掲載させて頂きました。その「言葉だけに」という詩のことも伺いたいと思います。「呈中也」ということで、中也に捧げる、という意味ですね。

谷川　そうですね。

山田　これ比較的短いものです。四行ずつ七連。これを谷川さんに朗読して頂きます。

谷川　これも、前提みたいなものちょっと言った方がいいと思うんだけど。

山田　ああ、お願いします。

谷川　今の世の中って物凄く情報量が増えていますよね。情報が本当に飛び交っていて。それで詩なんかでもその情報の中に飲み込まれているような気がするんです。それからすごい量の本が出版されているんですね。それでうちなんかにも知らない人の詩集がどんどん送られてきて。新聞読むと、広告も含めて物凄い文字量だし。なんか言葉がインフレーションって、昔福田恆存さんが言ったんですけど、言葉の方が物凄い量になっていって実体の方がよく見えないみたいな、あるいは実体と非常にアンバランスに、言語の方が大量に流通している時代だという風に感じちゃうんです。こうやって喋っていても、なんか全部言葉だけなんじゃないか、実体は伴ってないんじゃないかという感覚が出て来てると思うんです。それで「言葉だけになってしまった」というのが今の僕の言語状況に対する一つの感じ方なんです。それがこの詩の一番元になっていて、それは中也とはほとんど関係のない、この時代の感覚ですね。中也節というのは本当に言葉だけの詩句というのがあるんです、つまり現実に対応してない。例えば「丘々は、胸に手を当て／退けり」なんていう言い方は全然現実には対応してないんですよね。あれは本当に言葉だけなんだけど、中也の場合不思議なことにその言葉だけのものが一番詩的に感じられて、我々の現実世界から違うところに連れて行ってくれるような、そういう働きがある。だから言葉だけになってしまっているのは、今の時代では、人間にリアリティを失わせているところがある訳だけれど、中也節の場合、特に中也に限らずだけど、詩の場合には、言葉だけということが逆にもっと人間を広い世界に連れ出してくれる、そういう逆説的なものがあるような気がして。この詩を書いた前提にはそういう自分の感じ方があります。で、中也にあげることにしたのは、何となく中也調みたいなものが僕は好きなところがあって……嫌いなところもあるんですけどね……その好きな中也調みたいなものをちょっと取り入れて書いてみた、っていうところですね。

山田　具体的に中也の作品の一行をリミックスに使ってるとか、そういうことではないんですね。

谷川　ええ、それは多分してないと思うんです。でも気が付かずにしてるかもしれませんね。

山田　まあ案山子というのは、中也の代表作に出て来ますけど。

谷川　ええ、そういうのは批評家が探してくれるんですね。(笑)

山田　はい、またゆっくりと探しておこうと思います。(笑)最後の方は、七五調になっていますが。

谷川　最後の節は、これは中也を意識して七五調で書いてみました。

山田　しかも口語定型で。中也がよく使う、話し言葉の七五調。七五調で喋るというような言い方を、よく中也について言うんですけど。途中で中原中也のことも意識して書いた、ということでしょうか。

谷川　いや、最初からなるべく中也に……。何て言うかね、別に今年が生誕百年とか全然思ってなかったんですよ。でも何故か中也の調子で書いて中也にあげますっていう風にしちゃったもんだから、もう完全にこれ意識下の何かですよね。意識はしてませんでしたね。

山田　ああ……どっかから何かあるんでしょうね。

谷川　うん、神のお告げか何か知りませんけど、何かあるんですね。

山田　あるいは中也が一瞬乗り移ったとか。

谷川　「お前書けよ」ってね。

山田　中原中也の詩の中で言うとちょっとあの作品の感じかな、って思わなくもないところもあるんですが、それはいずれまた考えてみるということで。まだ出たばかりですから。では読んで頂きましょう。

谷川　〔朗読〕

言葉だけになってしまって
山はぼうっとうずくまってる
港は薄曇った空の下
何事か思案している

他処の国でもそうなのだろうか
海は淡々と陸と陸を隔て
罪人たちの深い嘆きの感嘆詞さえ
言葉だけになってしまって

転んでもただで起きない商人は
電子まみれでバスタブにいる
大昔に書いた恋文も
言葉だけになってしまった

緊縛された若い女の首筋に
青い静脈が浮いている

言葉だけになってしまって
詩は世界から剥落しかけて……

嘘だ！嘘だ！
何が言葉だけなものか！
太腿を脇差で刺して
小姓は居眠りすまいとしたではないか！

——静けさだ
あとは静けさあるのみだ
案山子たちは尾羽打ち枯らし
藁の頭で瞑想し

どっかの家の食卓の
夫婦茶碗によそわれて
ご飯が湯気を立てている
ほのかに湯気を立てている

●中原中也と小林秀雄と谷川徹三

谷川　中也と僕の関わり、うちの先代からの関わりって山田さんにお話ししたことありましたっけ？

山田　徹三さんの？　なんらかの交流があったことは知ってますが、具体的に谷川さんからお聞きしたことはありません。

谷川　僕の父親は哲学者だったんだけど、文芸批評なんかもやってたもんだからわりと詩集なんかももらってたんですね。三好達治とかそれから中也とか草野心平とか、あのへんの世代の詩人達。で、僕は詩を書き始めた頃ほとんど詩に興味がなかったんですが、僕の周囲にいた文学青年たち、その中の一人が北川幸比古という児童文学者だったんですけど――もう亡くなったんですが――彼が詩が好きなもんだから遊びに来た時にうちの父親の書庫から詩集を見つけては読んでたんです。で、「お前、中原中也の初版本があるじゃないかとか」と言って『山羊の歌』を僕に見せてくれたのね。僕はそれまでそんなの見たことなかったんですよ。開けてみたら「谷川徹三様」って僕の父の名前の献辞が入ってて「中原中也」ってサインがあってね、へえーなんて思って。その頃北川幸比古はすごく中也が好きでちょっと中也調みたいな詩も書いてたから影響受けてるんだろうなと思って僕も読んでみたんだけど、全然分かんないんですね、どこがいいんだか。僕が当時心酔してたベートーヴェンのことを「ベトちゃん」なんて呼んでるから腹が立ってきて。「こいつ生意気な野郎だ」なんて思ってたんですね。それからずいぶん経ってからね、開運鑑定団っていうテレビ番組あるじゃないですか、あれを見てたんですよ。そしたらうちにあるのと同じ『山羊の歌』の初版本が……誰かが出したんですね……ほら、石坂浩二が前に立ってて数字がパパパッて赤いのがついてくじゃないですか。へえいくらぐらいするんだろうって思ったら三百万ぐらいになるの。それでもう慌てちゃって、一生懸命探し出して。セロファン紙かなんかにくるんで別の本棚に入れといたんですね。で、売りたかったんだけど、何しろ「谷川徹三様」って書いてあるじゃない。僕が売ったことがもう一目でわかっちゃう訳ですよね。残念だけど売れなくて。

山田　お父さんがご存命の時ですか？

谷川　死んでからですね。そのうちに山口の中也記念館との関係が、佐々木幹郎さんのお陰で出来ちゃって。まず、草野心平さんとか僕も朗読した中也のＬＰレコードがあるんですね。中也の詩ばかり。中央公論社から出てたと思うんですけど。まずそのレコードを寄付した訳です。で、『山羊の歌』も、とにかくうちに置いとくと物騒だから。息子が売り飛ばさないとも限らないし。

山田　今度は賢作さんが。

谷川　はい。（笑）だからこれもお預けしたほうがいいと思って記念館にお預けして、お預けじゃなくてそちらに寄付するから置いて下さいってことになっちゃって、残念ながらそれは現金には変わらなかったんですけど。まずそういう縁があるんです。もっと遡ると、谷川徹三ってすごい二枚目でね、けっこう女にもてた男なんですね。それでうちの母とすごい恋愛で結ばれて、まあ、『母の恋文』という新潮社の本に、僕はその当時の若い二人の恋文と、それからもっと年取ってからの母親の父親に対する恋文を編集して出したものがあるんですが。そのしょうがない父親がですね、僕が生まれた直後に浮気してたらしいんです。当時はカフェの女給さんていうのがありまして、今のウェイトレスとは全然違って、当時のすごくモダンなカフェで文化的な雰囲気があって、女給さんも文学少女みたいな感じのところが多かったらしいんですね。そういうところの、女給さんって言葉は良くないけど、とにかくそういうところで働いてた女の人と恋をしていたらしいんです。僕の母はそれを知って物凄く苦しんだと思うんですけどね。まあ他にも女性いたらしいんだけど。その女性をですね……小林秀雄ってみんな知ってるのかな。

山田　はい、知ってると思います、授業で出てきますね。

谷川　小林秀雄さんがその女性に惚れちゃったんですよ。それで徹三さんのとこへ来て、「この女性を私に下さい」という話なんですね。

山田　その女性、まさか長谷川泰子じゃないですよね。

谷川　違います。（笑）その方は小林秀雄さんの奥さんになられて最後までご一緒で、僕は実際にお会いしたことないんだけど写真だけで見ても本当にきちっとした女性なんです。で、そしたらうちの徹三さんは「どうぞあげます」って小林秀雄さんに言ったらしいんですよ。それでその女性は徹三さんに「一緒に死んでください」って言ったんだって。徹三さんはね、薄情な男であるからか、あるいはもう自分のところはちゃんと赤ん坊も生まれてるしね、潮時と思ったのか、とにかく一緒に死なずに、そういういきさつで小林秀雄さんとその女性は夫婦になったと。そういうご縁があるんですね。

山田　なんかすごい縁ですね。

谷川　ねえ。

山田　すごい縁ですけど、小林秀雄までは分かりましたが、中原中也はそこでどういう風に？

谷川　だって小林秀雄と中原中也っていうのは長谷川泰子を巡ってのトライアングルでしょ。そこにまた別の三角関係が僕の父との間にもあったと。ダブル三角なんですよ。（場内笑）

山田　えーとつまり頂点が小林秀雄で、こうなる訳ですね……。

谷川　それで僕はですね、今度その生誕百年祭に出て考えてみたら、僕は七十五歳で、中也と二十五年しか離れてないんですよ。僕はもう大昔の人だと思って読んでたんだけど。その時ちょうど和合亮一さんと対談してたんだけど、和合亮一と僕の歳の開きよりも、中也と僕の歳の開きの方がずっと小さいんですね。

山田　つまり中也の方が近いんですね。和合さんよりも。

谷川　ショックでした。僕は和合亮一にもっと威張ってもいいんだと思いましたね。

山田　威張ってください。田原さんにも。田原さんの年齢だと……。

谷川　田原さんいくつ？

山田　和合さんよりは二歳年上。

谷川　それじゃあやっぱり、中也との開きが二十五歳だから……なんか意外に身近な人なんですよ、中也さんはね。

山田　そうですね、まあ中也は三十で死んじゃいましたから早々と歴史上の人物になってしまいましたけど、同世代の人がまだ生きててもおかしくはない。百歳。小野十三郎より四つ下なんですよね。

谷川　ねえ。それも不思議な気がしますね。

山田　杉山平一さんよりわずか七歳上なだけなんですね。そう考えていくとあの時代のそういう人が今また現代詩の中で非常に重要な地位を占めいいて。谷川さんと中原中也というのは直接の結びつきは作品の上では多分ないんですけど、やっぱり通じるところは色々あって。

谷川　うん、だって中年になってからすごく好きになったんですよ。若い頃は分かんなかったのに。

山田　この間「現代詩手帖」のアンケートでそういう風に答えられてるの見て「ああそうか」と思って。ひとつは調べというか、言葉の音楽性みたいなものでしょうか。

谷川　どうなのかな。草野心平さんと一緒にＬＰのために朗読した時に、中也の七五調をどう声に出すかってすごく悩んだんですよ。その当時、七五調というものにやっぱり反発する空気というか、戦後詩ですから。僕は七五調を使ったりはしてるんだけれど、声に出すのは書くのとまた違うんですよね。それで七五調の、声に出し方、つまりどこまで散文的に読むか、どこまで歌にしていいのかみたいなことがわかんなくて。ところが草野心平さんが「冬の長門峡」を実に見事に読んだので僕は感心したんですね。草野さん世代がこういう風にちゃんと読めるんだと思って。とてもいい朗読だったんです。そういう意味で、中也の七五調に感動したというよりも、中也の言葉の出所ですね。宮沢賢治が「無意識即」って言い方しますよね。中也の詩句で僕が一番感動するのはやっぱり「無意識即」で、全然左脳では理解できない言葉の出方。なんでこんなことが言えるんだろう、みたいな。だから一篇の詩よりも僕はそういう何行かにすごい、と感じるんですよね。

山田　すごい名フレーズっていうのがありますもんね。

谷川　それが全然理性では解けないようなフレーズなんですよね。

山田　それは、谷川さんの詩の中でも前に話に出た、例えば「さようなら」とか「芝生」のような。

谷川　そうです、そうです。

山田　夢遊病的に、なんでできたのかわからないような、そういう作品がたまにある、という風に。

谷川　だから僕自身がそういう好みを持ってるっていうのは確かなんですよね。そういう言葉、詩の言葉が好きだと言うね。

●中原中也「夕照」

山田　具体的に中也の詩の中で言うと、例えば今朗読して頂くとしたら、どういう作品のどういうフレーズなんでしょう。
谷川　僕がよく例に出すのはですね……。
山田　中也の詩集を一応持って来てます。
谷川　あ、これでいいや。これ「ゆうばえ」と読むのかな。
山田　「ゆうしょう」でしょうね。夕焼けが照る、と書いて「夕照」。
谷川　これのね、最初の二行が僕は一番そういう、変な特徴的な句だと思うんだけど、さっきも言った「丘々は、胸に手を当て／退けり。」という二行なんですよね。これがなんで心を打つのかよく分からないんだけど、こういう言い方っていうのは絶対理詰めでは出て来ない。これはぽこっと出てきたと思うんですね。「丘々は、胸に手を当て／退けり。／落陽は、慈愛の色の／金のいろ。」、この次の二行はまだ理詰めで出る可能性があるんですね、「落陽は、慈愛の色」は。「原に草、／鄙唄うたひ／山に樹々、／老いてつましき心ばせ。」この「老いてつましき心ばせ」というのも相当、夢遊病的ですよ。意味としてはすごくはっきりしてるんだけど。それから「かゝる折しも我ありぬ／小児に踏まれし／貝の肉。」この三行も訳分かんないんですよね。僕はこの、子どもに踏まれた貝の肉というのはちょっと気持ち悪くてあまり好きではないんです。だけどこれも相当意識下から出てきた言葉だと思います。「かゝるをりしも剛直の、／さあれゆかしきあきらめよ／腕拱みながら歩み去る。」この最後の三行に僕はもう一つすごく好きな行、「私は私が感じ得なかったことのために、／罰されて死は来たるものと思ふゆゑ」と同じような、一種の倫理的なものを感じるんですね。「ゆかしきあきらめ」という言い方。こういう言葉が出て来るところが中也の一番好きなところですね。
山田　これはかなり初期の作品ですね。
谷川　そう、『山羊の歌』ですから。その三百万で売れたはずの本。
山田　(笑)それに文語調ですからね。
谷川　そうですね。
山田　中也は段々口語の方が中心になっていきますが、初期の頃はまず短歌から入ってますから。この時代の詩人はみんなそうですけど、短歌の感じがまだ残ってますね。
谷川　そうですね。
山田　そういう、やや古い調子ですけど、でもそこで歌われてる内容というのは何だか現代詩そのものというか。
谷川　亡くなった山本太郎さんがね、どこかで最初の二行が好きだって書いてるんです。山本太郎は、現代詩の人で中也をあんまり認めてないんだけどね、でもこの最初の二行がいいと言うのが面白いですね。
山田　いま皆さん耳で聞いてるだけからちょっと分かりにくいかもしれないけど、「丘々は」というのは「丘」です。
谷川　アークヒルズのヒルズです。
山田　複数の。「丘々は、胸に手を当て／退けり。」丘が胸に手を当てて退いていく、って何なんでしょうね。意味がちょっと分からない。
谷川　これと似たような絵をかく人がいるんですよ。奥山民枝さん。安井賞もらった絵描きさんですが。山の絵をいっぱい描いてるんだけど、それが全部ね、肉体を持ってる感じなんです。木が生えてなくて肌色の山なんですよ。だけど柔らかい感じで、やっぱり一種の不気味さがあるのね。なぜこんな風に描くんですかって言ったら「山がそんな風に見える」って言うんですよ。実際にそう見えると。中也の場合にもこういうイメージが本当にリアルだったんじゃないかと思うのね。

山田　具体的に言えば、夕方で落陽の、段々色が染まっていくような。

谷川　そう、山がちょっとエロティックな感じでね。木々が産毛みたいに見えるかもしれないし。

山田　それを「退けり」の一言で言ってしまう。これはやっぱり名フレーズと言っていいでしょうね。

谷川　名フレーズだと思います。でもこれは相田みつをさんみたいに役に立ちませんね。相田みつをさんの名フレーズは役に立つんだけど。

山田　そのままですから、何もわざわざ言わなくてもというところがありますけど。（笑）

●宮沢賢治体験

山田　この間四元康祐さんと話した時に、彼は、中原中也は本当に名フレーズ型の詩人だと。それで谷川俊太郎さんはどうなんでしょうという話になったんですよ。ご本人は自分はそうではないと仰ってるけれど、恐らく……いつもの言い方になるんですが……十人ぐらいいる谷川俊太郎のうちの二人ぐらいは名フレーズ型ではないか、と私はお答えしたんですがいかがでしょうか。

谷川　いや、だって今覚えてますか？　名フレーズ。名フレーズっていうのはすぐに言えないといけないんですよ。

山田　例えば「本当の事を云おうか／詩人のふりはしてるが／私は詩人ではない」とか。

谷川　あれ名フレーズかなあ。

山田　「言葉の素顔が見たい」。

谷川　ああ、すぐに出てきますね。

山田　出ますよ、すぐに。「夜明け前に／詩が／来た」とか。田さん出ますよね、いっぱい。

谷川　「いもくって　ぶ」とか。
山田　あ、出ます出ます。（場内笑）「かっぱかっぱらった」も。（笑）
谷川　相当精神分裂的な感じがしますけども。（笑）
山田　いや。谷川さんのことを「怪人百面相」とネーミングしたのは北川透さん。谷川さんは百ぐらい顔があるから気を付けなきゃいけないと。そう言うと分裂型みたいですけど、そういう意味じゃなくて、引き出しはたくさんあった方がいいという意味で。中也の話をしたついでにね、以前からずっと伺いたいことあって。宮沢賢治なんです。
谷川　はい。
山田　僕はあるひとつのイメージがあって。今も話題に出た徹三さんですね。谷川徹三と言えば最初の、ごく初期の宮沢賢治の研究者ですという風に、谷川さんがお父様のことを仰います。
谷川　その一人ですね。
山田　確か第二次宮沢賢治全集……第一次というのは賢治が死んですぐに出た全四巻ですが、まあ著作集で、それがある程度売れたので、第二次全集というのが……昭和十四年に十字屋から出るんですね。その時の編集者の一人が谷川徹三さんです。それ以前の第一次全集の第三巻の中に「銀河鉄道の夜」が入ってるんですね。谷川さんに以前お聞きしたら、「銀河鉄道の夜」を最初に読んだのがいつ頃だったのかはもう全く覚えていない、という風に言われていましたし、文章にもそう書いておられました。一つのイメージとしては、谷川さんのご自宅、戦前の、当時としてはモダンな。そこでお母様がピアノを弾いてらっしゃってて、若い谷川徹三さんが小さい男の子を膝に抱いて「銀河鉄道の夜」を読んでやってる……。
谷川　（笑）
山田　つまり谷川俊太郎さんは日本で最初の賢治童話の読者のひとりなんです。「銀河鉄道の夜」が初めて世に出た頃に、新刊書としての「銀河鉄道の夜」を最初に読んだ子どものひとり。その幼児体験が意識下に入っていて……というイメージを描いてるんです。
谷川　それは小説になさるといいと思いますけども、全然事実じゃないですね。（笑）
山田　あ、そうですか。（笑）
谷川　うちの父は僕に何か本を読み聞かせたことは一度もありませんね。膝に抱いたことも本当に数回、という風に僕は記憶してます。とにかく宮沢賢治の童話を読み始めたのは戦後、高校生になってからということは確かです。それで詩を書き始めた頃、十六、七歳の頃にはもう童話はすごく愛読してましたね。全部読んだ訳じゃないんだけれど。でも、賢治の詩は中也の場合と同じでそんなによく分かりませんでした。だから詩よりも童話の方に夢中になっていた。
山田　その宮沢賢治の童話と谷川俊太郎の詩というのも一つの大きなテーマで。今まであまりね、研究してる人いないと思うんです。
谷川　そうですね、詩についてもね、僕、宮沢賢治の口調の方には結構影響受けていて、この前「あ、そっくりだな」って思ったのありましたね、初期の自分の詩と賢治の何かと。だから中也の場合よりももしかすると賢治の方に……そうですね、賢治の口調の方に影響受けてたと思います。口調というのは、言葉の繋げ方とかそういうことなんですよね。七五調とかそういうことではなく、むしろ。
山田　そういう話、中也とか賢治とかなると、まあ徹三さんのこともありますし、そのへんの時代からの流れで、作品を時系列的に意味づけてみたくなるのが研究者の癖なので。
谷川　初期の『二十億光年の孤独』なんかの書いてある大学ノートの最初のページに賢治の童話から何か引用してます。
山田　ああ、あれは「銀河鉄道の夜」の……確かそれも初期形のね。
谷川　そうです。
山田　当時は初期形と後期形が一緒になっていて。「何とも云へずかなしいやうな新らしいやうな気がするのでした」と、ジョバンニの気持ちを書いた作品末尾の部分ですね。
谷川　そうそう。
山田　あれを詩集『十八歳』の巻末に載せていますね。何でここに、という感じもあって不思議だったんです、最初は。最近はなんだか少し分かるようになってきて。
谷川　つまりジョバンニの感じ方っていうのにすごく共感してたんじゃないでしょうか。
山田　そうでしょうね、何と言ってもあの孤独感ですね、しかもよりセンチメンタルな初期形のジョバンニ。ずっと銀河の旅をしてきて、親友を亡くして、やむなく地上に帰って来た時のあの孤独感。谷川さんの詩はそこから始まっている。その孤独感から。

●中也の訳しにくさ

山田　田原さんに聞いてみたいんですが。中原中也と宮沢賢治、そして谷川俊太郎、と来たんですが、谷川さんの最初の頃の特徴とか、中也、賢治からの影響関係とか、そのあたりについて田原さんの博士論文は扱っておられるんでしょうか。
田　中也の話が出てきましたので、すぐ思い出したのは三、四年前、評論家の加藤周一先生とお話しした時、私から加藤先生に「先生にとって戦前・戦後含めてどの詩人が一番いいと思いますか？」と尋ねたら、彼はこういう風に仰ったんです。「いや、それは三人しかいないよ。宮沢賢治、中原中也、谷川俊太郎」。ぴったりですね、今日の話に。
山田　ああ、ちょうど今の話うまくまとまりますね。
田　加藤先生との対談は後に「すばる」に掲載されました。
谷川　あれは本当びっくりしたよ、俺。

田　でも加藤先生は文芸全般に精通してますから……ご自身も詩人だし、みな納得できると思いますよ。

山田　膨大な量読んでますし、深みもね。それに最初は「マチネ・ポエティク」の詩人でしょ。福永武彦や中村真一郎と一緒にやってた。

田　私も加藤先生の言われる通りだと思います。

谷川　ありがとうございます。（場内笑）

田　中也の話ですが。昨日も少し話したんですが、私、中国語に訳した中也のことしか話せないですね。もちろん中也の日本語の詩は読んでますが。

山田　中国語にはしにくいというか、しても良さがあまり伝わらないという話をしてましたよね、昨日。

田　そうです。中也は、多分私が生まれる前、中国語に訳されて紹介されたと思いますけれど、のちに色んな方が……まあ、断片的ですね、五、六篇ぐらいの作品を訳して紹介してますが。あまり中国の詩人と読者に注目されなかった。最近も日本現代詩アンソロジーもあったんですが、その本に中也の詩が入ってないんです。いままで私が十数篇ぐらい訳してます。なんていうのかな、日本語で読むのと、訳を読むのと全然違うんですね。その落差を大きく感じます。その落差のバランスをどうやって上手くしたらいいかなと思うけどなかなか難しいです。ある意味で中也の作品は中国語を拒否してるかもしれない。あるいは、現代中国語は中也のような作品を受け入れようとしないかもしれない。

谷川　あのさ、中国の近代っていうのはシュルレアリスムとかダダイスムみたいなのは受容したんですか。

田　そうです。ただ、日本よりは大分遅れています。

谷川　中国語でシュルレアリスムとダダイスムの作品にいいものはあるんですか？　中也にはその流れが少しあるんですよね。それとは違うと僕は思うんだけど、少なくとも影響はあると思う。

田　シュルレアリスムよりシンボリズムの方が強かったかもしれませんね、中国では。

谷川　僕の意見から言うと、中国人というのは物凄く現実的な民族なんですよね。

田　まあ、そう言えるかもしれないですね。

谷川　「論語」っていうのはさ、とにかく怪力乱神を語らずって言うんだからおよそ宗教的じゃなくて、もう現実的な、生きる知恵に満ちてる哲学書ですよね。だからそのね、例えば丘が手を当てて退くなんて非現実的なことは馬鹿馬鹿しくて詩にもならないという風に感じるんではないかと思うんだけど、中国の人は。

田　そういうところがありますね。シュルレアリスムやフランス詩の影響からでしょ、確か谷川先生が仰ったように、全体の中国現代詩を見ると、シュルレアリスムは主流ではないですね。

谷川　うん、なんか中国の詩っていうのはすごく、白髪三千丈、みたいな。

田　ありますよね。

谷川　誇大なんですよ。誇大な表現はするよね。それはやっぱり一種の詩的な表現なんだけど、本当に日常現実からふっと全然違うところへ飛ぶっていうような表現が少ないような気がするんだけど。

田　どっちかと言うと、日本の現代詩よりは少ないといえるかも。

谷川　ね。中也の場合にはその、「ふっとなる」、違うところに飛ぶっていうところが一番の特徴だから、本当に中国語になりにくいのは分かるような気がするんだよね。

山田　言葉の響きとか云々という事とはまた別の話で、意味的内容的イメージ的に、中国の人がこれが詩だと思ってるものが、中也を受け入れない、というところが何かあるんですかね。

田　うーん……あると思います。だけど、原文で読むと凄く良い感じの詩だと思うんですが、訳しますと、何か原文の良さがなかなか現われてこない。

●題名の話――「旅」「女に」「すき」「私」

谷川　前にも喋ったと思うけど、英語の場合でもそれがあって、僕の『旅』という詩集を英訳する時に、あの『旅』という題名、日本人にとっては『おくのほそ道』とかそういう連想があるから「旅」一語でけっこう詩的な感じがするじゃないですか。だから詩の題として十分成り立つ。でも僕の友達のアメリカ人に言わせると、journey も travel も trip も絶対詩集の題にはならないって言うんですよね。つまりアメリカ人にとっては少なくとも「旅」という語は詩的な言語ではない、単に人間の移動とか、そういう散文的な意味しかないんだと。英語に関しても同じようなことがあるんだから。

谷川　「With silence my companion」。沈黙を友として。

山田　その時はどう訳しました?「旅」は。

田　いいですね。

谷川　だけどさ、「旅」っていうすごくきちっとした一字の漢字の美しい題名が何でそんなだらしない「沈黙を友として」みたいな。

田　そういうところは中国語に似てます。中国語で単純に「旅」にしたらね、ちょっと物足りないような気がしますね。

谷川　やっぱりね。日本語の特徴ってそういうところに出て来るかも。

山田　ちょっと詩句的な、やや気取りのあるタイトルと言うとおかしいけど、やや意味を広げるような。

谷川　詩的なタイトルじゃなくてね。「女に」っていう俺の詩があるじゃない。あれそのまま中国語で「女に」にしたら題にならない?

田　「女に」だったらいいんですよ。

谷川　「に」があればいいの?

田　ほら、「に」の後に動詞が存在してるじゃないですか。

谷川　中国語、てにをはないのにさ、何で「に」があればいいんだよ。

田　「に」がある場合は動詞を使ってもいいでしょ、中国語には助詞が日本語ほどしつこくないからね。だから動詞にして「贈る」「捧げる」などを使える。
谷川　あ、「女性に贈る」。
山田　やっぱり少し意味を補ってるんですね。
田　そうです。だってそうしないと訳しにくいし、ただの直訳で日本語としての意味をうまく伝えない恐れがあるからね。
山田　「すき」はどうでしょう。
田　「すき」……「愛する」の「すき」？
谷川　今回、訳してくれてたよね。
田　そうです。「すき」は「喜歓」という。
山田　主語はないの？
田　ないですね。
谷川　じゃあ女性に言う時それを言えばいいの？
田　「喜歓」は一つの単語として独立できるが、女性に言う時、主語と目的語を使わないと相手が分からない。例えば「我喜歓ニー」、日本語に訳しますと君が好きだ――主語が省略されますね。
山田　今度出る谷川さんの詩集の話をちょっとしてもいいですか？
谷川　はい。
山田　もうすぐ出るらしいんですが、そのタイトルが『私』。これは田さんいかがですか？　中国語では。
田　先生に聞きたいんですけど。漢字で表記しますか？　それとも……。
谷川　漢字です。一文字。大岡信さんが題字書いてくれます。
山田　そのままの中国語だったらあるんでしょ？「私」って。
田　あります、一文字「我」って全然いいですよ。

山田　でも詩集のタイトルになります？
田　勿論なりますよ。「我」と言います。以前、『みみをすます』に「あなた」という詩があったでしょ、かなり長い詩ですが、「ニー」、中国語にあるので、これもいいですよ。
山田　「ニー」だけで。
田　「ニー」だけです。
山田　次の詩集がですね、『私』という、これまたこの上なくシンプルな題です。色んな意味合いがあると思います。先ほど、最近作の長篇詩のきっかけとか、これからどういう形でこれを本にして行くかとか、谷川さんに語って頂きましたが、次の『私』という詩集は長篇とは違うんですね。でも、さっきの「変奏」は入っている。
谷川　はい。それから「私」そのものも組詩的に短い詩を書いたものが入ってるんですね。
山田　連作のようなかたまりの感じにしていると。あれも入るんですね、「少年」。「ちくま」連載の。
谷川　「少年」はまあ一篇一篇独立してますけど一応連作という形になっていますね。
山田　詩集全体をいくつかの章に分けて読む感じでしょうか。それとは別に長篇だけを集めた詩集もいずれどこかから……。
谷川　うーん、長篇詩をあと出来れば二つぐらい書きたいなと思ってるんですが、それが出来たら一冊の詩集にしたいと思ってます。
山田　そちらの試みもまた。新しい試みと言っていいんでしょうか、前にもあることはあるんですけどね、長篇詩。
谷川　自分としては、何で二百行も書けるんだろうなって不思議な感じなんですね。だからもしかしたらもう一つぐらい書けるかなって。
山田　少し呼吸が変わってきたみたいなところが……。

谷川　そうですね、毎朝呼吸法やってるからね。
山田　あ、気功ですか。
谷川　気功的なものを……。
山田　そのうち宙に舞い上がるって噂ですけど。
谷川　そうなんです、空中浮遊を目指してるんですけども、なかなかあれはねえ。（場内笑）

●質疑応答

山田　聞きたいことがまだたくさんあるんですが、そろそろ時間が来てしまいました。最後に、皆さんから質問があれば聞きたいと思います。はい誰か。じゃあそっち。
質問者1　この間ゼミの発表で「トロムソ・コラージュ」を読ませてもらったんですけど、あれを書いてた時の気持ちみたいなものを。
谷川　いい詩にしたいなあ……（場内笑）
山田　それだけですか？（笑）
谷川　だって詩書いてる時の気持ちってそれしかないでしょ。
山田　写真撮ってたでしょう？
谷川　全然あれは詩と関係なく撮ってたんです。
山田　あとで写真を嵌めこんでいった？　詩は詩で書いていて、写真は意識しないという形で。
谷川　そうです、ただ「トロムソ」っていう地名を使おうと、トロムソでの経験にしようというのは最初からありましたから、「写真を撮ったら？」って編集者に言われたんですね。それでカメラ持ち歩いて写真撮ってました。そこから選んだんです。

山田　歩きながら色んなものが目に留まって、というスタイルの詩ですよね。

谷川　そうです、そうです。

山田　そういうのも今までなくはなかった。

谷川　ええ、僕本当に自分の詩を覚えてなくて申し訳ないんだけど、イギリスでロンドンからスコットランドを朗読旅行した時の詩がやっぱりそれなんですね。旅行中にずっと、博物館行ったり何かして。わりと長篇なんですけど。やっぱり旅行に出ると、道筋に沿って何か書くみたいな一つの形のイメージが出来るから書きやすいんですね。トロムソの場合は一か所に留まってはいたんだけど、色んな経験みたいなものを具体的に入れながら続けていけるということがあるんですよね。

山田　ちょっとタイプが違うかもしれないんですけど、鳥羽に行ったときのね、『旅』に入っている作品群。

谷川　はい。まああれもそうですね、ソネット形式ですけどね。

山田　長篇ではないけど、連作みたいにしてイメージや風景が詩になっていくような形ですね。今の質問の人、いいですか。ではほかの人。

質問者2　今日はお話ありがとうございました。この間エッセイ集の『風穴をあける』を読ませて頂いたんですけれども、その中に童謡についてのお話で、子どもの歌を書くときに、子どもの理想を書くよりも、もしかしたら大人のそれよりも厳しいかもしれない子どもの現実を書きたい、という風に書かれているんですが、そのスタンスというのは今も変わっておられないのでしょうか。それと、現在の子どもに対する思いなどありましたらお聞かせ下さい。

谷川　スタンスは変わってませんね。現在の子どもはもう、本当大変だろうなと思って同情してます。

山田　子どもの詩は相変わらず、ずっと続けておられますけど。

谷川　そうですね。僕は『はだか』っていう詩集を出した時に、佐野洋子の影響で、自分の中に未だに潜んでいる子ども性、チャイルドネスですかね、それがすごく大切だし、それを表現できると大人にとっても意味があるという風に段々思うようになってきて。
山田　本当に子どもの視線で世界を見てるような作品ですね。
谷川　うーん……別に自分で子どもの視線になろうとかね、子どもの気持ちで書こうとか思ってないんだけれど、多分そのぐらい自分の中に幼児っぽいところが残ってるんだと思います。
山田　自分の中に今でもあるんですね。よく年輪説みたいなことを仰ってますが。木の年輪みたいなもので、一番外側に今の七十五歳の私がいるけれど一番奥のところには〇歳の私が今でもいるという。そうは言っても、それが表にふっと出て来るっていうところがね。
谷川　そうなんですよね。特に組織の中で働いてる大人はね、そういうのを出すのは、バーのママに甘える時ぐらいしかないですよね。でも我々の商売はわりとそういうものを出してそれが仕事に結びつくっていう、すごく利点があるんですね。
山田　でも、それ出来る詩人ってそんなにいないと思いますよ。恐らく数人しかいないと思います。たまには上手くいって子ども目線で書けることはあると思いますけど、自由自在になんてなかなか……だって三歳の女の子になり切るんですよ。本当に三歳の女の子の気持ちと視点でそのまま書いた作品。「まり」という詩がありましたね、『すき』の中に。子どもが「もしわたしまりだったら」と……ボールのまりね……ボールになり切っている三歳の女の子、その子どもになり切っている七十五歳の谷川さん。
谷川　なんか不気味だね。（笑）
山田　僕の自説でいつも言ってることなんですけど、ボードレールが言う「天才とは意のままに取り戻せる幼年期」いうの。この「意のままに」というところが実はとても難しい。
谷川　あ、ボードレールがそう言ってるんですか。いやあ……援護射撃されたような気がしますけど。（笑）
山田　夢なんか見たりとか、何かの折にふっと幼児化するみたいな、そういうことは誰でもあると思うんですけど「意のままに」とはいかない。中原中也もわりと、意のままに幼年期になれた人ですね。

谷川　そうですね。

山田　その点はすごく共通してる、宮沢賢治もそうですから。その辺に何かポイントあるかなと。さっき田原さんも仰ってたように、加藤周一さんが言われた中原中也、宮沢賢治、谷川俊太郎ということの意味もそんな気がします。このあたりで時間も過ぎましたから……。

●最新作「日本よ」朗読

谷川　ちょっと最後に、詩一篇。せっかく今日は新作を何とかでしょ？　だから、雑誌にも載ってないしまだコンピューターの中にしかない詩を読ませてもらいたいんです。

山田　あ。ぜひお願いします。

谷川　もう本当の新作ですから。これはですね、「文学界」という雑誌の新年号に25字×25行の範囲内で書けという注文で書いたんです。ホイットマンという詩人いますよね、もう大分昔の詩人ですが。

山田　『草の葉』の詩人ですね。

谷川　それともうひとり、フレデリックという詩人をご存知でしょうか。レオ＝レオニの絵本に出て来るネズミの詩人なんですけど。その二人が合体した詩人の話なんです。読んでみます。題名は「日本よ」。

どこからかキッチンの隅に現れて
小さな黒い目で私を見つめ
そのネズ公は自己紹介した
「我が名はフレデリック・ホイットマン」
そしてこんな詩を朗々と私に聞かせた

日本よ
森であり湖であり草原であり山々であるものよ
郷土としてのお前を私は賛美するが
国家としてのお前を私は哀れむ
法の条文　経済の数字　演説の美辞麗句
お前は言葉の鎖で自縄自縛している

日本よ
人麻呂であり芭蕉であり賢治であるものよ
数々の詩歌を生んだお前を私は賛美するが
金銭を生み続けようとあがくお前を私は哀れむ
樹を崇め岩を祀り朝日に祈ったお前の魂は
いま認知症の迷路をさまよっているのか

（残念ながら以下略）

田　いいね、この詩は。
山田　「残念ながら以下略」って。これもまた谷川さんの新風と言うか、また谷川俊太郎が一人増えたなって。
（笑）
谷川　ネズミが詩人というのをさ、僕はフレデリックのおかげでね、色々迷惑してるんですよ、詩人っていうのはああいうね、すごく初心な感じの、ポッと頬を赤らめるようなものと思われてるような。

山田　あのイメージそのままミッキー・マウスと重なっちゃいます。それで遺伝子を振りまきながら……という話はやめときます。

谷川　僕今ネズミと同棲してますから、うちで。

山田　え？　ミッキーですか？

谷川　いや、ミッキーじゃなくて。会ったことないんですよ、天井裏にいるだけだから。だけど駆除する薬が使えないんですよ、なんか殺したくなくて。

山田　ああ、そうでしょうね。同類意識みたいなものありません？

谷川　いやあ、ありますね。同類意識ね。で、時々出しっぱなしの食料がなくなったりしてるんですよね。

山田　そのうち餌付けしてよしよしなんて、散歩に連れて行ったり。

谷川　同衾したりして。

山田　（笑）ということで、ネズミのフレデリックですね。フレデリック・ホイットマン。ホイットマンの口調が入ってましたね。

谷川　そうです。僕ホイットマンをこのごろまたちょっと読み返してるんですけど、やっぱり凄いんですよ。今の現代日本詩人にはないスケールがありますね。

山田　皆さんご存知と思うんですが、十九世紀を代表するアメリカの詩人で、『草の葉』という詩集を何度も繰り返し再版して……版を重ねる度に分厚くなって行くんですよね。一冊の『草の葉』という詩集にこだわり続けて、けっこう社会的な風刺なんかもあって。十九世紀のあの開拓時代に。

谷川　もう凄いですね。

田　この詩本当にいいですね。これはなんか……力強く感じるね。

谷川　ホイットマンの真似したからね。

田　うん、だから今までないものね、先生の詩の中に。楽しみですね。

山田　田原さんも私もたった今初めて聞いたんです。谷川さん自身も読むのは初めてなんですよね。「文学界」の新年号が出るまでは皆さんどこにも漏らさないように。

谷川　（笑）いやいや、別にいいですよ。

山田　ということで、時間がオーバーしてしまいました。今日はあちこちに話が飛びましたけど、貴重な話をたくさん伺えたと思います。谷川さんと田原さんに来年もまた来て頂きたいと思います。皆さんもそう思ったら拍手して下さい。〔場内盛大な拍手〕

谷川　どうもありがとう。

大阪芸術大学文芸学科特別講義（二〇〇八年十一月十三日）

詩の話、歌の話、そのほかに

●新詩集のことなど

山田　今年も谷川さんに来て頂きましたが、この一年を振り返るだけでも大変なんです。谷川さんはものすごい勢いで作品を書かれていますし、本もどんどん出ますし、一年間を振り返ってみますと、こんなにたくさんあるのという感じで。特にその中で新しい詩集、それから歌の本、そのほかに写真とか。少しずつお話を伺いたいと思います。田原さんにもお手伝い頂きます。

田　はい、田原（でん・げん）です。仙台から参りました。

山田　まず最初に、昨年十一月に出た『私』のことを。これが詩集としては一番新しいものですね。次の詩集のご予定はあるんですか？

谷川　目下編集中です。集英社がひとつと、新潮社がひとつと。たぶん来年中に出ると思います。

山田　二冊まとめてですか？

谷川　いや、全然性格の違う詩集なので、別々に出ると思います。

集英社では雑誌・新聞に書いたものを編集してまとめて出すもので、新潮社は……ここ数年、二百行くらいの長めの詩をいくつか書いていたんですね、ひとつは「未来創作」という新風舎の雑誌に書いた「トロムソコラージュ」が最初で、糸井重里さんの「ほぼ日」(ウェブサイト)に「問う男」というのをやっていて、それから「絵七日」っていうのが「すばる」に出たんですね。それプラス二編書き下ろして、それを新潮社が出してくれるっていう。

山田　「トロムソコラージュ」には写真が入っていましたけれども、あれもいれるんですか?

谷川　写真も入れてくれって、今頼んでいるんですけど。

山田　やっぱり写真はあったほうがいいですよね。

谷川　なんかあれは写真と一体という気がするんで、できれば。

山田　写真と詩を一緒にというのは、古くは『絵本』というのがありましたよね、それ以来、いろんな人の写真とコラボレーションしていらっしゃいますけど。

谷川　そう、それから詩集の口絵に写真を選んで載せるとかね。

山田　御自身の写真を全面的に詩と一緒にされて……。

谷川　いや、そんな全面的に一緒っていうわけじゃなくて、やっぱり一種の飾りですね。今詩集はビジュアルにでもしないと売れないじゃないですか。活字だけだとみんな怖がって買ってくれないから、ちょっと色ものを入れるという感じで。

山田　まあ谷川さんの場合は特別だと思いますけどね。

谷川　あの(詩人の)四元康祐さん、彼は写真もプロ並みでね、今ネット上で彼が行ったところの写真を全部入れて、短いコメントをつけて連載しているのがすごく面白い。彼は写真に詩もつけているし、DVDで出すように勧めてるんですけどね。

山田　新しくたちあげた雑誌「びーぐる」の中で、四元さんの写真に高階杞一が詩をつけているんですが、ご覧になりましたか？

谷川　見ました。

山田　どうですか？　いつもとちょっと感じが違うと思うんですけど。

谷川　そうですね。でも写真と詩っていうのはわりと恣意的にいくらでも組み合わせできるじゃないですか。だからやはりひとつテーマを絞って、同じテーマで詩を書く、同じテーマで写真を撮るというふうに絞った方がいいんじゃないかと思いました。

●詩集『私』について

山田　『私』という詩集はいろんな意味で話題になりました。谷川さんが「私」というタイトルの詩集を出すことが意外というか、意表をついたと言えば言えるし。そのへんの心境を……。どちらかといえば「私」なんてどうでもいいというか、出さないというか、私のことを言うような詩はもういいんじゃないっていうような発言をずっとされてきた谷川俊太郎さんが、ここにきてそういう連作を書かれて、詩集のタイトルも堂々「私」と。この当たりの意図を教えて頂けますか。

谷川　そりゃもう、自分にとって私はフィクションだってはっきりしているから。それは他の詩とぜんぜん変わらずに「私」って書いているけれどフィクションなんです。

山田　「私」という他者なんですね。でもそれにしては、谷川さん自身の実像と思われるようなものも出てきますよね。

谷川　うん、それはキャッチですね。多少プライバシーを見せると、みんな興味を持ってくれるかなと。なんかスキャンダラスなことを書いているんじゃないかとか。

山田　ああ、戦略ですか？

谷川　いや、戦略っていうか、本能的にウケたがりだからさあ、ちらっと露出するとスッとするんですよ。あら？　ぜんぜん（みんな）笑わないねえ。こわいねえここの学生。冗談いうとダメかなあ（笑）

山田　あの、大丈夫ですからみなさん、誰も怒りません。笑いたかったら笑っていいですよ。その方がノリが良くなるかも。早速ですが『私』から朗読を一つ、せっかくですから田原さんの中国語訳を付けて。何にするかこの場で決めて頂いて……。

谷川　田原さんは何が読みたいの？

田　「私」に会いに。

山田　予定通りです。（場内笑）

田　それから……。

谷川　それからって、そんなにたくさん読まなくってもいいじゃん。

田　少なくとも、二編くらいは読まないと。

谷川　俺は、「さようなら」好きなんだけど。

田　あ、「さようなら」か……まだ訳してないですが。

谷川　訳してない？　評価してないんじゃないか？

山田　僕は「詩の擁護又は何故小説はつまらないか」を読んで頂きたいと思っていたんですけど、田さん訳してない？

田　それも訳してないですね。

谷川　好みが違うね。

山田　それぞれみんな違うんですよね（笑）

田　この詩集は去年東京で行われた日中現代詩人シンポジウムで討論されたんです。「現代詩手帖」の四月号が特集を組んでいました。まあ、詩人の中に、多くは若い時に詩を書きはじめてから、年をとるまで、「私」

ということを分かっていない人は多いじゃないかな。自分っていうものをわかって、自分を超えて、この詩集はできたわけだからね。

谷川　どこまでわかっているかわからないんだけど、自分っていうのはどういう人間かっていうのは終始一貫気にしてきたし、自分とその読者を含めた、あるいはもっと日常生活上の妻とか恋人とか含めて自分と他者の関係ってものが生きていく上でのほとんど唯一のテーマだったたってことは言えますね。

田　でも、詩人は自分の日常生活の喩にしている人が多いでしょ？

谷川　そうですね。詩っていうのは自分の日常生活とは違うなんか別の次元にあって、もっと立派なもんだっていう出発をした人が多いんだけど、僕は日常生活の方がメインで、詩はサブだったんですね。生活きちんとして、書ければ詩を書くみたいな。それで詩を書く一番の目的は生活費稼ぎですからね、僕は。生活するために詩を書いてきたわけだから、そこはちょっと違うんですよ。

田　こういうような作品はプロの詩人と一般の読者が共感されやすいと思いますけど。

谷川　どうなんでしょう。共感されにくいんじゃないですか。詩で金稼いでいるなんて詩人の風上にも置けねえやっていうのが普通の評価でしたよ。今になって少し変わってきたんですけどね。

【朗読】

「私」に会いに

国道を斜めに折れて県道に入り
また左折して村道を行った突き当たりに
「私」が住んでいる
この私ではないもうひとりの「私」だ

粗末な家である
犬が吠えつく
庭に僅かな作物が植わっている
いつものように縁側に座る
ほうじ茶が出た
挨拶はない

私は母によって生まれた私
「私」は言語によって生まれた私
どっちがほんとうの私なのか
もうその話題には飽き飽きしているのに
「私」が突然泣き出すから
ほうじ茶にむせてしまった

呆けた母ちゃんの萎びた乳房
そこでふるさとは行き止まりだと
しゃくりあげながら「私」は言うが
黙って昼の月を眺めていると
始まりも終わりももっと遠いということが
少しずつ腑に落ちてくる

日が暮れた
蛙の声を聞きながら
布団並べて眠りに落ちると
私も「私」も〈かがやく宇宙の微塵〉となった

谷川　最後の「かがやく宇宙の微塵となった」というのは宮沢賢治の有名な言葉です。
山田　「農民芸術概論綱要」の中の一節ですね。あの……草野心平も入っています？
谷川　いや、ここには入ってないです。草野心平はまた別の本に入っています。たぶん来年の本に入ります。
山田　そうですか。いろんな仕掛けをしますからね、本当に油断ができない。今のだと宮沢賢治が入っているっていうことでした。

【田原の中国語朗読】

谷川　中国語で私とかっこ付きの「私」ってどう区別するんですか？
田　括弧で囲んでますよ。（中国語でも発音は同じだけど、括弧で囲むと原作の役割と同じことになる）
山田　読むのに声色を変えてみるとかはあるんですか？
谷川　そういう下品なことはしません。（場内笑）
山田　そういわれると思った！　「「私」に会いに」という作品ですけど、「私」という連作八作品の一つですよね。そのほかに「少年」という連作もありますが、今日はやっぱり「私」の話を伺いましょう。今回の詩集は「私」をどういう形で描いていくか、「私」が「私」をどう描きだすかというところに、谷川流の答えが出ていると思います。朗読していただくと、その感じがね、感覚として伝わってくるところがあると思うんです。『私』からもう一つお願いします。

谷川　「自己紹介」いきましょう。僕、自己紹介って二十代でも書いているんですね。それと今のこれを比べると、自分はちゃんと成長しているじゃない、って思います。

山田　自己紹介がそのまま詩になるなんて、皆さん結構びっくりしたり、感心したりしましたね。僕も書評を書かせて頂きましたけど、自己紹介がそのまま詩になるなんて、と。

谷川　それはね、発想が逆なんですよ。自己紹介が詩になったんじゃなくて、詩で自己紹介を書くことを最初から意図しているんですから。素直な自己紹介ではないんだけど。ただ、さっきこれは全部フィクションですって言いましたけれど、ところどころに自分の「私」、本当の現実の「私」っていうのがちょこちょこ顔を出しているんですけど、この自己紹介も最初の行が「私は背の低い禿頭の老人です」から始まるでしょ。ここすごいリアルじゃないですか。

山田　まったくリアルですね。

谷川　ここでみんなだまされるから。

山田　そう、それで全部本当のことだと思ってしまうんですよ。

谷川　それで「斜視で乱視で老眼」も本当だし、これほとんど事実ばっかり書いてあるんですよ。これは正直に読んでもらっていいですね。

山田　それが詩になっていると。そういう作品ですね。

谷川　ただ、どう書くかっていうのですごく選択して、書き直したりしてるわけですね。たとえば「背の低い禿頭の老人です」なんてなかなか言いにくいじゃないですか。かっこ悪いから。

山田　まあ若い時はあんまり言えないですねえ。

谷川　言えないでしょう？　だからそれぐらい言えるようになってきて、とかいろいろあるんです。自分の中で。

山田　自己成長と言いますか、日々成長しているっていう。

谷川　諦めるようになったとか（笑）

【朗読】

自己紹介

私は背の低い禿頭の老人です
もう半世紀以上のあいだ
名詞や動詞や助詞や形容詞や疑問符など
言葉どもに揉まれながら暮らしてきましたから
どちらかと言うと無言を好みます

私は工具類が嫌いではありません
また樹木が灌木も含めて大好きですが
それらの名称を覚えるのは苦手です
私は過去の日付にあまり関心がなく
権威というものに反感をもっています

斜視で乱視で老眼です
家には仏壇も神棚もありませんが

室内に直結の巨大な郵便受けがあります
私にとって睡眠は快楽の一種です
夢は見ても目覚めたときには忘れています

ここに述べていることはすべて事実ですが
こうして言葉にしてしまうとどこか嘘くさい
別居の子ども二人孫四人犬猫は飼っていません
夏はほとんどTシャツで過ごします
私の書く言葉には値段がつくことがあります

田　いいですねえ。
谷川　ありがとうございます。
山田　本当に全部事実そのもののように見えますね。
谷川　本当に事実です。
田　谷川さんの変質リアリズムを書いた本がありますね？
谷川　え、俺、変質者？（笑）
田　いや、変質、変わったリアリズムですね。以前は「現代詩手帖」に「発酵リアリズム」と書きましたが。
谷川　あ、変わったリアリズムね。なるほどね。
山田　田さんは「変質的リアリズム」って言ってたんだよね。
田　そう。
谷川　日本語では「変質」というとあまりいいイメージがないからね。

山田　ちょっと誤解されますよね。
田　中国語ではマイナスだけの意味ではなく、プラスの意味もちゃんと含まれています。
谷川　そう、そう聞いたからね。
山田　中国語の有名な雑誌に書いたんけど。谷川俊太郎の新作について「変質的リアリズム」というタイトルで。
田　中国では「変質的リアリズムの詩人」と呼ばれているかも（笑）
山田　いやそうじゃなくて、えーとね、名づけにくいね。この詩人は。
谷川　終わりの「こうして言葉にしてみると嘘くさい」というところでひっくり返しますよね。
山田　ひっくり返してはいないけど、つまりなんか不満が残るんですよね。一生懸命本気で書いても言葉にするとなんか現実から離れてしまう。これは誰でもきっと持っていると思いますけどね。
田　そこのところのちょっとしたニュアンスが、こう言われると、わかったような気がしちゃうんですよね。そこが谷川マジックというか……みなさんに参考にして頂けるか……なかなか真似できませんね。
谷川　自分のもっている言語感覚によほど自信がないと書けない、と思いますよ。
山田　うーん自信があるのかなあ、私は。
谷川　しかも堂々と巻頭でしょ。
山田　そうですね。ちょっと挑戦的なんですね。
谷川　ちょっと読者に対して煽っているというか。
山田　そうですね。そういう気持ちがありますね。
　　　そのあたりを注意して、用心して読まないと。

●詩の音楽と翻訳について

【田原の中国語朗読】

山田　中国語がわからなくても、なんか谷川さんの詩の響きを感じますね。一行あたりの音数とかある程度意識して訳すんですか。

田　そうじゃなくて、世界の言語の中で、中国語の響きが一番いいんじゃないでしょうかね、現代詩は外的韻をふむことをなるべく意識しないで、内在的リズムを重視しますね。重視と言っても、訳す時凄く意識することではないよ、自分の語感に任せて。特に中国語の場合は、四声がはっきりしているし、抑揚や休止の具合が非常によく聞こえます。ほかの言語と較べて中国語のイントネーションはいいでしょ、だから中国語のできない日本の方が聞くと、なんか響きが良く感じるんじゃないですかね。

山田　それは谷川さんの詩が内在している何かなんでしょうね。息吹というか……日本語を超えた……。

田　現在の中国語に訳された外国のあらゆる現代詩の場合、一部の訳者は内在的リズムをあまり重視してない。そのまま気楽に訳してしまう。だけど、現代詩といえども、内在的リズムを停めないと皆喜んで読んでくれない。

谷川　日本の現代詩人でも日本語に内在する、あるいは自分の心の中に内在するリズムに全然無意識というか、それに関心を持たずに書いちゃう人って結構いますよね。そういう人の日本語を読んでも音楽が聞こえてこないんですよ、日本語にあるはずの。

田　実際は訳す時は意識的にはしていないんです、自分は。自分は中国語で詩を書くような感覚と同様で。前に、谷川さんの中国語訳を読むと、外国語の他人の詩みたいって言ったでしょう。

谷川　そりゃもう当然なんですよ。それはほとんど自分の言語で訳すときは創作だもの。少なくとも意味面じゃなくて音楽面で言えば中国語に内在している音楽が出てこなきゃ詩として面白くないんだから。だから『マザーグースのうた』なんて七五調で訳そうとしたわけじゃない、子供たちのために。
田　あれ、売れたね。
谷川　うん、結構ね。（場内笑）
山田　翻訳の話になるともっと聞きたいことがあります。「マザーグース」もそうですし、「ピーナッツ」もね。授業でやったんです。
谷川　ええっ、「ピーナッツ」を？
山田　はい。原文を示してね、谷川さん訳のセリフがあるでしょう、それで最後の一行だけ消して、谷川俊太郎はこれをどう訳したでしょう、当てなさい、っていったら誰も当たりませんでした。
谷川　え、本当？
山田　たとえば野球の場面で、ルーシーが「私フライよりてんぷらが好きなの」って。
谷川　あ、それは無理ですねえ（笑）
山田　原文と全然違うこと言ってるの。原文通りじゃ日本人は笑えないから……谷川さんは日本語の言葉遊びにしちゃうんですね。
谷川　全部じゃないですよ。
山田　文脈はきちっと捉えてるんですけど、ここっていうところの創作の仕方がね、元祖「超訳」って感じですね。

●無意識から意識、そしてリズムへ

田　谷川さんは現代詩の言語感覚について（集英社）文庫本の三巻目に書いていましたが、列挙した三十二の単語の中に、現代詩に役立つもっとも重要な五つの単語を選んでくださいと。谷川さんが選んだ一番目は「無意識」、二番目は「直覚」、三番目は「意識」、四番目は「技術」、五番目は「バランス」。これは典型的な本能

型の詩人ですよ。

山田　みごとに要約していますよね。一番が「無意識」で三番が「意識」っていう順番なんかいかにも谷川さんらしい。

田　詩人は大袈裟にいえば二つのタイプしかない。ひとつは時間に勝って残るもの。もうひとつは時間と共に消え去って、時間の埃に埋葬されてしまうもの。

山田　一番目が「無意識」で、でも三番目くらいに「意識」も大事だよ、ということですよね。

谷川　もちろんそうです。だって最初の出方は意識下から出てくるのを待っているわけでしょう。それをディスプレイで見た瞬間に意識が働いていますから。推敲するのは相当意識がたくさん出てくるわけですよね。その中でまた意識下から出てくるものがポッと混ざって来たりしますけど、手直し、推敲の段階では、意識が働いていないとダメだと思います。

山田　今も推敲は相当時間をかけてされているんですか。

谷川　ますますしてますね。前にも話したけれど、締切のひと月前にできていないと不安なんです。臆病だから。そのひと月間毎日のようにコンピューターを開けては推敲していますよ。それで良くなっているはずなんですけどねえ。逆に悪くしているかもしれないけど……。よくわかんないんですけど。

山田　以前そのお話を聞いたときに、推敲すれば必ず良くなるという確固たる自信を持っていますから、とお答えになっていましたね。

谷川　やっぱりそれでいいのかなと思うこともあるし、昔だったらワークシートと言って推敲の段階を持っていられたんだけど、今は全部消しちゃいますからね、ワープロソフトで。

山田　ああそうですか。

谷川　わざと僕も残さないようにしてるってこともあるんですけど。

山田　毎回言っていることなんですけど、別名保存していただければあとで研究者は助かるんです（笑）でも、全部上書き保存なんですね。

谷川　そうです。潔く。

山田　今、リズムの話が出ました。日本語はわりと平板な言語と言われますけれど、それでもやっぱり日本語ならではの音楽性というものが、いわゆる七五とかの定型ではなくて、谷川さん独自の音感というものがあると思います。たとえば新しく出た『ひとりひとりすっくと立って』という本。このネーミングがすごく谷川さんらしいと。僕、最初は「ひとりひとりがすっくと立って」と思ったんです。「が」を入れていたんですよ。そうすると七五調になりますよね。でもそうじゃなくて「ひとりひとりすっくと立って」。「すっくと立って」には音便が二つ入っていますから、音が圧縮されるんですね。そういうのは無意識にでちゃうんですか。

谷川　そういうもんですね。ほとんど。それが出たときは自分でもわりと新鮮な感じがしたんです。校歌の歌詞として。

山田　校歌ですけど、別に先に曲があったわけじゃないんでしょう？

谷川　ええそれは作詞が先です。校歌の場合はほとんど詞が先ですね。

山田　歌を意識しているということから……。

谷川　校歌の場合は歌を意識しますね。普通詩を書く場合には日本語の音楽的な特性みたいなものは本当に意識下から出てきていて、たとえば「ひとりひとりが」と書いたとしても推敲の段階で「が」を抜かすとかね、それはしょっちゅうやっています、ずっと読んでいくうちに音楽の中で自分がひっかかったところを直しているんですね。だから意味的な直しと音的な直しと両方やっていますね。並行して。

山田　それがひとつの特徴として出てくるんですね。歌を意識したらむしろ七五みたいになってしまいがちだと思うんですよ。

谷川　そういうのもあります、もちろん。前に友人の作曲家に言われたんだけど、お前の書く詞は作曲しやすくて困ると言われたんですよ。

山田　困る？

谷川　つまり新しい音楽的な発想が出てこないって言われたんです。七五調なんかで書いてると。従来の日本語の歌のメロディーができてきちゃうっていう言い方だったと思うんです。だから時々わざと壊すように書いていくこともあります。

山田　現代音楽の問題でもあるんですね。

谷川　そうですね。でもね、校歌の作詞したものがよく学校案内なんかに載るじゃないですか。すると活字で読まれちゃうわけですよね。そういうときに日本語として快い調べを持っているものを自分ではいいと思うし、文字面で読んでもいいと思うように心がけて書きますね。

●名作「生きる」をめぐって

山田　校歌ではありませんが、「生きる」という作品は、日本語特有の音楽性がはっきり出ている作品ですね。

谷川　ああそうかもしれません。

山田　書かれたのはずいぶん前、たしか『うつむく青年』の中でした。

田　一九七一年ですね。

山田　その詩集の中に「生きる」という作品があって、これが今年に入ってから写真詩集になったんですね。これを朗読して頂きたいと思います。写真とのコラボレーションだけじゃなくて、これが出発点になって変わった本ができました。ネット上のmixiの中に谷川俊太郎コミュニティというのがあるんですね。その中に「生きる」というトピックが立ったんですね。その参加メンバーが五千人以上になった。

谷川　今、七千だって。

山田　七千ですか。僕も実は時々見てるんですよ。僕の教え子もこの本の中に入ってるんですよ。

谷川　そうなんですか、本当！

山田　ハンドルネームだから普通は分かりませんけどね、僕の「マイミク」ですから。（場内笑）それでね、こういう本が出たんです。（『生きる』を示す）つまり一般の誰でも参加できるコミュニティで、谷川俊太郎の「生きる」の続編というか……脇をつけるみたいにして……大勢の人が参加して……問題なのは編集ですね。

谷川　そうですね。それはもう編集者が選んでくれたんですけど。ちょっと話がズレるけれど、三、四日前にデンマーク出身で今ニューヨークに住んでいる三十二才の詩人に会ったんですね。で、彼に今どんなものを書いているの？　と聞いたら、彼は今は「グーグルポエトリー」を書いていると。「グーグルポエトリー」ってご存知？

山田　ええ、聞いたことあります。

谷川　要するに、グーグルの中の朗読とか自分にあったテーマを拾いだして、コピー＆ペーストで詩を書いているんです。だから自分で創作したものは一切ないんですよ。それを「グーグルポエトリー」と言っていて、ニューヨークあたりでは、そういう、書いているというか編集しているというか、コラージュをやっている詩人が結構いるんですって。それとなんか動きとしては似ているなと思って。これはまあ自分の言葉なんですけどね。

山田　『生きる』では、書いた人がいるわけですけど、これを編集者がまとめたんですね、写真も入れて。

谷川　写真も投稿ですからね。僕にとっておもしろいのは、昔からの伝統的な連句とか歌合せといった日本の詩歌の伝統とどっかでつながっているっていう感じですね。

山田　たぶん日本人はこういうの好きなんでしょうね。

谷川　好きだし、あんまり個人の創作の独自性とか個性とかオリジナリティみたいなものをそれほどやかましく考えないですむっていうところもあるんじゃないかなと思いますよ。

山田　そういう企画でできた本で、かなり話題になっていて、もう再版が決まっているらしいです。でも今日は、こっちの『生きる』ではなくて、先に出た写真詩集『生きる』の方で朗読してもらっている間に私が写真をスクリーンで映します。松本美枝子さんという写真家とはどういうおつきあいなんですか？

谷川　新風舎っていう今はなくなった出版社の編集者が、ナナロク社というのを立ち上げて、その最初の出版物に写真で『生きる』を出そうっと言いだしたんだったと思います。松本美枝子さんという写真家は全然知らなかったんだけど、ナナロク社の人が新風舎で仕事していた時に、彼女に『生きる』で撮ってみないかという企画を出したんです。だから全部撮り下ろしですよね。たくさん撮ってそこから松本さんと編集者とで選んでくれた。

山田　おもしろいのは、一行ずつに写真が一枚、あるいは一行もないところにも写真が入っているんですよね。ですから、谷川さんの詩を写真でこういう風に解釈する、と。

谷川　そうですね。平凡な写真家だと詩にどうしても付いた写真を撮るじゃないですか。彼女はそのへんの距離感はすごくて。

山田　よく言われることですけど、あまり付きすぎると説明みたいになってしまう。それよりも、言葉と写真とが火花を散らすような……。

谷川　離れていてひとつの空間ができるというかな。そんな感じです。

山田　谷川さんの詩が先にあって、それに写真をつけたものです。今から皆さんに見て頂きましょう。

田　松本美枝子さんとの写真詩集『生きる』いいですね、出版の歴史においてはこういうような出し方がないじゃないですか。

谷川　探せばあるかもしれないよ。

田　いや、一編の詩の一行ずつに写真をつけるのはあまりないと思いますよ。

山田　あまりないでしょうね。

谷川　自費出版ではそういうことをやっている人がいるかもしれない。
山田　その「生きる」という詩、すごくリズムもいいんですよね。
谷川　写真に合わせてゆっくり読むと、そのリズムはなくなります。
山田　頑張ってめくりますから。普通のリズムで読んでください。
（朗読に合わせてスクリーンに本の写真が映し出される）

生きる

生きているということ
いま生きているということ
それはのどがかわくということ
木漏れ日がまぶしいということ
ふっと或るメロディを思い出すということ
くしゃみをすること
あなたと手をつなぐこと

生きているということ
いま生きているということ
それはミニスカート
それはプラネタリウム
それはヨハン・シュトラウス

それはピカソ
それはアルプス
すべての美しいものに出会うということ
そして
かくされた悪を注意深くこばむこと

生きているということ
いま生きているということ
泣けるということ
笑えるということ
怒れるということ
自由ということ

生きているということ
いま生きているということ
いま遠くで犬が吠えるということ
いま地球が廻っているということ
いまどこかで産声があがるということ
いまどこかで兵士が傷つくということ
いまぶらんこがゆれているということ
いまいまがすぎてゆくこと

生きているということ
いま生きているということ
鳥ははばたくということ
海はとどろくということ
かたつむりははうということ
人は愛するということ
あなたの手のぬくみ
いのちということ

（場内拍手）

山田　リズムがすばらしい。写真を見ながらだと特にはっきりするんですが、一行一行にリズムが刻まれていて、句読点が付いていないのに、実はすごくはっきりしている、しかも映像的です。たしかに視覚的なもので表現したくなる気持ちが分かります。挿絵とかがついたことはないんですか？

谷川　「生きる」に挿絵？　最初雑誌に発表した時は何かついていた気がするんだけどな。あんまり昔で覚えていないですね。

山田　なんの雑誌だったかというのは。

谷川　覚えがないんですよ。その時も写真だったような気もするんだけど。

山田　「生きる」の初出。誰かわかったら教えてください。この写真詩集がきっかけになって、こちらのmixi本になったということで。mixiやっている人は覗いてください。

谷川　それ以前に、これは教科書に載って、知っている人が多いんですね。それからテレビドラマで読まれたんです。金八先生で。僕はそのビデオテープもらったんだけど、武田鉄矢に読まれたっていう恐ろしい話があって未だに怖くて見ていないんです。（笑）

山田　みなさん知っていますか？　金八先生がこの詩を読んだっていう回。いつごろですか？

谷川　もうずいぶん昔ですよ。

山田　今いる人は若いから知らないかもしれませんね。

●『ひとりひとりすっくと立って』と「大阪芸大の歌」

山田　さきほど歌の話をしたんですけど、これは僕自身もかかわっているんですが、『ひとりひとりすっくと立って』という谷川さんの校歌詞集が最近出ました。以前『歌の本』が出た時に、その話をしたんですね。次は校歌集ですねって。

谷川　そうですね。

山田　そしたら谷川さんが、校歌は一四〇くらい作っているという話で。幼稚園から小学校・中学・高校・大学・専門学校・会社、それから帯広の六花亭っていうお菓子屋さん。

谷川　図書印刷とか小学館とか。

山田　三菱電機とか。

谷川　最後は老人ホーム。

山田　これを全部辿って行くと、幼稚園から老人ホームまで一生をやれるんです。その時期その時期のテーマソングにできるんですねえ。でも、一四〇あるとさすがに谷川俊太郎といえども同じようなパターンができちゃうんですね。

谷川　それは出てきちゃうんですねえ。校歌という一種の制約があるんですね。

山田　ですから、全部並べてもつまらないんじゃないかと谷川さんがおっしゃって。でも、引き下がりませんよ私は。それならば詩として特に優れたものだけを四十くらい選んで、本にしたらどうでしょう、という申し入れをしたんですね。そしたら谷川さんが、なんとその一四〇の歌詞をCD－ROMに入れて全部私のところへ送ってこられたんです。この中から選べと。あれは挑発なんですか？（笑）

谷川　いやそんなことはなくて。校歌の歌詞は以前にデータ化していたんですよ。友達に頼んで。それで山田さんがやってくださると言うから、とにかくこれをお見せすれば、そこからいいのを選んでくださるだろうということで。挑発的な気持はないですよ。

山田　そうですか。いやあすごい責任を感じましたよ。

谷川　そうですか？

山田　だってこれをとってこれをとらない、とかなるでしょう。

谷川　そうでしょうね。

山田　載った所はいいけど、落とした所からは恨みを買いますよね。

谷川　どうなんでしょうね。それは学校には送らなくていいんじゃないですか（笑）

山田　続編があるかもしれないというニュアンスを添えたらいいかもしれない。ちょっと矛先がね……（笑）まあいろいろあるんですけど、やっぱり詩として優れたものという基準はあるんです。私も長年詩の研究していますから、いちおう。でも、最後はやっぱり好き嫌いが入っちゃうんです。

谷川　当然ですよね。

山田　私、岐阜県出身ですから、岐阜の中学校は入れたくなったり。

谷川　なるほど。

山田　青森は友人がいますので、つい弘前高校を入れたくなったり。そういう私情ができるだけ働かないようにと……。

谷川　それは好き嫌いじゃないでしょう。

山田　はい、まったくの主観ですね（笑）ま、そういうものも多少はあるんですよ。でも、やっぱり言葉だけで……楽譜は一切ついていないんです……だから言葉だけで読んで、これは明らかに詩として読めると。

谷川　大阪芸大の歌が最後に入っていたんでね、これはやっぱりえこ贔屓だと思いましたけどね。

山田　いや、真ん中辺ですよ。ところで帯文ですが、「詞は詩として読まれるか」と、少々挑発的な文句を私が考えたんですけど、気に入って頂けましたか？

山田　ええその帯は大変気に入っていますよ。

山田　ありがとうございます。

谷川　大阪芸大の歌詞はあんまり良くないですね（場内笑）

山田　いや、いいですよ！　これが代表作だと思ってるんですよ。大阪芸大の歌ちゃんと歌える人どのくらいいます？　手をあげて。（場内あまり手をあげていない）え？

谷川　ほらあやっぱり。歌詞がよくないんですよ。

山田　あの……歌詞は知っている人どのくらいいる？（場内、手があがる）ほら、かなりいます。だから歌詞のせいじゃないんですよ。

谷川　かなりって一パーセントもいないじゃないですか。

山田　いやいや、でも……。

谷川　提案なんですけど、あれは諸井誠という現代音楽の最も先鋭的な人が作曲したわけですよね。大学の歌だから手加減したとは思うんですが、今の若い感覚でこの校歌を自由に編曲して、楽器編成から何から歌詞も省いちゃっても、繰り返してもいいし、あの歌詞を元にしてそこから歌うための校歌を学生たちが作って、それを山田先生が審査して一番いいのを採れば、学生たちも歌う気になると思うんですよ。

山田　大変な提案ですけど、みなさん（会場に向かって）どうですか。

谷川　面白いと思うよ。だって音楽好きな若い人っていっぱいいるんですから。今の感覚で編曲してくれる人だと諸井誠の曲も面白くなるじゃないですか。
山田　つまり歌える大阪芸大の歌をここで改めて作ってしまおうと。
谷川　そうです。
山田　で、それを私が選ぶんですか？
谷川　そうです。
山田　谷川さんに選んでいただくのが一番いいんですが……。
谷川　じゃ僕は下選びをしますよ。
山田　（笑）じゃ来年までになんとか企画を考えて。
谷川　来年の（特別講義）十周年企画としてね！
山田　十周年企画！　で、この場で谷川さんに選んでいただく……。
谷川　この場で演奏するのはちょっと難しいと思いますけどね。
山田　実現するかどうかは分かりませんが……やれるかどうか……（笑）今のところあまり自信がありませんが……でも面白いですよね。
谷川　面白いと思う。やはり時代にそって校歌というのは変わっていくべきだと思っているんですよね。生きたものになるために。
山田　あの歌は、出だしからして、あまり校歌らしくない。「今はいつだ　ここはどこだ」って。本当に不安でしかたなくなるような……。そもそも僕が谷川さんの校歌に興味を持つようになったのは……この大学に勤めるようになった最初の年に入学式で初めて聞いて、とんでもないことを歌っている大学だなと思って……すごく不安になったんですよ、新米教師として。まして十八、十九の若者たちが入学式であんな歌を聞かされたらとんでもない不安に襲われるのでは、と。でも、最後は見事なんですよね。そうやって不安にさせておいて、最後は創造の喜び、ものを作ることの希望にまとめていく。本当にワルなんだから、と思ったんです。

谷川　やっぱり芸大だからね、作りやすかったんです。普通の学校とはちょっと分野が違って広いじゃないですか。

山田　自由に創ってらっしゃる感じはしますね。

谷川　いわゆる校歌の形をずっと壊したいと思っていましたから。

山田　それでその校歌を聞いて頂こうと思って用意しました。谷川さんも普段あまり聞く機会がないでしょう。

谷川　ぜんぜん聞いたことがないんですよ。

山田　DVDがあるんですよ。谷川俊太郎作詞。今から何年くらい前の作でしたか。さっきの「生きる」と同じ頃かもしれませんね。

谷川　それのちょっと後くらいかな。

山田　それを今から聞いてもらいます。

【「大阪芸大の歌」と映像が流れる】

昨日は　もう過ぎ去って
明日は　まだ来ない
今は　いつだ
ここは　どこだ
みつめても　みつめても
青空は　解ききれぬ謎
けれど　小鳥は　はばたいて

幻の土地をめざす
人は　愛し
人は　憎む
歴史の証す怒りの日々にも
目を　みはり
耳を　すまし
この手で創る　かたちあるもの
あふれやまぬ魂の
今日の自由よ

（作詞　谷川俊太郎　作曲　諸井誠）

谷川　いやあさすが芸大卒業の諸井誠さんですね。

山田　詩と曲がぴたっと合っていますよね。

谷川　そうですね。詞が古風なんですよね。

山田　多少はノスタルジックなものがないとね。校歌というのは現役の学生のためだけではなく、卒業生のためでもあるんです。

谷川　そうそう結構そういう部分ありますよね。

山田　やっぱり大学の時の校歌を思い出して歌えるような人生は幸せだと思いますね。みなさんも覚えてください。音楽の先生と私が一緒に各学科の研究室を回って普及活動しましょうか、という相談をしているんです。もし今、新しく大阪芸大の歌を作るとしたら、どんなイメージになりますか。

谷川　即座には答えられないけど、これとは全然違うイメージになると思いますね。

山田　それ聞いてみたいなあ。
谷川　聞いてみたいって（笑）
山田　そういうサンプルがこの校歌詞集の中にたくさんあります。いくつか朗読して頂けますか。特に老人ホームの歌はぜひ朗読して頂きたいと。
谷川　これ困ったんだよねえ。これ定型なんですよね、谷川さんには珍しい七五調で。
ボケ老人もいっぱいいるわけだから。ほとんど歌えないということを前提にしないといけないから。だいぶ前ですから、年寄りっていうのは演歌とか歌うんじゃないかと言われていた時ですから、演歌を研究して、演歌調で書いたんです。
山田　「楽寿の園」という老人ホームの歌なんですね。
谷川　作曲は山田一雄という指揮者で有名だった方です。

【朗読】

いきとしいけるものはみな

いきとしいける　ものはみな
ひとついのちを　いとおしむ
ひとのなさけは　ふかくとも
おのれはついに　ひとりなり

つゆにはじまる　せせらぎの
やがてはうみに　いるごとく
いのちのながれ　ゆるやかに

むへんのときに　みつるべし

あさのひかりは　ほがらかに
こらのひとみに　きらめきて
ゆめかうつつか　そよかぜに
くさきはあおく　におひたつ

谷川　文語調ですね。

山田　こういうものも作られたんですね。これと対照的なのが幼稚園の歌。「ともだちあはは」という歌があります。

谷川　ゆりかごから墓場まで。

山田　全部できちゃうんですね。

谷川　新潟大学教育学部附属幼稚園の歌です。

【朗読】

ともだちあはは

ひとりでくすん
ふたりでごろん
さんにんよにん
ともだちあはは

くるくるぬって
ぺたぺたつけて
いろいろきれい
できたよほらね

きらきらこのは
そよそよゆれる
たからはどこだ
あしたがくるよ

（作詞　谷川俊太郎　作曲　谷川賢作）

山田　この歌が老人ホームの歌でもいいような気がします。
谷川　そうですねえ。老人ってねえ、子供に帰るわけですからね。
山田　つーっとリンクしてくるように思いますね。
谷川　入れ替えても良かったですね。
山田　全然違和感ないですね。
谷川　じゃ今度老人ホームの歌詞を頼まれたら、幼稚園のつもりで書きます。
山田　却っていいじゃないんですか。でも、難しいのはむしろ中学や高校じゃないですか。
谷川　そうですね、高校が一番難しいですね。
山田　高校はかなり書いていらっしゃいますよね。このへんになるとほとんど現代詩？

谷川　いや現代詩の意識では書けないですよ。
山田　やっぱり違いますか。
谷川　うん、違うね。だって学校の特徴をある程度ださないといけないと思うから。
山田　読んでいて気がついたのですが、たとえば学校の校名が変わっていたりするとイメージが湧きやすいということはありますか？
谷川　あります。たとえば欅の木が学校のシンボルだとすると、欅の木で書きますし、そこ（本）には入っていませんが、立川市に幸（さいわい）小学校ってのがあって、幸というのがすごくいいんですね。そうするとやっぱり書きやすいですね。
山田　幸小学校入っていますよ。
谷川　あ、入れましたか。
山田　林光さん作曲で。
谷川　それはねえ、僕が作った校歌のベスト5に入りますね。
山田　これは僕もすごくいい詩だなあと思って。
谷川　曲がいいんですよ。
山田　曲が聴けないのが残念ですけど、特長としては、決して美辞麗句で歌っていない、ということですね。
谷川　そうですね。美辞麗句的なものはどうしても入れたいことがあるけれども、なるべくそれは避けようとはしています。
山田　とにかくそれを歌う子供、生徒の視点ですね。
谷川　うーん。そう思っているんだけど、誰も歌ってくれないんだね、ここでは……。芸大の視点にたったつもりで書いても。
山田　これから普及しましょう（笑）立川市立幸小学校の歌、これ一番にびっくりしました。校歌ですから……毎週一回くらいこの校歌を歌っている学校では、ひきこもりや登校拒否は絶対少ないと思います。

谷川　二番がいいの？

山田　はい。二番を読んでください。

【谷川、歌をつけて朗読】

わたしがあすを　あきらめたら
あさは　もうこない
ぼくがほしを　みつめるとき
そらは　かぎりない
あせらず　こつこつ
ねばって　やりぬく
幸小のわたしたち

（場内拍手）

山田　谷川俊太郎さんの歌をアカペラで聞けるなんてすごい贅沢です。

谷川　恥知らず（笑）

山田　わりとあちこちで歌ってらっしゃいます？

谷川　歌ってますね。これはうちの息子もすごく気に入っていて、アンコールみたいな時に二人で歌ったりしています。

山田　なんか歌いこんでいるなっていう感じがしたんですよ。決して初めてではないような。

谷川　はじめてじゃねえ、歌えませんねえ。

●新連載「谷川俊太郎のいたずらがき」について

山田　今日は「詩の話、歌の話、そのほかに」とあって、ほかにも話題があります。昨晩、田原さんとも話し合って、一生懸命解読しようと頑張っていた新作があります。最近「びーぐる―詩の海へ」という詩の雑誌を始めました。澪標という大阪の出版社から季刊で出るんですけど、私が編集人の一人です。田原さんにも連載をしてもらっているんですが、谷川さんには「谷川俊太郎のいたずらがき」というのを連載して頂いてます。毎回二ページ。
谷川　なんかとにかく書けって言われて、僕がなんかいたずらがきでもやらせてもらえれば楽でいいなと、さしてもらったんですが、最初カラーでと言われて、僕はびびったんですよ。まさかと思って。それでモノクロで原稿を出しました。
山田　最終的にはモノクロになりましたけど、最初はカラーグラビアでと思っていたんですよ。
谷川　そんなものにいたずらがきできませんよ（笑）
山田　谷川俊太郎さんがここにきて、また新しいことをはじめた、今までの詩でもない、コラボレーションでもない、歌でもないと。
谷川　いやそんな立派なもんじゃないんですって。
山田　いや、でも、これびっくりします。みなさんにお見せします。見開きなんですね。（スクリーンに映し出す）
谷川　じゃあちょっとこれについてお話します。クレヨンハウスっていう出版社がありますね、東京に。その絵本の新しい企画でしりあがり寿さんと私が組んで、絵本を作るという案があったんですよ。それは去年だったと思うんですけど、いろいろ考えた末に、即興で作っちゃおうと、しりあがりさんと私ともう一人アートディレクターの方と三人で集まって、こういう大きい机の上で、僕のアイディアで、線が旅をするんだと。この辺から線がはじまって、いろいろ線が恋愛したりなんかして落胆したり、意地になったりしながら最後まで行くという絵本を作ろうと思って、そしたらしりあがりさんがずっとやってくれたんですよ。僕はもうこれで絵本になると思ったの。それが全然ならないの。しりあがりさんはいろいろ反省しちゃったらしいんですよね。こんな安易な本の作り方をしていいのかと。僕はなんかその線の発想が頭の中に残っていて、(「びーぐる」)のいたずらがきの時にその欲求不満を解消しちゃったわけです。

山田　この線は一つだけ別にして、谷川さんが書かれた線なんですね?

谷川　全部全部。僕が書いたんですよ。

山田　パウル・クレーにもらったせんというのは?

谷川　それは僕がいただいちゃったんです。

山田　自分でかいたんですか?

谷川　盗作したんです。

山田　あそこだけコピーかなと思ったんですよ。違うんですか?

谷川　パウル・クレーはこんなまっすぐな線をかいていないと思いますよ(笑)

山田　真ん中の点線になっているところはコピーがうまくいかなくて。本当はつながっています。「うみせんやません」が斜めになっていて。

谷川　あれが僕一番気に入っているんですけど。

山田　そうでしょうね。これがテーマかなと思ったんです。

谷川　線って僕はすごく雄弁だと思うんですよね。表現力があると思うのね。しりあがりさんだったら、ああいう面白い線を書く人だから面白いものを作ってくれると思ったけど、できないんで、じゃいっちょ自分でやるかと思ったのでこんなことになったんです。

山田　これ線もそうなんですけど、順番に活字で縦に並べて行くと、やっぱり詩になっていますね。
谷川　え、本当？
山田　八重洋一郎さんという沖縄石垣島の詩人の方がいらっしゃって、その人が手紙で、この「うみせんやません」をどこに入れて読むかによっていろんな解釈ができて楽しいですね、って書かれていました。
谷川　おおー、深読みしてくれるなあ。嬉しいけど恥ずかしい。
山田　私は「うみせんやません」をタイトルにして読んでみました。
谷川　あ、タイトルにするんだったら決まりますね。じゃあ行をもっとたくさん作らないとね。
山田　でも、これ線だけど擬人化していますよね。ですから人間になぞらえて読んでもいいですよね。
谷川　いいです。
山田　それが「うみせんやません」って事ならば、しっかり人間の多様性っていうものを表現している深い詩になりますね。
谷川　深いね。八行。
山田　八行詩。朗読してみませんか？
谷川　朗読したってしかたがないよ。だってこれは視覚的なものなんだから。ダメです。「うみせんやません」の題名で、あと三十行くらい書きますから。
山田　自己コラボですね。みなさん、「うみせんやません」という三十行の詩を谷川さんが書いてくださるそうです（笑）どこで披露して頂くかですけど……。
谷川　次の「いたずらがき」ですかね。でも同じようなものだとつまらないでしょ。
山田　次はもう考えていらっしゃるんでしょう。
谷川　ええ考えていますけど。
山田　これ連載なので……「びーぐる」が一号で倒れるんじゃないかという噂もあったんですけど……。

谷川　楽しみにしていたんですよ。
山田　少なくとも四号まではやりますから（笑）次回もお願いします。
谷川　次回はではこれではないものにしますね。
山田　いったい何がでてくるんだろうと、こちらも全然予想がつかない。予想をしていてもそれをはるかに超えるか裏切るようなことをするのが谷川俊太郎ですから。僕も長い間谷川さんの作品はいろんな角度から読んでいますけど、毎回意外なことをされるんですよ。それを一番そばで見ていて、いつも呆れているのは田原さんだと思うんだけど。このいたずらがきどう思います？
田　谷川さんにお聞きしたいのは、どういうつもりで書かれたのかですね。現代詩のつもりで書いていますか？
谷川　そんなつもり全然ないよ。俺一応現代詩の作者だから、いたずらがきでは現代詩は書けませんよ。
田　これは現代詩に読み取れるとは私は思わないな。
谷川　山田さんは深読みするんだよな。
田　こんな現代詩はないですね。（場内笑）
谷川　だからこれを三十行で現代詩にしてみせようって。
田　それはOKですね。これは現代詩と理解して……その意義もわからないですね。
谷川　だって本当に現代詩を書く気はぜんぜんなくて、ただ、日本には書の伝統ってあるでしょう。筆を使って、線を……線がひとつあったら丸を書くだけの書が結構高い値段で売れる。丸をよく書けるかどうかで能力が決まるみたいなところあるんですよ。僕はこういう毛筆的なもので線を書いて、自分はいったいどういう境地を得るのかっていうのを試そうと思ったの。
田　でも最初見た時は新鮮に思いました。よくいたずらがきしてるなあと思いました。
谷川　そう思ってくれると一番嬉しい。
山田　線だけで終らなくて、それに言葉をつけてしまうのは、やっぱり谷川さんなんですよね。

谷川　それは、線だけでねえ、いける造形的な力がないんですよ。もうちょっと技術的になるんだった勝負しましたけど、やっぱり言葉で勝負しないと。
田　やっぱり言葉ですよね。
山田　その両方あるってところがね。
田　線……これは誰でも書ける線じゃないですか？（場内笑）
谷川　そうだよねえ！
田　やっぱり言葉ですよ。この言葉はみんな書けないですよ。谷川さんにしか書けないものだと思います。
山田　だって「ちへいせんのつもりになっているばかなせん」ってねえ。これいいですよ！
谷川　僕、ねじめ正一さんと詩人漫才やったときに、ああいうところからきていますね。ねじめさんと僕が舞台で即興するっていう。
山田　夕日になりきったんですよね。
谷川　最初はそうだったんですね確か。
山田　あのときに地平線のこと言ってましたね。地平線が蝶結びになっているとか。これもすごいですよ、「このせんはなかまにいじめられている」。ものすごい太い厚かましいくらいの線なんですが。
谷川　だって、いま太った子っていじめられるじゃない。
山田　そういう意味なんですか。リアルですねえ（場内笑）次の展開はどうなっていくのか……十二回くらい続けて一冊の本に……。
谷川　いやそれは自信ないですね。本当にいたずらがきって気軽にやりたいんですよね。あとに残るとか本にするとか一切考えないで。だからあと十二回なんて意識全然ないです。ただ、次の号で何をするかっていうのがあるだけで。
山田　その先のことをどう考えるかっていうのは、編集者なり研究者なりが考えればいいですよね。

谷川　考えなくていいんです（笑）

山田　とにかく第二回はもうすぐなのでよろしくお願いします。

●新作「旅の朝」について

山田　ここでまた詩の話に戻って、最新作。田原さんがこれすごくいい作品だって言って、中国語の翻訳もしてきた「現代詩手帖」の七月号に出たばっかりの「旅の朝」。四行ずつ六連という作品になっていますけど、読んでいただけますか。

谷川　今年の五月にまずスロベニアに行ってそこの首都のリュブリャナというところで、スイスに住んでいるバイオリンとコントラバスを弾くご夫婦、日本人ですけれど、その人たちと詩と音楽の会をしました。その音楽がどういうものかっていうとギーガーというスイスの作曲家が何度も日本に来ていて、日本に詳しいんだけど僕の詩と自分の音楽とが一緒になったような曲を書いたんです。それを持ってきて、スロベニアが一番最初で、スイスの各地ベルンとかチューリッヒとかで四回くらい公演をした、そういう旅行をしたその記録的な詩なんです。だからこれは一種のリアリズムで外国のホテルで朝目を覚ましたみたいなそんな感じのシチュエーションで書いた詩です。

【朗読】

旅の朝

石畳を雨が忍び足で歩いていきます
教会の鐘が一日に律義な句読点を打ち始め

小鳥たちのさえずりが歴史をチャラにしています
安宿の平たいベッドで目が覚めました

どこだっけ　ここは?
昨夜リュブリアナという道標を見たはずですが
どこへ行ってもどこへ来ても
ここにいることしか出来ないので

地名は置き去りにして
私は世界の細部をコトバで拾い集めます
溌剌と熱湯を噴出するシャワー
どこを押しても知らん顔のテレビのリモコン

お土産に買った藁細工の小さなハート
結局買わなかった可愛いリキュールの小壜
でもいくら書いてもコトバはモノになりません
いつまでたっても細部は全体になりません

朝市には新鮮な野菜がどっさりなのに
ビュッフェには薄いオレンジジュースのみ
まだデジカメに残っている三年前の旅の思い出

データ化される私もまた細部のお仲間

さて質問　詩はどこに隠れているのでしょう?
それとももう帰ってしまったのでしょうか
コトバを脱ぎ捨てて裸になって
私の明け方の夢の中へ

谷川　この中の藁細工の小さなハートっていうのは田原さんの娘さんにお土産であげたんです。
田　いただきました。あの、最初に言おうと思ったんですけど、まず谷川さん、モンゴルのご受賞おめでとうございます。十月の始め頃、谷川さんはモンゴル作家連盟の作家最高勲章を受賞されたんです。
谷川　勲章?
田　共同通信社の発表は勲章ですよ。
谷川　小さい五十円玉みたいなものがぶらさがっているだけなんですよ（場内笑）
田　このたび受賞されたのは二冊目のモンゴル語での詩集なんです。全部で百編。その訳者はモンゴル国立大学の教授で、彼は日本語はわかりません。どうやって訳したのかというと、私が中国語で訳したのをモンゴル語に孫訳したのです。

【中国語朗読】

山田　いまスクリーンで日本語を見ながら田原さんの中国語を聞いていたので、だいたいつかめました。こういう行はこういうリズムになるんだと。最後の「私の明け方の夢の中へ」は印象的なんですけど、田原さん、そこだけもう一度中国語で読んでもらえません？

田　（中国語で読む）

山田　そういうリズムですね、なんとなく。いいですねえ、最後は言葉論というか、詩についての話になるんですね。

田　谷川さんの特徴のひとつですね。最後の行で勝負しているような詩が多いでしょう。意義を昇華させる。

谷川　自分ではそう思っていませんけど、よくそうなっているって指摘されますね。

田　実際これはある意味で、漢詩の特徴の一つなんです。

谷川　あ、そうなんだ。

田　たとえば唐時代の詩、「江雪」という漢詩があります。作者は皆さんご存知の柳宗元です、「千山鳥飛絶、万径人踪滅。孤舟蓑笠翁、独釣寒江雪。」日本語の読み下しは「千山鳥飛ぶことと絶え、萬径人蹤滅す。孤舟蓑笠の翁、独り釣る寒江の雪。」意味としては一人のおじいさんがただ一人小舟に乗って、凍っている河で魚を釣っているんです。河は凍っているから釣りできないでしょ。普通、魚を釣るんですが、詩の最後の表現には雪を釣るんですね。この最後の一文字である「雪」は全体の詩を昇華させるんですね。だから漢詩とつながっているように思えます。

山田　最後の一行でね、詩を書く人は誰でも困るんでしょうけど、詩は終わり方が難しいから。かなり意識されていますか、最後の一行。それとも自然にエンディングに行ってしまうんですか。

谷川　わりと自然に終わってますね。

田　意識じゃないですね、たぶん。

谷川　ずっと手直ししていきますけど、最初に出てきた時、たとえば二十行書いたとするとその流れで終りが出て来ていて、その終わりを小さく直すことはあるけれど全部構造的に直すっていうことはあんまりなかったような気がします。

山田　それはすごく大事なことだと思うんですよね。普通は、詩を書いていて終わり方がうまくいかない、エンディングが決まらないということがよくあります。
谷川　そういうことはありますね。そういうときは困っちゃう。
山田　タイトルはどうですか。
谷川　わりとすんなり出ますね。
山田　最初から？
谷川　書きかけくらいですね、途中で出してダメで、終ってから何回かタイトルつけなおすこともあります。
田　それは李白と同じですね。李白は数えきれないくらい詩を書いたでしょ、だからよくタイトルに困ったの。

●最新作「モンゴルのはじっこ」

山田　未発表の新作にモンゴルでの旅の詩があります。最近わりと旅先での話を書かれますよね。
谷川　以前は旅に出てすぐ詩を書く人を軽蔑していたんですよ（笑）でも年をとってきたらなんでもいいやってなってきて（笑）
山田　タイトルが「モンゴルのはじっこ」。このフレーズはまさに最後の一行なんですよね。
谷川　この詩は最初にはじめての土地へ行ったっていうのが浮かんだんですよ。朝起きてまだうとうとしていて、目が冴えてきてはっとして。これで書けると思ったんですね。非常に平凡な行なんだけど。それで書いていったら途中で「モンゴルのはじっこ」っていうのが出てきて、それはタイトルになるかなと思って。
山田　最後の一行は最後に書いたんじゃないんですか。
谷川　いや、最後に書いたんだけど「モンゴルのはじっこ」っていう言葉を最後に書いたわけじゃないです。
山田　これは先ほど話に出ていた、田原さんと一緒に行った旅ですね。

田　谷川さんはモンゴルに四時間だけいたんです。
谷川　そう、すごく短かったんですよね。
田　一緒にゲルに泊まりに行ったんだけど、谷川さんが詩にも書かれたけど、残念ながら狼の鳴き声が聴けなかったですね。というのは、ゲルに泊まったとき、私は野生の狼の鳴き声を夜中の午前二時半ごろ聞きました。谷川さんはホテルに泊まったので残念ね。
谷川　でも、その何年か前にも同じ所で狼を見たんでしょ？
田　チンギスハーンがはじめて都を作った場所で十年前に旅に行きました。モンゴル人の方が家を守るために銃で山へ狼を追い払ったんです。その銃の音で目が覚めたから、外へ出たら狼が五匹くらいいたんです。
谷川　僕が行ったちょっと前に中学生が食い殺されたって話があったでしょ。
田　同じあたりですよ。
山田　その印象を書いた詩を朗読していただきます。

谷川【朗読】

モンゴルのはじっこ

初めての土地へ行った
坊主頭のような土地だった
頭の中身の見当がつかなかった
昔のレニングラードみたいな建物があった
そこで賞状と小さな勲章を貰った
髭の老詩人がうちには勲章が沢山ある

今日はそのうちの三つだけつけてきたと言った
らしいが通訳が頼りないから保証できない

凸凹道を古いトヨタやニッサンが走っていた
真新しいハマーもいたのに驚いた
ベルリンを指す戦車の記念碑があった
スコットランドに似ている丘のふもとの
白いフェルトで作られた家に行った
広い広い草原なのに塀が立っているので
ここでも土地バブルかと思ったら
狼の侵入を防ぐための柵だった

土産物屋でポルノトランプを買った
浮世絵もどきの絵がなんとも下手糞で
私の内なる助平が腹を立てた
滑走路が一本しかないのに横風が吹いて
帰りの便が夜中になって北京に一泊
一日損したはずだがちっともそう感じなかった
初めての土地へ行けたのだもの
モンゴルのはじっこに触ったのだもの

山田　最後の二行がいいですね。
谷川　僕は「私の内なる助平が腹を立てた」が気に入ってるんです。
田　それ正直ですよ。
谷川　ということは私が助平だって言いたいんですね？（笑）
田　勇気がありますよ（笑）
谷川　でもみんな内なる助平を持っているわけだからね。
山田　あまり表に出さないもんですけどね（笑）

●質疑応答

学生A（男）詩と小説の線引きをどこでひいたら良いのでしょうか
谷川　詩は時間を輪切りにしていて、小説は時間に沿っているという風にも言えるし、詩はどんなに嘘を書いてもいいけど、小説は……詩と散文の違いっていうのがずっと自分の中でくすぶっているんです。それについて詩を書いているのでこれを読むとわりと分かりやすいのではないかと思います。「詩の擁護又は何故小説はつまらないか」っていうタイトルにしてこれはビリー・コリンズっていう詩人の一行が引用されているんですけど、彼の一行は「詩は何もしないことで忙しいのです」というものです。

【朗読】
　　詩の擁護又は何故小説はつまらないか
初雪の朝のようなメモ帳の白い画面を

ＭＳ明朝の足跡で蹴散らしていくのは私じゃない
そんなのは小説のやること
詩しか書けなくてほんとによかった

小説は真剣に悩んでいるらしい
女に買ったばかりの無印のバッグをもたせようか
それとも母の遺品のグッチのバッグをもたせようか
そこから際限のない物語が始まるんだ
こんぐらかった抑圧と愛と憎しみの
やれやれ

詩はときに我を忘れてふんわり空に浮かぶ
小説はそんな詩を薄情者め世間知らずめと罵る
のも分からないではないけれど

小説は人間を何百頁もの言葉の檻に閉じ込めた上で
抜け穴を掘らせようとする
だが首尾よく掘り抜いたその先がどこかと言えば
子どものころ住んでた路地の奥さ

そこにのほほんと詩が立っているわけ

柿の木なんぞといっしょに
ごめんね

人間の業を描くのが小説の仕事
人間に野放図な喜びをもたらすのが詩の仕事

小説の歩く道は曲がりくねって世間に通じ
詩がスキップする道は真っ直ぐ地平を越えて行く
どっちも飢えた子どもを腹いっぱいにはしてやれないが
少なくとも詩は世界を怨んじゃいない
そよ風の幸せが腑に落ちているから
言葉を失ってもこわくない

小説が魂の出口を探して業を煮やしてる間に
宇宙も古靴も区別しない呆けた声で歌いながら
祖霊に口伝された調べに乗って詩は晴れ晴れとワープする
人類が亡びないですむアサッテの方角へ

谷川　ちゃんと答えになっているかな。
山田　なってますね。
学生A　詩で言われるとどうしても言い含められているような気がするんですけど、失礼な言い方かもしれませんが、さすがだなあと思いました。輝いているなあと思いました。

谷川　まあ経験のたまものです。よくこの詩のメッセージは何ですかと質問されるんですけど、詩はメッセージじゃないってことを一生懸命強調しているんですね。詩は美しい言葉を存在させるものであって、できればそのへんの名もない野花のように言葉が存在すればいいなと思っています。小説の場合はそうはいかなくて、ある程度のメッセージとか思想とかを伝えざるを得ないという違いはあると思います。

山田　いくつもポイントがあったと思います。じっくり読んでください。さて、谷川さん、来年は十周年企画ですね。

谷川　校歌編曲コンクールですよ。ここが発表の場の第一回で誰かが歌ってくれて私が何か商品を考えます。

山田　かなり本気ですね。

谷川　かなり本気ですよ。一番心配なのは応募が全然ないってことにならないかですね（笑）

山田　これからじっくり考えましょう。ひとまず今年はこれで終了ということで。ありがとうございました。

谷川俊太郎の
いたずらがき

なかまにいじめられている

うみせん

やません

ばかなせん

このせんはどこまでいくのだろう

このせんはもじになりたがっている

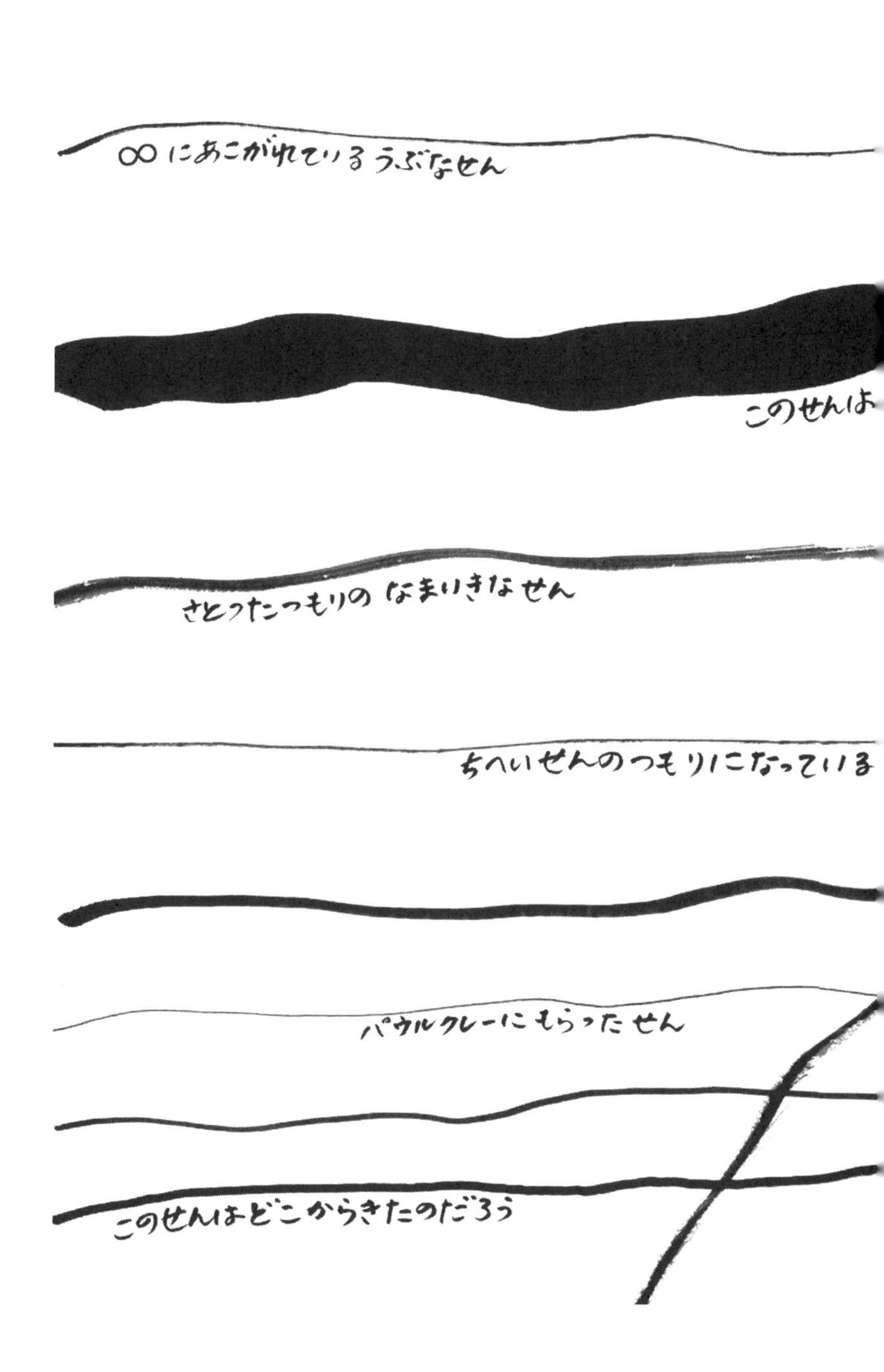
∞にあこがれているうぶなせん
このせんは
さとったつもりのなまいきなせん
ちへいせんのつもりになっている
パウルクレーにもらったせん
このせんはどこからきたのだろう

うみせんやません

谷川俊太郎

きのう山田先生が線のことを書きなさいと言ったので僕は自分が線のことを何も考えていないので困ったので線のことを考えようと思って頭の中を探してみたけれど線は頭の中にあるのかどうかよく分からないので机の上の白い紙に鉛筆で線を書いてみたら線が紙の中から出て行かないのでつまらないので紙から外の机の上に線を伸ばしてみたら線が止まらなくなったので机の脚を伝わって床の上に行って線はそれでもまだ伸びて行って扉のすきまから出て行って階段を下りて行って玄関から家の外へ出て行くので僕が止めようとしたけどもう止まらないので僕がついて行くと線はどんどん道の上を伸びて行ってどこまで行くのか心配になってきたので僕はお母さんを携帯で呼ぼうと思ったけど携帯は忘れてきたのでしかたがないのでずーっと線について行くと線がいきなりUターンして僕の口の中に入ってしまったので痛くないのでそのままうちへ帰ろうとしたら線

がのどを通ってお腹まで下りて行ったらしくてなんだか僕は自分が線になったような気がしてきたのでうちへ帰るのはやめてどんどん歩いて行くと海に出たのでもう先へは行けないと思ったので線にお腹から出て行ってもらいたいと思ってゲップしてみても線はお腹の中から出て行かないのでそのままうちへ帰って晩御飯を食べてテレビを見ていたら線は僕のお腹の中で蛇みたいにとぐろを巻いて眠ってしまったみたいなので僕も線といっしょに眠ったら僕がどこへ行くのか分からないのにどこまでもどこまでも行く夢を見たのでなんだか怖いような嬉しいような気がして目を覚ましたら朝だったのでトーストを食べてミルクを飲んだけれど線がうんこになって出て行ってくれるかどうかはまだ分からないので学校へ行く前にそっとおばあちゃんにだけお腹の中の線のことを言ったらおばあちゃんが線はお腹の中にいてもかまわないけれど中でからまってほどけなくなると困るからおまじないをしてあげようと言って「うみせんうみせんうみもぐれ・やませんやませんやまのぼれ」と変な節をつけてとなえたので僕は笑ってしまったのでおばあちゃんに叱られてしまいました。

「びーぐる—詩の海へ」第5号（二〇〇九年十月）より

〈こども〉の詩を語る

（聞き手・山田兼士）

●「〈こども〉の詩アンソロジー」について

山田　今回はちょっと特殊なテーマに限定させて頂きましたから、最初にうかがいたいのですが、谷川さんの〈こども〉の詩についてはあまりまとまった批評というか言及はされてきていませんね。

谷川　そうですね。

山田　ただ、現代詩のメディアで視野に入ってこないだけかもしれませんが。

谷川　学校の先生とか、そういう方が書いてくださっていますけども。

山田　けっこう児童文学関係では語られていると思うのですが、詩人たちは、谷川さんの〈こども〉の詩はあまり読んでいないと。

谷川　そうですね。

山田　〈こども〉の詩といっても対象年齢も広いし……対象年齢というよりむしろ、谷川さん自身が何歳ぐらいの〈こども〉になりきって書いているのかという……いわば発話者の年齢幅がすごく広いですね。ですから今回は、中学生以上の「少年詩」は一応置いておいて、小学校までとさせて頂きます。

〇歳から十一歳までに限るという形で。なおかつその中で、わらべうたとか言葉遊びとかは非常に重要な言語実験ではあるんですが、これまでも現代詩の文脈で語られることが多かったので、そこからも外れているような、〈こども〉目線の作品を詩学的見地から解明したい、というのが今回のねらいなんです。

谷川　はい。わかりました。

山田　その材料として予めお送りしていたのが「谷川俊太郎〈こども〉の詩アンソロジー」。これは十冊ほどの詩集から私が二十四編選んだものです。ただ抜き出すだけではあまり面白くないので、年齢ごとに整理してみました。これは何歳児になったつもりで書いているか、というようなことで分けています。まず「〇歳児から二歳児」がグループA。次のグループBが「三歳から五歳」。ここまでは乳幼児、保育園、という感じですね。その次がグループCで「六歳から八歳」で小学校低学年、グループDは小学校高学年で九歳から十一歳。それ以外にグループEは年齢不詳もしくは年齢なし、ということで。そういう形で一応五つのグループに分けて整理させて頂いたんですが、ごらんになっての感想をまずお聞かせ頂けませんか。

谷川　僕自身は、つまり何歳のこどもになって書いたという意識が全くないものだから、よくわからないんですよ、グループ分けが。

山田　あくまでも結果ですが。

谷川　僕、前にもたぶん似たようなこと言ってると思うんだけど、自分の中に、まあ言ってみればすべての年齢が潜んでいるというふうに考えているものですから。だから例えば、この中の、『ふじさんとおひさま』っていう詩集は、確か、やっぱりこういう年齢を対象にするということを注文されて書いたと思うんですね。

山田　「毎日子供新聞」連載でしたね。

谷川　そうなんですよね。だからそういう場合にはやはり、自分の中の三歳五歳というようなことはちょっと不可能なんで、読者対象として、なんとなくひらがなが読めるか読めないか、みたいなことで書いてるっていうのはあるんですけどね。あと、例えば、その対象年齢あるいは自分の中のどういう年齢が発話者になっているか、ということでいうと、まあなんとなくこども、っていう気はあるんだけど、実際には四十代・五十代の中年の中にだってこどもはいるんだ、みたいな意識が強いので。どう言えばいいのかなあ。

山田　例えば、『子どもの肖像』なんかは写真詩集ですからあの写真のこどもが何歳かっていうことは分かるんですよね。

谷川　一応そうですね、はい。

山田　二歳のこどもの写真に谷川さんの詩が付いていて、一人称で「ぼくなくぞ」なんて。憑依しているというか、こどもになりきって、その気持ちで書いている。

谷川　そうですね。ただ、その場合に、年齢を限定するっていう気持ちは全然なくて、なんかもう、ただ漠然と、そのぐらいの〈こども〉っていう感じなので……。「ぼくなくぞ」なんかにしても、五十歳のおじさんがそういう気持ちを持ってたって当然じゃないの、みたいな意識が、やっぱりそこにありますね。

山田　その場合、書かれたときの実年齢が五十歳だとして、二歳のこどもの顔写真を見ながら書かれているわけですから、この子が語っているような雰囲気の中でおとなの気持ちが表されるということですね。その重なり方がそもそもすごいと思うんですよ。

●右脳の詩、左脳の詩

山田　「こども相手に」とか、いかにも「こども向けに」とか「こどもだまし」とかじゃなくて、本気で表現しているところですね。

谷川　まあそりゃ全部の詩、一応本気で書いてますから（笑）

山田　本気といっても相当真剣に、自分の大事なところを書いてる。もちろん発表のメディアの違いなんかもあるでしょうけれど、むしろ〈こども〉目線の詩を書いているときのほうが谷川さんは本気になっているような気がします。

谷川　本気っていうより、書きやすいんですね。要するに、自分がこどもの年齢のような感じで書くほうが、わりといろんな年齢の人に通じるような言葉で書けるっていうのかな。ひとつは漢字漢語を避けるっていうことがあるんですけどね……。

山田　とにかく和語でいこうと。

谷川　和語でいくということですね。それから、ひとつは、やっぱり詩そのもののあり方として、詩っていうのはやはり意識下から出てくるものだから、意識下ではもう全く年齢っていうのは関係なく混沌とした世界なわけですよね。だから、その意識下から直接に言葉が生まれてくるときに、それがこども的な言葉のほうがリアルだっていう感触があって。それを、もうちょっとかっこよく、漢字漢語なんか混ぜて書き出すと、だんだん現実から離れていく、自分の意識下から離れていく、というふうな感触があるんですよね。

山田　その「離れていく」というのは何なんでしょう。例えばおとなの詩の場合に出てくる照れと衒いとか。

谷川　ああ、要するに、言語が左脳的なもののほうに偏るってことでしょうね。詩の言語は右脳的なもののほうが僕はいいと思っているもんだから。

山田　つまり、絵とか音楽のように色や形や音ですね。

谷川　ええ、それと共有できるような何か。カオスから生まれたほうがいいと思うので、それをあんまり整理整頓すると、どんどん詩じゃなくなって散文に近づいていく、まあ極端に言えばね。

山田　しかし、一方では、非常に前衛的な実験詩とか、新しい試みも並行してやって来られてますよね。

谷川　そうですね、はい。

山田　そちらのほうはどうなんでしょう。例えば、ちょっと茶化したような感じが出てきたりとか、冗談めかしたりとか、アイロニーと言えばいいのか、そういったものも含めて、いろんな仕掛けとか意匠とかいうものが出てきますよね。そういう仕掛けについても谷川さんにはいろいろあると思うんですが。

谷川　僕、あの手この手使わないと読んでもらえないって気があるので、それは思いつく限りのいろんなあの手この手を使って書いているんです。例えば『定義』なんて詩集が、たぶんこういったこどもの詩の対極にあるとすると……やはり正確な散文というのが日本語はすごく不得意だという気がしてるのでね、そういうものをやっぱり一方では置いておかないと、なんか、こっち側が生きないと言えばいいのかな。要するに、矛盾しているもののバランスの上で詩が成り立つというふうに、こう、ダイナミックに詩を考えたい、ということはありますね。だから、ただこどもの詩ばっかり書いてたら、自分は欲求不満になっちゃう、と。一方ではもっとカチッとしたものを書かないとバランスがとれないっていうような感じはあるんです。

山田　その『定義』の中の「私の家への道順の推敲」で……。

谷川　ここへ辿りつこうとされたわけですね（笑）辿り着いた人もいるんですけどね。

山田　あ、そうですか（笑）。すごく正確な日本語で、正確な散文ですよね。

谷川　途中までね。

山田　ところが途中で混沌としてきて。

谷川　そしたら迷ったんですよね（笑）

山田　磁石が狂ってるとかそんなことありません？

谷川　やっぱりこの辺、場が詩の場なんじゃないでしょうか（笑）混沌とした。

山田　詩的磁場としての谷川邸（笑）。

●詩はメッセージじゃない、か

山田　それこそあらゆる種類の詩を書いてこられた中でこどもの詩のときが一番本能に近い、意識下に近い、ということは、一番本気というか真実というか、衒いも照れもなしに好きなことを言えばいい、という態度ですね。いつも谷川さんは「詩はメッセージなんかじゃない」とおっしゃいますが、こどもの詩についてはけっこうメッセージを放ってらっしゃるんじゃないですか。

谷川　避けがたくそういうものが入ってきちゃうとことはありますね。それはやっぱり自分が大人だからだと思うんですけれど、メッセージを伝えようっていう気持ちはなくても、どうしても、どんなに自分が意識下でこどもになっても、一方では大人の常識とかそういうものが働いているわけだから、そういうものが混じってきちゃうことはありますね。

山田　大人としての思念とか、メッセージとかが混じってくる、と。

谷川　そう、僕、絵本やるときにそれに気がついたんですけどね。絵本で何か書くときには、やっぱりまだ完全に人間社会に適応していないこどもに、ある程度の秩序を教えなきゃいけない。そうすると、どんなに面白くアナーキーな絵本を作っても、どこかに教育的な働きが出てきちゃう、ということに、絵本をやりながら感づいたんですけども、こどもの詩の場合にもそういうことがあるんじゃないでしょうかね。

山田　逆にね、もう全く非教育的な、こんなもの教育で使ったら困るものも出来ちゃうことあるでしょう。

谷川　ええもちろん。むしろ、僕はそっちのほうが書きたいんですよね、どっちかと言えば。だからメッセージ的なものが入った場合は、自分の本当に書きたいものの意に反して入ってしまう、あるいは注文が、例えばそういう枠組みの中での注文だった場合ですよね。まあ学校の校歌なんていうのはそれがはっきりしたところだと思うんだけど、

山田　去年、澪標から出した『ひとりひとりすっくと立って』がまさに幼稚園、小学校から老人ホームまで全部あって、それこそいろんな条件の中で書かれたものですよね。

谷川　ああいうものの中で、例えば小学校の校歌の歌詞っていうのは、今ここに挙げていただいたいろんなこどもの詩と共通点が当然あるわけだけれど、学校の場合にはやはり、学校のイメージとか方針とかありますよね。そういうものをある程度入れなきゃいけない。

山田　建学の精神とか。
谷川　うん。だけど、そういうものをできるだけメッセージとしてじゃなく入れたいと思って書くんだけれど、どうしてもそこがうまくいかなくて、何かちょっと教訓的なものが入ってくるってことがあるんですね。それとやっぱり似たような事情が、こどもの詩の場合は、一編一編検討していくとあるんじゃないかなと思いますね。
山田　ただ、そういういろんな枠があったり条件があったりという面倒な枠組みを、一方では楽しんでらっしゃるんじゃないですか。
谷川　そうなんですね、僕、やっぱりある程度制限があるほうが書ける。
山田　書きやすいということと書きたいということは違うでしょうけど。

●定型と文体、多様性と一貫性

谷川　定型詩っていうものがずっと長い間、世界中の詩の歴史で続いてきたのと関係があると思うんだけれども、やっぱり何か容れ物があったほうが詩は書きやすいっていうところが少なくとも僕の場合にはあるんですね。だけど七五調では書きたくない、みたいな。
山田　そういう容れ物としての定型性が十九世紀頃に破綻して、世界的に自由化していった。やっぱり文化・歴史の中で、自由化せざるを得ない、という方向を人類はとったんでしょうね。
谷川　たぶんそうだろうと思いますね。現代芸術全部そういう感じしますよね。もうリアリズムじゃなくなってきてます。
山田　ただ、自由といっても、その中でもなんとなく枠みたいなものがある。
谷川　そうですね、個人個人に、やっぱりそういう一種のスタイルの感覚ってのがあって、それがはっきりしている人とはっきりしていない人といるけれども、やっぱり形っていうのは、例えばこれは一目で誰かれの詩なんだなってわかる場合には、やっぱりそのスタイルっていうものがどこかで働いているからだと思うんですよね、内容と同時に。

山田　そのひとつのスタイルでその人だと分かる場合ありますけど、谷川さんの場合はどうなんですか、あまりたくさんありすぎて……。例えばソネットの場合、いかにも谷川さんらしいソネットだと思うんですが、他方で『定義』を見たらやはり谷川さんらしい散文詩だし……もういっぱいあるわけですよね。

谷川　だからその場合、スタイルっていうものの考え方はすごく微妙で難しいんですけど、定型ではもちろんないわけだけれど……まあ「文体」っていうのがたぶん一番近いと思うんですね。文体っていうのはとっても定義しにくいものだし、こういうものだって言いにくいと思うんだけれど、例えば夏目漱石の文体とかね、宮沢賢治の文体とか、詩でも小説でも文体があると思うんですね。その文体みたいなものが、例えば『定義』みたいな散文詩とこどもの詩との間にどこまで存在し得ているのか、つまり谷川的文体がね、どこまであるのか、みたいなことだと思うんですよ。

山田　全く違うように見えても、そこに何か息のようなものが……。

谷川　それ言語で表現しにくいけど、なんとなくまあ自分自身ってものがそこに流れているんじゃないかなと。

山田　そこはすごく大事で難しいところですね。我々もつい、谷川俊太郎は二十面相だとか百面相だとか、とにかく多様な人だから、と言ってしまいます。なにかというと多様性を強調しがちなんですが、その中でもやはり一貫した、徹底した何か、というところが……。

谷川　あってほしい、と自分は思ってるんですよね。自分でもそれ、自信がないんですよ、本当に一貫したものがあるのかどうか。

山田　本人にもわかりにくいと。

谷川　イメージとしては樹木のイメージがあってね。やっぱり根を下ろしていて、幹があって、葉を茂らせていて、もしかしたら花を咲かせると。その花とか葉っぱが詩、ポエムだとすると、やっぱりその幹とか根に当たるものがあるんじゃないか。

山田　その幹とか根に一番近いところから、意識下から来るものをできるだけいじらないようにして、自然発生的に出てくるものがこどもの詩なのかな、と思うんですが。

谷川　うーん、どうなんでしょうねえ。意識下から出て来て、ぽこっと生まれて、そのままでいいっていうものはほとんどないわけで、意識下から出てきたものをどこまで意識がいじり倒すかみたいなところに、詩の作り方はあるような気がするんですよね。でも、こどもの詩の場合には、意識があんまりいじらずに済むっていうところありますね。大人の詩の場合には、やっぱり大人の能力にふさわしいような工夫というか、表現上の一種の多様性みたいなものを考えなきゃいけないんだけど、こどもの場合にはそこまで考える必要はないから、本当にできるだけ単純に、その現実のこどものあり方に近いようなものにしようという意識が、大人の詩の場合とは、ちょっと違うような気がしますね、確かにね。

〈こども〉の詩とは／境界領域について

山田　〈こども〉の詩と今回名付けた作品群は、ある程度制約をつけています。「児童詩」という言い方もしますけど、「児童詩」というのは一般的には「こどもが書いた詩」ですから、大人がこどものために書いた詩はこれと区別しなければなりません。カッコ〈　〉付きの〈こども〉としているのはその区別のためです。谷川俊太郎がこども目線で、こどもの気持ちになって、あるいは自らの内にいる〈こども〉性に依って書かれた詩、というのを限定して、「〈こども〉の詩」というふうに表記しました。

谷川　そういっていただくのが一番近いと思いますね。

山田　多様な谷川作品の中にあって一番根っこのところに存在するものですね。これまでの谷川俊太郎論が見落としてきた、一番本質的な、根幹になるものがここにあるのではないか、ということを、この数年考えてきたわけです。

谷川　うん、なるほど。

山田　で、例えばさきほどの「メッセージ」ということでいうと、『どきん』の中に「ぼくは言う」という詩がありますよね。これなんか、相当はっきりと……。

谷川　そうですね。これはすごく教育的なものありますよね。

山田　「大げさなことは言いたくない」。本当に言いたいこと、確信持って言える本当のことを実にストレートに言ってますよね。かなり繰り返して。最後「ぼくはただ黙っている／ほとんどひとつの傷のように／その姿を心に刻みつけるために」と来ると、かなり大人ですね。

谷川　うーん、そうですよね。だから、〈こども〉の立場じゃなくて、大人の立場で書いてますよね、この詩は。

山田　ただ、『どきん』という詩集そのものは、こども向けのシリーズの一冊でしたから。

谷川　うんうん。ただ、あれ編集するときに、やっぱりわりと大人っぽい詩とこどもっぽい詩があるので、それを組み合わせるのにちょっと苦労した記憶がありますね。一緒にしていいのかな、みたいな。

山田　そうですね。ひらがなだけで書いているところもあるんですが、後半のほうはかなり大人っぽい。「春に」というのもそうですね。これなんかはもう思春期に入りかけているような、そういうこどもですよね。

谷川　そうですね。

山田　「目に見えないエネルギー」っていうのは、谷川さんご自身が、ニセアカシアのところで夕日を見て、喜怒哀楽以外の何か別の感情が人間にはあることに気づいたのが詩の始まり、というお話に出て来た頃の年齢というふうに読めるんですが。

谷川　まあ思春期ですからね。まあちょっとニセアカシアよりも年くってからの気持ちですね、これは。

山田　「そのひとがうたうとき」はどうですか。

ですね。

谷川　これは全く……マヘリア・ジャクソンの歌を聞いて書いた詩だから、こどもと大人の区別はこれはない

山田　マヘリア・ジャクソン。ゴスペルですね。歌姫というか、歌の精霊みたいな人がいて、その歌からインスパイアされた作品ということでしょうか。〈こども〉の語り口ということはないんでしょうか。

谷川　これは全然その意識はなかったような気がするんですけど。ただ、そのマヘリア・ジャクソンの声、歌い方みたいなものを書くときに、やはり漢字が使えないというふうに思ったんじゃないかしら。やっぱりひらがなの流れみたいなものが必要だと思って、ひらがな表記にしたような気がするんですよね。

山田　これは『みみをすます』に繋がっていますね。

谷川　そうですね、あれなんかと、系列として近いですよね。

山田　今回、『みみをすます』も本当は入れたかったんですが、全部長いものですから、ページ数の都合で入れてないんですけれど。その代わりに『みみをすます』の系列のような作品を入れました。「そのひとがうたうとき」にある「そのひとがうたうとき／よるのなかのみしらぬこどもの／ひとつぶのなみだはわたしのなみだ」。この「みしらぬこども」についてはどうでしょう。

谷川　これはやはり自分ではないでしょうね。例えば、記録映画の中の難民のこどもとか、そういうイメージのほうが近いと思います。

山田　なるほど。そういったものも、『どきん』のような〈こども〉の詩集に入っているわけですね。

谷川　詩集編集するときに、自分が本当にいろんな詩を書いているものだから、いつも結構困るんですよね。この詩は、こども向けの詩集に入れようか、大人向けの詩集に入れようか、それとも現代詩の詩集に入れようかみたいな、結構迷わなきゃいけないことがあって。だからそういうときには、こども向けじゃなくても〈こども〉の詩集に入れてしまうこともあるし、逆にこどもを歌ってるのに大人の詩集に入れちゃうこともあるし。境目がすごい曖昧ですね。

山田　曖昧と言えば、「ことばがつまずくとき」。これは谷川さんが言語論を独自に展開した作品ですが、最近出た〈こども〉の詩集『すき』に入っています。

谷川　これはレオ・レオーニの展覧会のために書いた詩なんですよ。レオ・レオーニのいわゆる造形作品のために書いた詩だから、ちょっと異質なんですね。

山田　言葉を擬人化してさすがに言葉になりきるまではできないので三人称になってますが……擬人化された言葉が非常に辛い目に会う。

谷川　レオ・レオーニの造形作品を見てると、なんか言葉がこんなふうに見えてくるっていうことなんですよね。

山田　でも、詩集になるときには、絵は入らないわけですよね。挿絵としては入っていないですね。

谷川　もちろん。そんなにレオーニの絵について、というわけじゃないんですよ、この詩は。レオーニの造形作品を見ているうちに、なんかまあ、浮かんできた、っていえばいいかな。でもとにかく、あくまでレオーニの展覧会のための詩という意識で書いていました。

山田　いわゆるコラボレーション、詩画集のこととか写真詩集のことも少しお聞きしたいんですが。よく谷川さんは「つきすぎるとダメだ」とおっしゃいますね。例えば歌詞でも「まぬけなところ」がないと歌詞にならない。

谷川　そうですね。歌詞の場合はね。

山田　つまり詩として自立してしまうような詞は、むしろ歌詞としてはダメと。

谷川　ダメな場合が多いような気がします。

山田　それと同じようなことが、詩と絵の場合にもあるんでしょうか。だいたい谷川さんが後で言葉をつけた詩画集や写真詩集に傑作が多い、と僕は思っていますが。逆の場合には、残念ながら写真がつきすぎたり、絵がつきすぎたり。

谷川　そうですね。そうかもね。

●突然脱線『トロムソコラージュ』

山田　写真といえば、今度出た『トロムソコラージュ』の表題作にはご自身による写真が付いていますが、この詩集全体の特徴はやはり「新しい長編詩」という点にあると思います。全六編ですが、全部百五十行以上ですね。

谷川　そんなもんでしたね、うん。

山田　物語性への志向とか、具体的な意図があって、ああいう形にされたんでしょうか。

谷川　僕、詩を書き始めた当初から、叙事詩が書けないか、ってことはずいぶん考えていたんですね。で、北川冬彦さんが映画のスクリプトの形で書いていたし、それから、僕はあんまり読んでいないんだけど、叙事詩を書いている詩人も何人かいたんですが、どうも日本の近代現代の詩では、長い叙事詩はたぶん成立しないんだろうというふうに思っていて。まあそこから例えば、詩劇みたいなものもある程度書いたりしててね、だから長い詩というものに一種の憧れはずっと持ってたんですよね。だけど日本の詩歌の歴史の中でも、例えばダンテの『神曲』とかそういうようなものが現れていないわけで、せいぜい平家物語でしょう？　だからたぶん日本人の詩的な感受性の中に、長編詩ってものを受け入れる感覚が少ないんじゃないかと。

山田　もう小説にしちゃえばいいじゃないかということで。

谷川　それもありますよね。

山田　劇の場合だって、詩にしなくたって、近代演劇は散文で作ってますからね。

谷川　だから日本の詩の、つまり一番の精髄は、俳句とか短歌っていうところにある。

山田　短いほうですね。

谷川　うん、短いほうになってますよね。だから逆に書きたいなと思っていて、まあちょっと詩劇の形でも書いたし、それから〈こども〉の詩の中でも、「たかし」っていうのがありますよね。あれは父親殺しの、あれも一種の、僕としては叙事詩的な感覚で書いてるんですね。『トロムソコラージュ』の場合には、だからその叙事詩というよりも、なんかやっぱり自分が短い詩ばっかり書いていて、長い詩を書くにしても短い詩の組み合わせの組曲みたいな形でしか書いてないから、百行を超えるぐらいのね、わりと息の長い詩が書けないものか、っていう。なんか長さで発想してるんですね。あとはもうそのときの思いつきですね。

山田　それにしてもいろんな形の長編詩ですね。種類がすごいですよ。

谷川　それはやっぱりあの手この手使えなきゃ読んでもらえないっていうのあるから。

山田　表題作の「トロムソコラージュ」なんか、本当にもう道行き詩というか。

谷川　あれはもう相当アドリブですよね。

山田　しかも写真が入ってますね。ほかには、放送劇みたいな「問う男」。

谷川　そうですね、はい。

山田　あれなんかは、昔よく書いておられたラジオドラマのスタイルですよね。

谷川　そうそう、ドラマ的ですね。

山田　「ああ、あの引き出しから出してきたな」っていうふうに見えます。でも、書き下ろしの二編にはすごく驚いたんです。「臨死船」と「この織物」。どちらも非常に複雑な組み立てになってますよね。「この織物」なんかはかなり叙事詩に近いんじゃないですか？

谷川　いや、あれはどっちかっていうと映画のスクリプトですね、僕の感じから言うと。

山田　三代ぐらいに渡る物語ですね。

谷川　自分では意識してないんだけど、書いているうちに自然にそういうように動いていっちゃうんですよね、筋書きがね。小説家がよく言うように、登場人物がね、自分で動き出すみたいな感覚がありましたね。

山田　物語的っていうか。

谷川　そうですね。やっぱり物語的なものが自分の詩の中に知らないうちに紛れ込んできてるので、僕は物語と詩っていうのは常に対立させて考えていてね、自分はもう詩的人間で物語はだめなんだと思い込んでいたけれども、やっぱり何か物語的要素が入ってきても詩のためにいいんじゃないかな、みたいな意識はありましたね。

山田　そうするとこれは谷川さんとしてはかなり、新機軸ということになりますね。

谷川　自分じゃよく分からないけど、たぶん客観的に見るとそうですよね。今までだってああいうのはなかったです。『みみをすます』なんかは長い詩は何編もありますけど、あれは行脚は短いし、ちょっと叙事詩的とは言いませんん、言えません。

山田　その書き下ろしの二編が非常に新しい気がしたんです。「その織物」のほうは、なんかマルグリット・デュラスの小説のような読後感がありました。

谷川　ああ、なるほど。

山田　ひとりの人間の一生のドラマを、次の恋人が引き受ける、それからまた次の若い人に、という、かなり時間の長いドラマを、デュラスの場合、比較的短い小説、いわゆる本格的なロマンじゃなくて、ノベルで、書いていきます。非常に散文詩的なんですが、そのテイストが「その織物」に似ているなあと。

谷川　うん、なるほどね。

山田　これから谷川さん、次のことがまたどんどん出てきて……。

谷川　でもあの形でまた書くかどうかぜんぜん自信ないんですよね。

山田　でも「臨死船」なんてすごいですね。

谷川　あれは楽しかったです、書いてて。

山田　ついに臨死者にまで憑依したかって。

谷川　やっぱり死ぬことに興味がありますから、この年になるとね。そういう本も読んでるし。

山田　でも、それにしても臨死体験した人の一人称で詩を書いてしまうっていうのは……かなり化け物じみてきました。
谷川　そうかなあ。小説家はいっぱいそういうことやってるわけですからねえ。
山田　詩人がね、それをいろんな手で自由自在にやるとなると、なかなかこれまた侮れないないという事態です。すみません、〈こども〉の詩から離れた話になってしまって。

●『子どもたちの遺言』について

山田　今回一番新しい〈こども〉の詩集が出版されて、それがこの企画の直接のきっかけになったんですが、それが写真詩集なんですね。『子どもたちの遺言』。これは写真が先にあったんですよね？
谷川　そうですね、雑誌連載でしたから、写真が先でしたね。
山田　それに対して谷川さんが言葉でどう返していくかと。
谷川　はい、そうでした。
山田　読者は誰でも驚くと思うんですけど、掲載の写真の冒頭にまさに生まれたての新生児が写っていたりする。
谷川　そうですね。実際はもっと生々しい写真もあったんですよ。でも、編集部の方で自己規制したようでした。
山田　この写真に対して谷川さんが、新生児の視点からの遺言を書いています。
谷川　視点っておかしいですけれどもね（笑）。
山田　「生まれたよ　ぼく」って。生まれたばかりの子はもちろん言葉なんてもってないからこんなことは言えませんけれど、もしかして前世の記憶だとか胎教なりでそれなりの「言語」をもっていたとして、それを日

本語に翻訳したとしたらこういうことを新生児は感じて言っているのではないか、というように読者に思わせてしまう。少なくとも私はそう思ったということですから、これは詩的リアリティの視点から言えば「新生児に憑依して書いた」と言えるわけなんです（笑）。

谷川　そうですね（笑）！　だけどこれは「あとがき」にも書いたんだけれど、編集部から「谷川さんもお年なんだから子ども達に遺言とか残したらどうですか」と言われたときに、「いやそんな立派なことを言えるような大人じゃないから」と思っているうちに逆転の発想になっちゃったんですね。子ども達が大人に遺言する方が、ずっと今の時代にふさわしいんじゃないかと。大人がひどいことやってるんだから。それでわりと自然に、写真が手元に来たときに、子どもの一人称で遺言するっていう風にひっくり返っちゃったんですね。

山田　しかしその、「大人から子どもへの遺言」ではなくて、子ども達の視点の「子どもたちからの遺言」にするとき、大人である谷川さんが新生児に憑依して書くわけですから結局は「谷川俊太郎からの遺言」でもあるわけですよね。

谷川　ま、そうですよね。

山田　詩人の中にある新生児視線から世界へのメッセージというような。生まれたばかりの新生児がすぐに遺言するということには、いまの社会への批評性もありますし、世界はずっと続いてほしいというようなメッセージもありますね。おそらく大人の詩の中で書くと照れが出て来たり、ストレートには言えず茶化した感じだったり、アイロニカルな表現だったりしなきゃいけなくなるけれど、これだったら言えるような。

谷川　うん、それはありますね。

山田　このあと、この本としては、最後は成人式で終わるわけですね。子どもの詩でいうと真ん中あたりまでが今回のアンソロジーの中に入っているわけです。例えば、「一人きり」っていう詩があるんですが、写真を見ると、妹が生まれ、そこで読書しているお兄ちゃんがいて。これは明確なメッセージを放っているように思えます。よく谷川さんご自身がおっしゃっている「一人っ子」というところに繋がっていくと感じます。全体

について も言えるところかと思いますが、並べてみると、子どもの詩の中に淋しさというか孤独感というか、そういったものが漂っていますね。例の名作「さようなら」もそうですが、「ぼく」(『子どもの肖像』)という詩と『子どもたちの遺言』の中の「一人きり」はよく似ています。「半径百三十七億光年」っていっていますから、これは『二十億光年の孤独』への自己言及ともいえるし(笑)。いろんな要素が入ってるんですが、こういった〈こども〉の孤独をテーマにした詩には何か特別な思い入れみたいなものがおありですか?

谷川　特に思い入れはないけれど、自分が子どものことを考えた場合に、自分が一人っ子だったってこともあるし、やっぱり子どもにとって一人っていうのは基本的な存在条件だって思ってるから、どうしてもそういうことになっちゃうんでしょうね。僕は兄弟の味を知らないし、兄弟姉妹の面白さなんかも良くわからないから。

山田　兄弟、大人数の中で育ってたらまた違っていたんでしょうね。

谷川　かもしれませんね。でも、それでも生まれながらの感性で「一人だと思う」ってことはあり得たと思いますけれどもね。

山田　ええ、ただ違った形にはなっていたかもしれないですよね。

谷川　うん、なるんじゃないでしょうかね。

●意のままに取戻せる幼年期

山田　「おかあさん」(『はだか』)という詩なんですが、これほんとにドキッとするんです。どこへいってしまったの?　僕を残して、という。これなんか谷川さんがおっしゃっている「マザコン」で「母親がいなくなったらどうしよう」って、自分は「生きていけないんじゃないか」っていう、そのときの不安感がそのまま出ていますよね。やっぱりこどもの詩じゃないとここまでストレートには出せないのかなぁと。

谷川　そうですよね。書きにくいでしょうね。

山田　いま、一人っ子って少子化でいっぱいいるわけですし、子どもが、ふっと図書館でこういう詩を読むと「あ、これぼくのことといってるんだ」って感じる子がたくさんいるのではないかと思うんですよ。もう一つ不思議なのが、女の子一人称の詩を書かれてるじゃないですか。先ほどの一人っ子だったからという理由はわかるとして、「一人娘」だった経験はないでしょ（笑）？

谷川　（笑）あったら面白かったのにね。性転換したんですか？　とかね（笑）。

山田　『すき』の中に入っている「まり　また」ですが、谷川さんの憑依能力がよく表れている詩の一つなんですが、主人公は三歳くらいの女の子。書いているのが本当に三歳の女の子だとしたらかなりの天才少女ですが。

谷川　嫌なヤツですね。どっちかというと（笑）。

山田　（笑）「まり」はボールになりきって、最後は「わたしによくにた／つきにむかって」なんて。こんなことを言えるような三歳児がいたらほんと天才だと思うんですよ。

谷川　そうですよねぇ。

山田　だけどこれを書いているのは、まりに憑依している三歳の天才少女に、さらに憑依している七十歳の詩人なんですね。

谷川　（笑）憑依してるとかっていうのとはなんかちょっと違うと思うんだけどなぁ。

山田　なりきってません？　かなり。

谷川　全然、どこにもなににも、憑依なんてしてるんじゃないんだと思う。これも自分なんですよ。だけどそのメカニズムについては、どう説明すればいいのかはわからないんだけれども、まりの気持ちとか、三歳児の気持ちとか、そういうものではないと、自分では認識してるんですね。自分そのままだと。

山田　では自然に「まり」をテーマに書いたらその女の子語りになったと。

谷川　そうですね。「まり」だからね。

山田　意識して女の子にしたんでしょうか。

谷川　そこは言語ってものの問題だから、むしろ作者の人称だとかパーソナリティっていうよりも、日本語の問題として考えた方がいいんじゃないでしょうかね。日本語が「どういうふうに動くのか」っていうことだと思うんです。ぼくの意識の中では、そうなんですよね。ぼくは完全に言語上のことをやっているだけであって、自分の人格と関係のないことをやっていると思うんですよ。詩のほとんどの場合。

山田　言語機能として自動的に発動するような感じでしょうか。

谷川　もう自分が全然意識してないうちにこういうものができてるだけの話なんですけれどもね。それは日本語の言語のファンクションだと思うんですね。何でもできちゃう軽薄さというか。

山田　日本語ではこども言葉と大人言葉の区別がありますしね。英語やフランス語ではそうはならないですよね。例えば『ピーナッツ』のこどもたちが使っている言葉はそのまま大人の言葉にも大体繋がりますよね。ただ、それを日本語にするときに谷川さんは時々変えますよね、こどもらしい言葉に。

谷川　語尾やなんかをね。

山田　日本語の体系の中ではそうするべきだし、そうあるのが自然なんですが、英語にはそういうのが無いわけですよね。

谷川　無いと思いますね。

山田　どうなんでしょう、言語体系そのものがしっかり谷川さんの身体に染み込んでいて、そこから出てくるから、読者としては「なりきっている」とか「憑依している」とかいうふうに見えるってことなんでしょうか。

谷川　うーん。どういえばいいんだろうなぁ。

山田　例えば、意図的に見える場合と、天然で意識下から出て来たという場合の区別がうまくできないことが多いんです。

谷川　実際にはそこのところはもう、全くごちゃごちゃなんじゃないでしょうかね。

山田　「ごちゃごちゃ」って言われても（笑）ご本人でも説明がつかないようなところなんでしょうか。

谷川　（笑）いや、説明しろって言われて良く考えればある程度の説明は可能なんじゃないかと思うんだけれど、ただその、言語の働きに関わっているから、言語論だとか言語哲学を研究してる人が分析してくれるならわかってくるのかなって気はしますけれどもね。

山田　今度はそちらのほうのアプローチが必要になってきますね。

谷川　ただそれは広い意味では「詩学」の問題にもなってくるから。

山田　谷川俊太郎さんの一番本質的かつ重要なところを示すキイワードは〈こども〉だとやはり思うんですが、これはボードレールの「天才とは意のままに取り戻せる幼年期のこと」という定義にぴったり当てはまるわけです。幼年期の感覚、色と音と匂いと味覚触覚が一体になった、ある意味で未分化状態の感覚がいつまでも保存されていて、その原初感覚を意のままに取り戻す能力、といえばいいのでしょうか。意識的に、というのが難しくて。天然でいいのならこどもはみんな天才ということになるんですが、意識的にはなかなかできない。谷川さんはその幼児性を自由自在に操っているように見えるんですよ。

谷川　自分ではそういう「操っている」なんていう感覚はまるでないんですけどね。

山田　必ずしも「意のまま」というわけでもないということですね。

谷川　いや、つまり意識してないわけだからある意味で一番それが「意のまま」ってことなのかも知れませんね（笑）。

●詩が楽に書けるようになった

山田　例えば、書く時の姿勢とか方法があるんでしょう？　頭を空っぽにするとか、ゆったりさせるとか。

谷川　そうそう。

山田　それは意識的にされるわけですよね。あるときふっと向こうからやってくるなんてこともあるでしょうけれども、意識的に書かなきゃいけない時は。

谷川　はい。始めは意識的にもちろん準備をする。座るわけですよね。パソコンの前にね。

山田　その準備をしたって、書けない人は書けないですよ。

谷川　書けない時は、ぼくも書けないですね。

山田　それにしても自在に出てくる出方がまるで普通と違う。体験というしかないのでしょうか。

谷川　うーん。今みたいに楽に詩が書けなかった時期っていうのがありますね。『二十億光年の孤独』や『六十二のソネット』の頃は一番楽に書けてたっていうか、ほとんど意識しないで、意味もわからずに書いてました、みたいな（笑）。

山田　十四行って枠を作れば原稿用紙一枚でぴしっと埋まるみたいな（笑）。

谷川　そうそう、羊羹切るみたいに切って書いてました、みたいなときはあるんですけれど（笑）。やはりそれから子どもができたりして生活が大変だった頃は、注文が多くて書くのになかなか言葉が出なかったりしたことがあって、そのころ確か「レモンの搾りカス」って言ったことがあるんですけれどもね。それからここ十年くらいかなぁ。詩の出方が昔と違ってなんかすごく楽に出てくるようになってるんですね。それは多分自分の実際の生活の体験というのもあるし、呼吸法をやるようになったというのもあるし。

山田　それ、ポイントかも。

谷川　（笑）意外にポイントかもしれないですけどね。こっちが集まりに参加して、河合隼雄さんらに会って意識下のことなんかも教えてもらったりして自分が意識下というものを「意識」するようになったっていうことも多分あるだろうし。なんかいろんな要素で今詩を書くのが楽になってるんじゃないかなって思うんだけれど。

山田　ちょっと個人的な話になりますが、初めて谷川さんにお会いしたのがちょうど十年くらい前で、後に「沈黙の十年」といわれるようになった時期の終り頃だったんですね。
谷川　オーバーだなぁ（笑）。
山田　『世間知ラズ』（一九九三年）から『minimal』（二〇〇二年）までの間、ご自分からはあまり積極的には書かないでいた時期でした。
谷川　ま、ちょっと現代詩の世界に近づきたくなかったみたいな時代ですね。
山田　その『minimal』の後、今度は次々と詩集が出ましたよね。田原さんを介して谷川さんを大阪芸大の特別講演に初めてお招きしたのが二〇〇〇年の秋でした。
谷川　もっと前のような気がするけど。
山田　そうですね、前世からのような気もします（笑）。谷川さんが自在に書きはじめようとしていた頃からのおつきあいになるんです。ですから印象としては、谷川さんは昔からいろんな引き出しがあって、〈こども〉の詩も大人の詩も、ポップなものも難解なものも全部並行してやってきてる、みたいなね。
谷川　いや、全然そうじゃないですね。
山田　やっぱり時間差ってあるんですね。
谷川　そりゃあるし、ぼくは自分では意識してないけれども、振り返ってみてやっぱり、この辺はスランプだったんじゃないか、みたいなのはありますね。
山田　でも、この十年くらいについて言うと、もうほんとに楽に、呼吸するように詩が出てきてるんじゃないんですか？
谷川　「呼吸するように」とは言えないけれど、とにかく前よりかは楽で、ただ楽に出てくるからこそ「これでいいのか？」って気持ちはすごく強いですよね。みんなこのごろ批評してくれないじゃないですか（笑）。なんかぼく、持ち上げられちゃってさ、みんな褒めてはくれるんだけど、ぜんぜん貶してくれないっていう不満みたいなものがあるんですよね。だから自分ではこんなに楽々書いてて果たしていい詩なのかどうかって不安があるんですよ。

山田　やっぱり批評は、まず良いところを見つけてそれがどういう意味を持つかを評価しますから。私もいつもそうしています。

谷川　ぼくなんかも、確かにそうですね。

山田　そうすると、無視してるところは悪いところと思ったほうがいいんじゃないんですか（笑）

谷川　まぁ、そうなんですね。はい（笑）。で、どう悪いかって言ってもらわないと、ってわがままがあるんですよ（笑）。

山田　このアンソロジーは谷川俊太郎「〈こども〉の詩」名作集として自信を持ってまとめました。

谷川　じゃぁ、残りは駄作って思った方がいいんですね（笑）。

山田　いや、そういうわけではないです（笑）。例えば、この一遍の詩が生まれるためにはどうしてもこっちの作品も必要だった、ということもあると思いますし……。

●詩集『絵本』から絵本へ

山田　『子どもたちの遺言』は、写真が無くても詩として自立していると思います。

谷川　そうですね、朗読なんかするときに幾つかは成り立ってるな、という気はします。

山田　もちろん写真をみると、あぁ、なるほど、という感じではあるんですが。一旦コラボレーションしておいて、後で詩だけでもいいやと思うことは多いですか？　こだわらないというか。

谷川　それはぜんぜんこだわらないですが、これもやっぱり一種の意識下の選択というのは働いていて、写真と詩の本で、その詩だけを独立させて別の詩集に入れるとか、あるいはそれだけを朗読のときに読むとか、必ずやっぱり選んでますね。ただ、それを何故選んだのかってことについては、ちょっとうまく説明が出来ないと思いますけれどもね。

山田　朗読しても、詩そのものとして伝わるものを選ぶということですね

谷川　うん、自分で気に入ってるものを選ぶっていう感じね。

山田　かなり昔の詩集『絵本』（一九五六年）ですが、ご自身が撮られた写真に詩をつけていますけど、あれは写真の方が先ですか？

谷川　いや、あれは言葉が先でした。詩集を作るという段階で写真を選んでいった記憶がありますね。

山田　そうでしたか。後で文庫本とかに入れるときにはあまりこだわっていないですね。

谷川　今は写真と組み合わせる場合は相当意識してやりますね。だけど、あの頃は全然そういう意識が無くて、ただ写真と詩で「絵本みたいに作ろう」って単純な発想だったから。

山田　形は確かに絵本という感じでしたが。

谷川　うん、詩と写真の付き方、離れ方、レイアウトなんて、ほとんど考えてないです。

山田　武器を持たずに、素手というか。

谷川　そう、楽しんで自費出版しました、という感じでした。

山田　全詩集などで、やはり詩だけで私も納得して読んでたんですが、谷川さんから送っていただいた原本で写真を見て、やっぱりこれ写真がいっしょでなきゃ、と思いました。

谷川　あ、そうですか？

山田　逆に、写真の方がね、谷川さんのある種のポエジーを語ってるんですね。

谷川　ええ、それはありますね。

山田　写真で語ってる。詩は詩でそこで語っていて、それはそれで充実してるんです。それをまたさらに、写真でもう一回語ってるという印象です。そうすると、やっぱりこれ写真といっしょになった方が、より作品の価値がはっきりするのではないかと思って、ぜひその復刻版をと思っているんです。

谷川　まぁ、無理しないでください（笑）

山田　例えば、英語もつけるとか。

谷川　あぁ、なるほどね。

山田　詩集『絵本』は別にこども向けとかではないですね。

谷川　あの頃はそんな意識ないですよね。

山田　ただ「絵本」というタイトルでこの形をとったというのは予感的な感じがあって……。

谷川　そうですね、あの当時から興味があったんですね。映像とテキストの組み合わせに。

山田　その後ですね、実際に絵本を始めたのは。絵本という形には別の要素が入ってくると思うんですが、その中で言葉はできるだけ寡黙にしようという意識はありましたか？

谷川　絵本も、基本的な発想によるし、いろいろな絵本があるから……例えば、福音館書店の『かがくのとも』みたいなものだったら、編集部の人たちと相談して「何をテーマにし、何をこどもに対して伝えるか」ということで大体決まってきますよね。コップを一つ、ずっといろいろな角度から見てるような本を作ろう、みたいな。それから、もっと自由に、写真が先にあってそれに詩をつけるって場合もあるし。一概にちょっと言えないんですけれどもね。

山田　年齢にもよりますか？

谷川　年齢はあまり関係ないと思いますね。

山田　「あかちゃんから絵本」のシリーズって僕は好きなんですが。

谷川　あれは、もう年齢は関係なく要するに「赤ちゃんから」っていうのは編集部が言ってるだけの話で（笑）つまり逆に言えば「中年を赤ちゃんにしよう！」みたいなほうが、ぼくには強いですよね。

山田　あぁ、そっか、むしろ大人の「子ども化作戦」！

谷川　うん。あーゆう、全くナンセンスなものを見て読んで大人がどう反応するか楽しみ、みたいな感じですよね。

山田　この〈こども〉の詩についても、むしろ大人に読んでほしいですね。

谷川　ぜんぜん読者は選ばないから。むしろ、〈こども〉の詩でこどもにしか伝わらない詩だったらダメだっていう意識ははっきりしてますね。大人が読んで面白がってくれなければ子どもに作っても面白くないだろうっていうのはあります。

山田　ただ、どうしても出版社の売り方や宣伝の仕方の問題があって、児童書の棚に置かれてしまいますよね？

谷川　そう、置かれちゃいますね。

山田　例えば『すき』なんかは現代詩の棚にどーんと置いてほしい。でも児童書のところに置かれちゃう（笑）。

谷川　そりゃ、無理でしょうねやっぱり（笑）。でも、ぼくの詩をわりと読んでくれている人は子どもの詩だからって買うわけじゃなくて、私の詩集として買ってくれている。普通に読んでくれて買ってくれるわけだから、それでほんと満足なんですけれどもね。

山田　ぼくもまさにそうなんですが、そういうところでの評価はちゃんとしていかないと、現代詩がとても狭くなってしまいます。

谷川　うん、それはありますよね。だって、現代詩がまど・みちおをずっと無視してきたなんて、信じられないことですもんね。やっとこのごろになってね。

山田　そうですね、それでもまだ……。

谷川　まだね、いっしょに論じられないですよね。まぁ、鮎川信夫とまどみちおをいっしょに論じるって人、いないもんね。

山田　例えば、「現代詩手帖」でまど・みちおの特集がやれるか、と。

谷川　あ、今だったらやれると思いますけど……やれるとは思うけど、みんなちょっと腰が引けるでしょうね。

山田　それは谷川さんの〈こども〉の詩についても同様で、ですからこれまでにこういう企画はなかったわけです。

●子どもの歌／『はだか』／マザー・グース

山田　日頃おっしゃっている「詩はメッセージなんかじゃない」という宣言を、〈こども〉の詩でこそ、谷川さんにひっくり返してほしいと思っています。〈こども〉の詩からのメッセージを教えていただけませんか(笑)。

谷川　(笑)いや、〈こども〉の詩に限って……誰に向かってのメッセージなんですか？　こどもに向かってじゃなくて？

山田　いや、もう全体に。〈こども〉の詩でしか書けないメッセージがあると思うんです。

谷川　うん、まぁ、〈こども〉の詩と言ってもぼくは、最初はこどもの歌の歌詞から始めてるんですよね。当時、敗戦後で、芸大の作曲科に通っている同世代の友人なんかと「詩だけじゃどうも食えない」と。「歌の方がまだ金になる」みたいなことで、いっしょに作り始めたのが、多分〈こども〉の詩というジャンルの最初だと思うんですね。だから、歌詞ってことを意識していたから、一種の歌詞的な形がありましたよね。それで芸大の歌を歌う子なんかと自主的にコンサートを開いたりしてやってたわけなんですけれどもね。まぁ、大人の歌手が歌うわけですよね、童謡とは言っても。だから、最初からそんなにこどもってことを意識しないで楽しんでこどもっぽいものを書いてたって感じだったんですね。初めにいっしょに作ったのが寺島尚彦っていう「さとうきび畑」を書いて死んじゃった男なんだけれど、彼と随分書いてるんです。それから同じ世代の芸大の人たちともいっしょに書いてるんです。

山田　歌が出発点ということですね。北原白秋なんかとも共通する点があるかもしれないと思いますが。

谷川　そうですよね。あるかもしれません。ただ、「童謡」って言葉はずっと戦前からあったけれど、童謡と呼びたくなかったんですね。もっと新しいものを作るって言う気概に燃えてましたから。だから「新しい子どもの歌」なんていうタイトルで発表してたんです。

山田　『誰もしらない』とか『日本語のおけいこ』とかに入ってる作品ですね。

谷川　そうです。そういうものを書いたせいでもないんだけど、こどもの詩というものを本当に意識するようになったのは、随分あとになってからですね。こどもの歌の作詞の注文っていうのはぼちぼち来てはいましたけど、福音館書店の『母の友』で「ことばあそびうた」の連載がはじまったことがぼくの意識としては、なんか一番「始まり」って感じがするんですね。

山田　七〇年代に入ってからですね。

谷川　あれはもうほんとに現代詩の問題と関係してるんだけれども、日本語の音韻性みたいなものがどうにか回復できないかっていうような意識で、別にこどもを意識していたわけではないのだけれど、結果的にはこどもが喜ぶ絵本、みたいになっちゃいました。あの「ことばあそびうた」を書いてた頃はまだ、そんなに自分に内在してるこどもみたいなことを意識してなくて、あれはもう完全に日本語相手にして書いてました。だから最初はどうしても読者対象としてのこどもをみて書いてたっていう気がするんです。やっぱり大人の立場で書いてたんでしょうね。それがひっくり返ったのはやはり『はだか』（一九八八年）に収められた詩を書きはじめた頃ですね。

山田　佐野洋子さんと……。

谷川　そうです。あれはもう完全に佐野洋子の影響が非常に強いですね。自分の中に潜んでいる「こども性」ってものをどうにか言語化できないか、みたいな発想になってきて、そういう意識になってきたのは、佐野洋子が書いている自分の幼年時代の話とかそういうもののすごく強い影響がありますね。

山田　確か同じ頃に小説のようなものを書いてませんでしたか？　『ふたつの夏』。

谷川　あぁ、そうでしたね。光文社のやつでね、ありましたね。

山田　共著でしたよね。交互に書いていくというかたちで。
谷川　あの頃はもうケンカしてましたけどね（笑）。
山田　仕事でかろうじて繋がって（笑）
谷川　いやいや（笑）、繋がってなくってこっちが勝手に編集して勝手に絵を選んできてくっつけた、みたいな。そんなことやってましたね（笑）。それと『マザー・グース』の翻訳も大きいですね。あそこでわらべ歌的なものの形をいろいろ覚えたし、子どもの喜ぶ一種のリズミカルなものとかね、ナンセンスなものとかは随分マザー・グースから影響受けてると思います。
山田　『ピーナッツ』の影響はないですか？
谷川　あれはやっぱり大人のマンガですからね。こどものマンガじゃぜんぜんないから。
山田　でもこどもの世界の中にそのまま大人の世界があったりとか、
谷川　うん、そうですね。
山田　谷川さんの書かれているエッセイで、チャーリー・ブラウンは一体何歳なんだろうというのがありましたね。七歳にも見えるし、三五歳にも見えるし、七〇歳に感じる時もある、と。確か谷川さんが三五歳のときに書いたエッセイでしたが、あれ、まさに予言というか、今七〇歳を越えられて、そのままなってきてます。あの、「チャーリー・ブラウンとしての谷川俊太郎」というのをいつか書きたいと思うんです（笑）。
谷川　（笑）ぼく野球しませんからね。
山田　チャーリー・ブラウンは野球へタなんです（笑）。
谷川　多分、『ピーナッツ』のシュルツさんのユーモアのセンスに、ぼくは影響受けてるかもしれませんね。
山田　『夜中に台所でぼくはきみに話しかけたかった』……。

谷川　にも書いてるし、なんていうかな、ナンセンスに近いユーモアもすごく好きなんですね。多分それはシュルツさんなんかの影響もあると思います。
山田　辿ってみたらいろんなものがあって、それこそ童謡とか。
谷川　そりゃもう、エドワード・リアもあれば、ルイス・キャロルもあれば、みたいなことですね。
山田　いろんなものが合流してきて、そこに谷川さんならではの幅の広さとか、今という時代に出くわした偶然が必然になって……。
谷川　ね、きっとね。
山田　なおかつ、ずっと現役で書き続けてきて、それを発表する場所がしっかりあって、という状況も全部揃わなければ、いくら書いてたって人の目に留まらないわけですから。
谷川　それはそうですよね。ぼくの同世代の、例えば中江俊夫とかね、結構ぼくはこどもの詩とか絵本の分野に誘って、いろいろ書いてもらったりしたんだけど、いいものすごく書くんだけど、みんな長続きしなかったんですね。これは、なんだか良くわからない。注文が来なかったってことはもちろんあり得るんですね。だけどなんとなく、彼らがこどもを意識して書くことをそんなに重視してなかったということかなっていうふうに思います。

●詩人たちへ

山田　谷川さんから、若い世代の、これからの詩人たちに向けてのメッセージというのはどうですか。例えばまだ二十歳くらいの詩人は、幼年期をある程度意のままに取り戻せるわけですよね。まだ、そんなに経ってない。
谷川　うーん、どうなんでしょう、それはちょっと。ぼくは逆のような気がするな。自分がこどもの詩で、ある程度満足できるようになったのは、自分が大人になってきたことと比例してる気がしますね。『はだか』で、わりといい詩が幾つか書けたのは、あの段階で佐野洋子とのいろんなごたごたがあったおかげで、自分が成熟したんだと思いますよ。成長したんだと思うんです。それまでそんなに大人じゃなかったって気がしますね。

山田　成熟がないと、こどもの詩は書けないと。

谷川　うん、書けないと思いますね。

山田　そこは、なんかすごいポイントですね。

谷川　たぶん、そうだと思いますけどね。

山田　じゃあ、若手に限らずとも、これからの詩人たちに〈こども〉の詩へのアピールをして頂くというのはどうでしょう。

谷川　（笑）それは詩人に対するよりもマーケット、つまり出版社、雑誌社、編集者に、言いたいですよね。詩人たちの隠れた可能性を掘り起こして欲しい。これからの若い詩人たちに、冒険かもしれないけれど、そういうこどもをはっきり意識した詩を書くようなマーケットを作って欲しいと思いますね。

山田　書き手はいる、と。

谷川　それはわからないです。書き手に対しては、相当成熟した意識で、自分の意識下を探らないと書けないんじゃないの？　と言いたいですね。

山田　そう簡単ではないぞと。

谷川　まぁ才能がある人だったら、そんなこと言わずに……絵の世界での山下清みたいな人が出てくればすごいと思うけど……言葉の世界であういうことが可能なのかどうか。

山田　絵画は右脳ですからね、音楽の世界もそうなんでしょうけど、言葉となるとちょっとね、意味が伝わらないとしょうがないですから、それは左脳ですから（笑）。具体的にこの人に〈こども〉の詩を持続的に書かせたら面白いと思う詩人はいますか？

谷川　それはもう、ポップスの作詞家ですね。ポップスの作詞家はもちろん歌が売れれば生活がそれで成り立っちゃってるわけだから、多少暇があったらね、自分のスイッチを切り替えてこどもために書いたらどう？　みたいな。実際にUAとかね、そういうのを書いてる人もいるんですよ。でもなんかそれを大事に思ってなくて、ただ他の歌詞と同じように書いてる感じがするのね。そうじゃなくて、そこんとこちょっと区別してみたらどうかなって気がするんですけどね。

山田　まだ新しい詩の展開があるかも知れませんね。そういうことが実現すれば。

谷川　うん。矢野顕子が糸井重里と組んだなんてのは、すごく面白い動きだと思ったんですよね。

山田　今の、いわゆる「詩人」の中から出てくるのはなかなか難しいですか？

谷川　どうなんでしょう。今回の「びーぐる」でお手並み拝見みたいなとこありますよね。田口さんとか小池さんなんかがどんな詩書いてくるんだろうみたいな。

山田　書かれている段階では、この対談の内容はまだ皆さんご存じないわけですから（笑）。

谷川　（笑）マーケットがほんとにあれば詩人も弾みがついてみんな書くだろうと思うんだけれども、マーケットが無いっていうのが問題なんだよね。

山田　谷川さんにはそれはあるわけですから。

谷川　ぼくはもう五十年以上書いてるわけですからね。

山田　これからも〈こども〉の詩については、持続して書いていきたいという気はおありなんでしょ？

谷川　どっちでもいいんです、ぼく（笑）。

山田　あ、そうなんですか。

谷川　大人の詩だろうが、こどもの詩だろうが、注文があったら書くみたいなことで。なんの計画もないから（笑）。

山田　次の詩集の計画とかはないんですか？　今度『詩の本』が出るのは知ってますが。

谷川　『詩の本』以降は今のとこないですね。

山田　〈こども〉の詩を集めた詩集もですか。

谷川　うん、〈こども〉の詩として書いたものは別の引き出しに入れてあるから、それが貯まって一冊になりそうになったら出してもいいかな、みたいな感じです。

山田　その一部を今回提供していただいたということですね。早速読ませて頂きます。今日は長時間、どうもありがとうございました。

（二〇〇九年八月三十日、谷川邸にて）

第十一回三好達治賞授賞式第二部（対談）
（二〇一六年三月二五日、於・大阪中之島中央公会堂）

詩に就いて詩で語ること

谷川俊太郎／山田兼士

●はじめに――いきさつなど

山田　さっき数えてみたんですけど、十四回目なんですね、こういう形で谷川さんと。

谷川　えっ、山田さんと僕が対談するのが、十四回目？

山田　はい。ただそのうち十二回までは、ここに大きい人が――

谷川　あの、中国人？

山田　はい（笑）。あの方がいると落ち着くんです。今日はパネルでも持って来て立てようと思ったんですけど。

谷川　田原さん、ティエン・ユアンという中国人が、私の詩を中国語訳してくれて、しかも出版に尽力してくれて、いっぱい向こうで詩を出してくれてるんですね。田原さんも私の詩をよく読んでくれてる人だから――山田さん、あのころは彼は、大阪芸大？

山田　はい、大阪芸大講師でした。それで、谷川さんをお呼びしたいからということで話が始まって、文芸学科に秋になると来ていただいて、鼎談の形で、九年続いたんですね。

谷川　あの人、日本語上手くなんないですね、あんまり。

山田　だけど詩は上手いです。

谷川　詩はなかなか、日本人の詩ではない何かを持ってますね。

山田　詩を読むと、この人はすごいな、と思う。

谷川　日本語で書けちゃうってだけでもすごいですね。

山田　谷川さんの「かっぱ」を中国語に訳したっていうあれがまたね――

谷川　無益な努力だと思うんだけど（笑）。

山田　一年半かけたって。

谷川　そう言って威張ってんですよね。

山田　ちゃんと韻を踏んでいて。

谷川　一応ね。音的には面白いと。

山田　そういうお付き合いがありまして、今回が十四回目です、よろしくお願いします。通り一遍ですけど、まずは三好達治賞を受賞されて、改めていかがですか、この賞についてのご感想は。

谷川　僕はやっぱりいただくことにちょっとためらいがあったんですけどね、とにかく縁が深すぎるというかな……三好さんとは。だけど、やはり考えてみると、私の詩を世に出してくださった方だし、結婚の時に仲人的なことをしてくださった方だし、詩は本当に素晴らしい日本語だと思ってずっと尊敬してますし。人柄もね、実際に僕は新年にご挨拶に行っていろいろ話を聞いたりしたりして、朔太郎のことを「懐かしい人格」というように三好さんは書いてらっしゃいますね、僕にとっては三好さんが懐かしい人格だというようなところがあって。だからまあ、この歳になって照れくさいような気はするんだけど、三好さんの名前を冠した賞をいただけたのは、本当に自分としては嬉しく思っております。

山田　一九五二年、今から六十四年前の第一詩集、その時に三好達治が――、これはお父さんのお付き合いでもあったんですね？　徹三さん。

谷川　そうですね、父は哲学の勉強をした人だけど、わりと絵とか文学が好きで、文学者とか絵描きさんなんかに友達が多かった人で。

山田　詩人のお付き合いもありましたね。宮沢賢治全集の編集をされたり。

谷川　宮沢賢治には実際には会ってないと思いますけど、初期の発見者の一人ではあると思います。

山田　草野心平と、永瀬清子と、谷川徹三で全集を編集しました。

谷川　そうですね。彼は結構、若いころに詩を書いてたんですよ。

山田　そうらしいですね。

谷川　それでノートが残っててね、彼が死んだ後に、もしかしたらこれ、出してやったほうがいいかなと思って読み返したの。そしたらあんまり下手っぴなんでね、これはちょっと名誉にならないと思ってやめたんですよ。

山田　ちょっと前にお聞きしましたけど、古いとおっしゃってましたね。

谷川　今出しても若い人にはわからないだろうな、って。

山田　文語なんですか。

谷川　文語もありましたね。

山田　読んでみたい気はしますね。

谷川　じゃあ今度コピーしてお渡ししましょう。

●出発の頃――三好達治と谷川徹三

山田　三好達治について先ほどお聞きしましたけど、『二十億光年の孤独』の序詩が衝撃的でしたね。三好達治が一九五二年——戦後七年になって、全く無名の若者の第一詩集の巻頭に「この若者は／意外に遠くからやつてきた」というフレーズで始まって。不思議な詩ですね。

谷川 僕は本当に子供でね、値打ちがわからなかったというのが正直な感じですね。というより、『二十億光年の孤独』に収められた、十代の終わりに書いた若書きが、良い詩だなんて全然思ってなかったんですよ。判断がついてなかったの。だから三好さんがああいうのを書いてくださったことが不思議な気がしててね。ありがたい、というよりも、なんで？　という感じが強くて。

山田 『二十億光年の孤独』は十八歳のころに書かれました。出たのが五二年で、谷川さんは十二月十五日生まれですから二十歳なんですね。高校卒業されてまだ一年でしょう。

谷川 もうちょっと経ってたかな。高校をちゃんと卒業——定時制は一応卒業してたんだけど。

山田 私が聞いてるところによりますと、高校は卒業したけれど、大学受験するでもなく予備校行くでもなく——

谷川 いや、大学は受験しましたよ。

山田 あ、したことはしたんでしたね。

谷川 父親が大学の教師だから、受験しないのも。

山田 真っ先に出たとか。

谷川 東大を受けてね。誰よりも早く部屋を出たから、みんな驚異の目で私を見て、あいつはすげえ秀才だと思ったんじゃないか。

山田 白紙答案だったたっていう（笑）。——という話は以前伺いましたが。それで、お父さんが心配して、おまえ何やってるんだ、と聞いたところ、俊太郎さんは大学ノート三冊出して、こんなもの書いてるんだと見せた。それを見た徹三さんが○をつけたり×をつけたり？

谷川 そう、彼も詩を書いてた人だから、ある意味ではもちろんわかってたんだろうけど、○書いたり◎書いたり△書いたり×書いたりするんですね、僕の書いたノートに。そのころは若いしさ、何するんだこの男は、と腹を立てたんだけど、後になって見返してみたら、結構正確な評価でした。

山田　的確なんですね。

谷川　だから『二十億光年の孤独』の時には、父の書いた○×を参考にして、詩を選びましたね。

山田　それを持って徹三さんが三好さんのところへ行く。

谷川　たしか実際に行ってくれたような気もするんだけど、よく憶えてないんですよね。

山田　お父さんが息子の将来を心配して、知り合いの詩人に相談に行ったということですよね。三好さんは快く引き受けてくださったんですね。

谷川　そうですね。父は本当に親馬鹿でね、三好さんに私のノートを届けたら、翌日三好さんが来るって思ってたんだって、びっくりして。全然ピンとこないわけですよね、自分自身の評価がないから。だけど、翌日にはいらっしゃらなかったけど、数日中にご返事があったんじゃなかったかな。

山田　そうですか。萩原朔太郎が「郷土望景詩」を雑誌に出した時、芥川龍之介がそれを読んでびっくりして、近くにいた朔太郎の家へ寝巻き姿で駆けつけたって――

谷川　それ本当の話？

山田　そういうことがあったらしいんです。そういう文士の付き合いみたいな……お宅も近かったんでしょう？

谷川　当時、世田谷にもういらしてたと思いますね。でもそんなに近くはないですよ。

山田　谷川さんのお宅は、今もそうですけど杉並区で、わりと世田谷は近いですよね。

谷川　まあ隣の区ではありますけど。

山田　興奮して寝間着のまま走って行けなくはないぐらいの。

谷川　そうだったら良かったんですけどね。

山田　徹三さんにはそういうイメージがあったかもしれないですね。
谷川　どうなんでしょうねえ。
山田　ともかくそれで、三好さんは多分、びっくりされたんだと思います。知り合いの息子だから、というんじゃなくて。
谷川　本当に詩は読んでくださったんじゃないかな、と思うんですけれど。
山田　あの序詩を読んだら、本当に的確ですよね。後に谷川俊太郎宇宙人説なんていうのを、大岡信さんあたりが言い出したんですが、最初にそのイメージを作ったのは三好達治ですね。
谷川　そうかもしれませんね。遠くからやってきたっていうのはね。
山田　しかも詩集のタイトルが『二十億光年の孤独』ですから、これはもう宇宙の彼方からやってきた新人類なんだというようなイメージが、あそこでできたんだと思うんです。その後に大岡信さん始めいろんな人が、例えば「芝生」という詩を読んで、これは宇宙人の感覚だとか、宇宙的感覚だとか、いろんなことを言われるようになったわけです。だけど、やっぱり出発点は三好達治なんですよね。
谷川　そうですね、だからあの時代じゃなくて、もっとマスメディアが広まった時代に僕が『二十億光年の孤独』を出していたら、きっとすごいスターになっていたんじゃないかと思って（笑）。
山田　十分なってますけど。
谷川　テレビか何かで引張り凧になって……惜しいことした、もうちょっと遅く出りゃよかったな。
山田　もうちょっと後と言えば、むしろ「鉄腕アトム」じゃないですか。
谷川　ありゃ手塚さんだからねえ。
山田　世間的なブレイクということで言うと、あれは昭和何年でしたか、私がたしか九歳の時、元旦に鉄腕アトムのテレビ放映が始まったんですよ。夕方の六時半。裏番組が「白馬童子」だったんです。
谷川　よく憶えてらっしゃいますね。

山田　調べました。そうしたら、始めに不思議なオープニングの模様が出て、タラタラタラタラって変な音が聞こえてきて、いきなり「空をこえて〜」ってあれが始まって。その作詞が谷川俊太郎であるなんてことは、当時の子供としては知る由もない。
谷川　誰も知らないと思いますよ。
山田　そのことをずっと後になって知ったんですけれど。あのころから、歌への志向とか——
谷川　そうですね、出発が子供の歌の作詞から来てますから。
山田　三好達治は一九六四年まで存命でしたけど、そのあたりの話は谷川さんとされましたか。
谷川　さっき申し上げたように新年のご挨拶に行って、少し話して帰ってくる、わりと形式的な訪問しかしてないんですね。それで、飲まないかっていう誘いを僕が断っちゃったりしたもんだから、今悔しい思いをしてるんですけど。
山田　しかし考えてみたら当時、三好さんはもう六十近い大詩人ですよね。一方谷川さんは二十歳。
谷川　三好さんとしてはやっぱり、今の若いやつは何を考えてるんだろう、みたいなのがあったんじゃないかと思うんですね。
山田　そうですね。ただ谷川俊太郎が「今の若いやつ」の代表でありえたかはわかりませんが。
谷川　そうですね。
山田　何せ宇宙人ですから。
谷川　はい（笑）。

●受賞について——文学史的意義など

山田　それから六十数年経ちましてね、今だからこそ意味がある、みたいな……谷川さん自身がいろんな賞をこれまで取られてきて、萩原朔太郎賞の第一回が二六年前でした。それから鮎川信夫賞も第一回。今更、という雰囲気がなくはない。だけど――

谷川　僕が『六十二のソネット』っていう二番目の詩集を出した時に、読売文学賞の候補になったんですよ。そのころは、欲しかったわけ。

山田　そうなんですか。

谷川　そうですよ。やっぱり若いし。それで、石田波郷だったんですね、俳句の。それはもう当然、僕なんかより大ベテランなわけだし……

山田　じゃあ詩歌全般の。

谷川　そうです。だからあのころは、本当に賞が欲しかった年代だったんですけどね。

山田　ただ、その後わりと、賞はもういいやという感じになってきましたよね。

谷川　僕は、賞っていうのは若い人を力づけるためにあるっていうふうに思ってるんで、あんまり今までしてきた仕事に対して褒める賞っていうもんじゃないほうがいいって思ってきたんですね。

山田　随分前ですけど高見順賞を辞退されましたね。

谷川　あれは選考委員をずっとやっていて、ちょっと詩をたくさん読まなきゃいけないのに疲れてしまって、辞めさせてくださいと言って辞めたら、翌年に賞がきたんですよ。

山田　ああ――。

谷川　これはちょっと人がね、あいつは賞が欲しいから選考委員を辞めたんだと思うんじゃないかと思って、それで辞退したんです。

山田　あのころ、授賞が決まるまで本人に連絡が行かなかったってことですよね。

谷川　そうですね。

山田　今だったらたいてい最終候補に残った段階で、もし授賞が決まったらお受けいただけますか、って連絡があるでしょう。

谷川　なるほどね。

山田　あの高見順賞の時はなかったんですね。

谷川　なかったと思いますね。

山田　歴代の受賞者を見ていくと谷川さんの名前があるんですけど、（辞退）って書いてある。そういうこともいろいろありまして。ただ三好達治が亡くなってもう五十二年ですよね。今、文学史的な見直しとか、それこそ萩原朔太郎と三好達治の師弟関係もありますし、そういった文脈の中で、今だからこそ谷川さんが、三好達治賞をお受けになるということに、大げさな言い方になるかもしれませんが、文学史的な意義ということを私は感じています。そういう歴史的なことを普段あまり得意じゃないというようにおっしゃいますけど、文学史ということになるとまたちょっと違うと思いますので――

谷川　あんまり文学史的な発想ができない人間なんだけれど、やっぱり年取っていくと、年月が経っていくということのリアリティが、若いころと全然違ってきますね。

山田　やっぱりそうですか。

谷川　若いころだったら僕は三好さんのことを、何かそういう年月の経過の中で考えるなんてことは全然なかったと思うんだけど、今は本当にそういうふうに考えるようになって。というのはまた、同世代の詩人たちが次々亡くなっていくということもありますしね。ちょっと世の中の見方というか、世界の捉え方がだんだん変化してきてますね。

山田　変化というのは、責任とか――

谷川　涙もろくなってますよ。一種の感傷、センチメントというのかな、そういうものが出てきて、三好さんに関しても、三好さんが亡くなった時に僕はそんなに――がっかりはしたけれど、泣いたりはしなかったんですけどね、今になって逆に、三好さんがあの時亡くなったっていう――現場のことはよく憶えてるんですけどね。危ないって言われてすぐに世田谷の家に行った時にはもう亡くなってたんですね。すぐに家に電話してね、三好さん死んじゃったよー、なんて言った記憶がある。それでそんなに涙もろい人間ではなかったんだけど、今はなんていうのかしら、まあ寅さんなんか観ててもね、僕はあの時代っていう感じで観ちゃうんですね。やっぱり時代の変化がすごいんじゃないかと思うんですね。

山田　どちらかといえば乾いた抒情みたいなのがね、谷川さんの若いころからの一つの特徴として捉えられてきましたよね。それがだんだんウェットになってきたということもあるんですか。

谷川　ウェットなものを出してもよくなってきてるというのかな、それがなかったわけでもないと思うんですけど。

山田　作品にも出てるとお感じになります?

谷川　それは相当抑制して書いてるから、あんまり出てないんじゃないかと思いますけどね。

●「死んで行く友に代わって言う」

山田　ウェットといえば、例えば「死んで行く友に代わって言う」は、まさに死の瞬間の感傷ですよね。

谷川　僕あんまり実体験をベースにして書くことはないんだけど、それは武満徹が死んだ時に……得た印象が元になってますね。

山田　これ書き下ろしですから、随分経ちますね。何かモチーフみたいなものが先にあって――

谷川　それは全然なくて、初めはアドリブですね。ふと出てきた言葉があって、一篇の詩にだんだんなっていく。だから、最初はわりと短い時間である程度書くんですね。それから本当に長い間、コンピュータを見ては手直しして、推敲の時間が非常に長くなってます。

山田　今回、これ全部書き下ろしなんですよね。それで三十六篇。それがすべて詩に就いて。

谷川　そうですね。詩ってなんか信用できない、っていうのは僕の最初からのテーマですからね。

山田　昔、『詩ってなんだろう』っていうアンソロジーが――十数年前ですね、あれはアンソロジーということで谷川さんがいろんな人たちに……

谷川　ちょっと若い人たちとやってね、説明しようというみたいな気持ちがあったんですけど。

山田　あれが伏線になってる気がしたんですけど。

谷川　ちょっと同世代の他の詩人たちと違うのは、詩を疑う、言語、言葉を疑うというのがエネルギーになって書き続けてきた、――というところはちょっと他の詩人たちと違う。

山田　たしかに若いころから、詩に就いての詩というのは書いてますね。ただ、最初の『二十億光年の孤独』にはないですね。

谷川　そうですね、あのころはまだ本当に少年で。

山田　次の『六十二のソネット』になるともうすでに出ています。どの詩集にも必ずいくつか入ってますよね。ただ今回みたいに、三十六篇すべてに「詩」という言葉が出てくる、詩について語ってる作品ばかりを書き下ろしで纏めているというのは――詩について詩の言葉で語るという谷川流の詩ですよね――その集大成的なものと見ていいんですか。

谷川　集大成ではなくて、初めに『詩に就いて』という詩集を出そうと思っていたわけではなくて、何か書いてるうちに、詩に就いて詩で語るというのもちょっと面白いんじゃないかと、その発想でわりあい次々詩が、無理なく生まれてきたものだから、それで『詩に就いて』という一冊にしようと、途中から思ったんですね。

山田　今、武満さんの話を聞いてなるほどと思ったんです。これ、全部で十行だけの短い詩です。ちょっと読んでいただけますか。

谷川　はい。僕が、武満がもう危ないっていうことで病院に駆けつけた時には、奥さんが、やっぱり駄目だった、ってね。それで死んだ直後の武満を見た時、目尻に涙の跡があったのがすごく印象的だったんですね。その印象が元になって書いた詩です。

死んで行く友に代わって言う

君は見たはずだ
ぼくの右の目尻から
涙が細く一筋流れているのを

悲しみではない
悔いでも未練でもない
自分を哀れんでもいないし
自分に満足もしていない

ただぼくは深く感動していたのだ
自分の一生がそのとき
詩と化していることに

で、これ、武満の一人称になってるけど、別に武満がこう思ったかどうかはわからない。

山田　ええ、だけどこの、死んでいく武満さんに代わって谷川さんがこれを言ってるという、まさに瀕死の友人になりきるというか、憑依するというか――

谷川　そのつもりで書いた詩です。

山田　そういう形での、死と詩というのが一体化するみたいな、死の側にポエジーがある、なかなかこれは若い時には書けませんね。

谷川　書けなかったでしょうね。

山田　本当に具体的にそれがぴたっと重なってくる。詩に就いての詩というと私たちはすぐ、戦後詩の例えば「荒地」とか、吉本隆明とか、哲学的な内容、思想的というか、難解な作品を思いがちですよね。谷川さんの詩集についても、詩論詩という言葉で、詩を論じる詩として読んだことがあるんですけど、どうも「論」というのが当てはまらなくて、それで今回「詩に就いて詩で語ること」という対談のタイトルを考えさせていただいたわけです。やっぱり全部詩の言葉なんですよね。

谷川　そうですね、やっぱり詩っていうのは生き物であって、論になるとどうしてもそれを死体として扱うことになりかねない——ように僕は思うので、生きたままの詩っていうのをどうやって扱うかってなると、これはやっぱり詩で書くしかない、みたいな。

山田　なかなかそれができないのでねえ。

谷川　それはやりにくいことなんだけど、僕は若いころから詩を疑ってきたおかげで書けたんじゃないかな、と思います。

●「隙間」「苦笑い」「その男」

山田　本当に微妙なところで、この言葉使いは谷川さんじゃないと出ないな、というのがあって、冒頭の作品からして——私もいろんな詩を読んできましたけど、これには仰け反りましたからね。

谷川　ええ、本当？

山田　ええ、「隙間」っていう詩ですけどね、「チェーホフの短編集が／テラスの白木の卓上に載っている／

そこに何やらうっすら漂っているもの／どうやら詩の靄らしい／妙な話だ／チェーホフは散文を書いているのに」と、こうなんですよね。「詩の靄」！　たしかに、チェーホフのある種の短編がポエティックというか、ポエジーがあるということは感じます。だけど、「詩の靄」という言葉使いはね。

谷川　まったくつまり、詩論ではない「詩に就いて」ですからね、どんなに曖昧になっても、どんなに多義的になってもいいんじゃないか、と。

山田　だけど、妙にリアルに伝わるんですよ。

谷川　あ、そうですか、嬉しいです。

山田　チェーホフの詩の靄と言われると、最初は驚いて、それからなるほどねえ、と思う。で、「妙な話だ／チェーホフは散文を書いているのに」ってこれなんか、一種の冗談だと思うんですけど、何食わぬ顔をして、散文だけど詩だよ、という大事なことを、三行で言い切っている。ほかにも、例えば、詩を擬人化してる作品が面白いですね。先ほどのもそうですけど、「詩よ」という、詩に対する呼びかけ、これなんかは明らかに擬人化ですね。

谷川　そうですね。捉えにくいものだから、あの手この手で詩を捉えよう、みたいなところがありますね。

山田　「苦笑い」なんかも、人類が滅びてしまって核戦争があって、それでもポエジーは……

谷川　詩は残ってる。

山田　活字もフォントも溶解して、最後の「世界は誰の思い出？」という疑問文が怖いですね。で、「詩はホロコーストを生き延びた」と、すごくさり気なくですけど、例のアドルノの言葉を踏まえてるんですよね。

谷川　そうです。

山田　「アウシュビッツの後で詩を書くことは野蛮である」っていう……でもそれでも生き延びたじゃないか……すごい回答ですね。

谷川　僕また最近、そのアドルノの言葉を引いてもう一つ書いたんですよ。短い詩なんですけど。

山田　そうですか。

谷川　それは要するに老詩人がね、文学賞をもらって演説してるんですね。まず彼はアドルノを引用して、アウシュビッツ後に詩を書くのは野蛮だと言っているけど、詩人には野蛮人の一面があったほうがいい、とその老詩人は言うんですね。僕はそういうふうにアドルノの言葉を読んでるところがある。

山田　私もそう思っています、つまり野蛮だと知った上で詩を書くことの認識を言ってるのであって、詩を書いちゃいけないとは言ってないですね、アドルノは。

谷川　野蛮というのは生命力があるってことですからね。

山田　そんなことまで人間はやっちゃったんだという、それに対する批判ももちろんあるんですけど、認識の深さの問題ですね。そこを谷川さんは「ホロコーストを生き延びた」と一行で言ってしまう。次に、「核戦争も生き延びるだろう」なんて近未来を書いちゃう。しかも苦笑いしている。それから対応して、「その男」という詩があるんですね。これは、逆に詩の起源を探る——「ビッグバンの瞬間に／もう詩は生まれていた／星よりも先に神よりも早く」。「その男」というタイトルですけど、そういう詩論を展開するのが「その男」なんですね。谷川さんとはイメージが違う、いかにもサラリーマン風の……どうも四元康祐じゃないかという気がして……

谷川　いやいや（笑）、ちょっと違う、もうちょっと見知らぬ男で。

山田　ところがその男が語ってる詩についての考えというのは、まさに谷川さんなんですね。

谷川　そうですね。僕がそういうふうに託しちゃう、というのかな。

山田　他人事のように「男はバーボンをお代わりする」なんて言いながら、実は自説を展開してらっしゃいますよね。で、「詩」が書いた——つまり人間が書いたんじゃない、これは「詩」が書いた言葉だという。「詩」というのは自立した何かであって、私が書いたり誰かが書いたり、ましてやオリジナルの何かとか、そういうことではないと、これは若いころからの谷川さんの主張と重なっていますね。ネガティブ・ケイパビリティとか、ノンセルフとか、その延長と考えていいんでしょうか。

谷川　だと思います。自分の中にそういうものがあるから書けたんじゃないかと思いますね。

●「同人」の二人

山田　「同人」という詩についてお聞きします。たしか谷川さんが、四元康祐さんと『現代詩手帖』で対談されてて、その時に虚構の枠組みを使った詩だっておっしゃっていました。詩の同人が何人かいて、その中に「彼女」と、「私」と言っていいのか、「僕」と言っていいのか、二人がいるんですね。すごく情景的なイメージで、良い詩だなあ、と思って。
谷川　そうですか。
山田　皆さんに紹介したいので、お読みいただけますか。さっきよりちょっと長い詩です。
谷川　僕も『櫂』という同人誌を大岡信さんなんかと一緒にしていて、詩の同人というのはある程度雰囲気は知ってるんですね。これは『櫂』とは全然関係がなくて、この二人は男と女なんですけど……できちゃったんですよ。そのできちゃった二人がちょっと離れたところにいるっていう設定です。

詩を言葉から解放したい
と彼女は言う
漂白されたような顔で
じゃ踊れば？と私は言う
肉体は恥ずかしいと彼女
都合よく大空を雁が渡って行く
あれが詩よ　書かなくていいのよ

書くと失われるものがあるのはたしかだが
草の上にシートを敷いて二人は寝転がっている
他の同人たちは下の川に釣りに行ってる

天から見れば私たちは点景人物
誰が描いた絵なんだろう、この世界は
型通りの発想も時には詩を補強する
結局言葉なのね　何をするにも

——これはもちろん女の言葉ですね。

唇は語るためだけにあるんじゃない

——これは男ですね。要するにキスしたいわけです。

まだおにぎり残ってるわよ

——と女は躱すわけ。男は、

食べるためだけにある訳でもない、

――って、どうしてもそっちのほうに持っていきたいわけです。で、

愛でもっとも素晴らしいものはくちづけ……
とトーマス・マンは書いている

――って、トーマス・マンを引用しちゃうんですね。本当にトーマス・マンが言ってるらしいんですけど。そうして一生懸命口説いてたら、

おおい！と誰かが下から呼んでいる

――と他の同人が声をかけてきたので、それはもうできなくなったという、そういう話です。

山田　ありがとうございます。解説付きで。

谷川　俗っぽい詩でしょう。

山田　これねえ、虚構とおっしゃるけど、どうしても『櫂』の同人のイメージが浮かんじゃうんですよ。

谷川　それはちょっと困りますよ。僕は『櫂』の会で恋愛関係になった人はいませんよ。茨木さんみたいな美人はいたけど。

山田　「肉体は恥ずかしい」とかどうしても衿子さんに見えてしょうがないんですよ。

谷川　衿子さんはそんなこと絶対言わないです。あの人は絶対肉体は恥ずかしいと思ってないと思う。

山田　「あれが詩よ、書かなくていいのよ」なんて衿子さんが言いそうな気がしてしょうがないんですよ。

谷川　まあ、生活詠もあるわけですからね、言ったかもしれない。とにかく全然『櫂』の会とは関係がないです、残念ながら。

山田　最後のほうで「おーい」と呼ぶのが大岡信だったりして、と読んでるんですが、そうじゃないんですね。
谷川　週刊誌的な発想はしないでください（笑）。
山田　そういう解釈もさせるぐらいの多様性があると。
谷川　後世はきっとそういう解釈をしちゃうでしょうね。
山田　はっきり否定されたということは今ちゃんとお断りしておきます。
谷川　そんなに生に現実に即して書きませんから。変形してますから。
山田　それが、変形すればするほどリアルに近づいていくのが、不思議ですね。『六十二のソネット』の「62」なんかまさに――
谷川　あれは岸田衿子さんとの関係をちゃんと書いてましたね。
山田　「私に始めてひとりのひとが与えられた時にも」という瞬間の感情が実に瑞々しい。
谷川　でもすぐ書いたんじゃなくて、ある程度年月を経てから書くというのが詩の面白いところですね。
山田　そう年月経ってなかったでしょう。
谷川　あれはね、まあそんなに。
山田　あれ五三年ですよね。たしか結婚されたのは……それより後ですか。
谷川　後じゃなかったかな。
山田　『櫂』より前ですよね。
谷川　はい。

●『あたしとあなた』より「詩集」

山田　いろんなことが結びついて、思わず余計なことも言ってしまってすみません。もう一つ別の詩集ですが、

『あたしとあなた』、これは『詩に就いて』から二、三ヶ月ぐらい経ってからの刊行ですね。

谷川　そうですね、ほとんど並行して書いてましたから。

山田　『詩に就いて』は思潮社からの書き下ろしで、こちらはナナロク社という東京の小さな出版社で。装幀がとても素敵ですね、工芸品みたいな。

谷川　みんな装幀で買ってるんだろうって。

山田　名久井直子さんという。

谷川　売れっ子の装幀家ですね。

山田　紙がまた独特ですね。

谷川　そのために漉いたっていう。そんなお金がある出版社じゃないんですけどね。

山田　実はこれも書き下ろしで、三十七篇なんですけど、最初の序詩を除くと三十六。しかもこちらは三章立てになっていて、『詩に就いて』も章立てはしてないけど、ゆるやかに目次に一行空きがあって、十二×三の三十六なんですね。

谷川　そうでしたっけ。

山田　意識されたんですか。

谷川　いや、意識してませんでした。

山田　偶然ですか。でも、多分並行して書かれてますよね。

谷川　そうですね。

山田　「あなたとあたし」ということなので、言ってみれば「詩に就いて」と対照的な詩集です。世界中どこにでもいる「あたし」と、誰にでも当てはまる「あなた」。「あたし」ですから女性の一人称ですけど、「あなた」というのが何か、詩の精霊みたいに見えてくるところがあったり。同時に書いてるかな、と思ったのが最後の「詩集」という詩で、これがまた衿子さんと俊太郎さんと賢作さんに見えて。

谷川　なんで〜（笑）。
山田　これすごく良い詩なんですよ。『あたしとあなた』なんですけど、最後になぜか「詩集」という作品が入ってる。これ、むしろ『詩に就いて』のほうに入ってもよかったようですが。
谷川　そうですね、ダブってるところがあるんですよね。ただこの『あたしとあなた』は、書いてるうちにこういう短い行でちょっとお話が入ってて、『詩に就いて』みたいな固いことは何も書いてない、そういうスタイルが良いと思ったんですね。そういうスタイルが生まれたわけですね。あるスタイルが生まれると、そのスタイルで書き続けて一冊の詩集になるということが多いんですよ。これもそうなんです。
山田　この場合は、「あたし」という女性一人称、年齢的にも随分若い、高校生ぐらいだったり、かなり年配だったり、いろんな「あたし」。
谷川　自由ですね。
山田　「あなた」もいろんな「あなた」が出てきて、何か詩人みたいな「あなた」も出てきますよね。そうすると『詩に就いて』と重なってきます。
谷川　そうですね。
山田　ただ、文体とかスタイルはまるで違う。違うタイプの詩集を、時期を接して出すという荒技は、わりと若いころから谷川さんの得意技ですよね。
谷川　まあ得意技というか、高見順賞の候補になった時の『夜中に台所でぼくはきみに話しかけたかった』というのと『定義』というのは、本当に意識的に同時に違う出版社から出しましたけど。
山田　一九七五年ですね。
谷川　今回はそこまで意識的に二つの出版社から出したわけではなくて、違う書き方で書いたから別の出版社から出そうという、その程度です。
山田　でもどちらも書き下ろしですから、同時に並行して、限られた時間の中で完成したということですね。

谷川　あんまり意識してないけど、わりと自然に詩が書けるようになってたもんだから、嬉しくて書いちゃったんですね。
山田　最近そういうことをよくおっしゃってて、なんか書けてしょうがないからって。
谷川　それはちょっとサービス精神で言ってるんですけどね（笑）。
山田　では、『あたしとあなた』の「詩集」という作品、これをお読みいただけますか。
谷川　はい。僕は三回結婚して三回離婚してるんですよね。みんなそのことをよく話題にしてくれるんですけど。
山田　よく存じております。（笑）
谷川　僕にとってはその三人ともがもう亡くなってるということがすごく大きいんですよ。
山田　そうですね。最近亡くなられて。
谷川　だから年月の経ち方っていうのがね、同世代の詩人が亡くなっていくっていうこともあるけど、僕にとっては結婚した三人ともが逝ってしまって僕だけが残ってるっていうのが、なんて言えばいいのかね、よくわかんないんだけど、感慨無量とでも言うしかなくて、それと三好さんのことはどこかで接してるわけですよね。だから年取ってきた時の感性が、若い時と随分違うんだな、と思ってね。

読んだ？
と
あたし
あと少し
と
あなた

詩が
からだに
溶けてゆく
漢方薬みたいに

あなたの
息子が
駆けてきて
あたしの
膝に
乗った

頁の
外にある
弾む
詩

山田　ありがとうございます。「詩が／からだに／溶けてゆく／漢方薬みたいに」。さっきの「詩の靄」にも驚きましたけど、漢方薬かと。最後にはたぶん二歳ぐらいの子供、「駆けてきて／あたしの／膝に／乗った」、それが言葉の外にある詩――つまりその幼児が――

谷川　そのものの命がね。
山田　それが詩だということですね。これは参りました。
谷川　ありがとうございます。実話じゃありませんからね。
山田　駆けてきたのが賢作さんに見えて仕方ないんです。
谷川　はっはっは（笑）。もう賢作も孫がいるんですから。
山田　今はそうですけど、それこそずっと若い頃に軽井沢の別荘のデッキのあたりで、別れたけれどお付き合いのある衿子さんが隣に住んでいて、お茶なんか飲みに来て、詩集読んだ？　って言われてもう少し、って。そこに賢作君が駆けてきてですね、膝に乗っかって——
谷川　山田さん、じゃあ私の死後に私の映画作ってください（場内笑）。
山田　そういう妄想が湧くぐらいリアルだということを申し上げたくて。

いい加減さと変幻自在さ

谷川　なんか僕は、現代詩がつまんない理由は筋とか、登場人物のドラマがないところにあると思ったんで、『トロムソコラージュ』のころからそれを意識し始めてきて。それでいろんな人が出てきたり、プロットがあったりする詩を書くようになったんですね。
山田　『トロムソコラージュ』というのは谷川さんにしては珍しく、長篇詩で。
谷川　わりと長い詩ですね。
山田　六篇を並べて。普段から長いものは嫌いだから書かないと宣言してきたのがここへきて長篇詩人に。
谷川　わりと長いものも書けるようになった。
山田　新潮社でした。五年ほど前。それから、「私」なんてものはないんだ、と主張し続けてきながら、ある時突然『私』という詩集が出て、「自己紹介」なんていう詩を書いて。なんだか予想を裏切るような、そういうことがありました。わりとお好きなんでしょう、そういう仕掛けというか――

谷川 簡単に言えば年取っていい加減になってるんですね。

山田 いい加減なんですか。

谷川 はい。やっぱりなんかこう、若いころは厳密に考えて、こうしちゃいけないとか、ああしちゃいけないとかっていうのがあったんだけど、――年取って頑固になる人と、いい加減になる人とに分かれるんですよ。僕、頑固になった人も何人か知ってますけど、そういう人たちは細かいことに気を使ってね、怒るんですけど。僕は何にでもわりといい加減になってきて、詩にもそれを投影してるんじゃないかと。

山田 いい加減っていうのも言葉の綾ですけど、例えば谷川さんの特徴として、いろんな年齢のいろんな人物になりきる技がありますよね。これはいつもお話しする時に使うんですけど、ボードレールの有名な言葉で、「天才とは意のままに取り戻せる幼年期のこと」。「意のままに」というところが難しくて。お酒飲んで夜中に、ふと十七歳ぐらいの時の気分になって、ワンフレーズ書ける、ぐらいのことは、まあ私なんかでもあるんです。だけど、今日は三歳の女の子になって書いてみよう、って「まり」なんていう詩を書く。こういうのはなかなかできない。この中にもあるんですよ。「十七歳某君の日記より」。こういうのは十七歳の少年の気分で書くんですよね。

谷川 書いてる時は、そこまで感情移入して書くんじゃないですね。もうちょっと離れて書いてますね。つまり十七歳という年齢は、いろんなジャーナリズムにもあるし、小説にもあるし、それから自分の実体験としての十七歳もあるでしょう。そういういろんなものから、そういうフィクションが生まれてきてるんじゃないかな、と思います。

山田 この作品、短い連作になってましてね、三行から五行ぐらいの。それが十篇ぐらいあって、それぞれ「～の日」、「～の日」と付いていて、その日のその十七歳の少年の心象スケッチ、もしくは日記みたいなスタイルなんですけど、とてもリアルです。ちょっとだけ紹介しますと、「なんでもない日」というのがあるんですね。

雪女がいるのなら、詩女がいてもいいじゃないか。詩女は人見知りでいつも物陰に隠れているけど。性質は暗くない。むしろ明るくておっちょこちょいだ。そして意外かもしれないが無口だ。言葉を口に出すまで時間がかかるので、苛々せずに待っていなければならない。

――これなんか谷川さんの詩についての考え方ですよね。

谷川　自分の気持ちが入ってますね。

山田　「詩男」というのもありましたね、昔。

谷川　田村隆一がモデルの。

山田　それから「黄色い詩人」というのがありましたね。

谷川　あれは一種の自画像ですね。

山田　『21』という、一九六二年の詩集ですけど。今度は「詩女」なんていうのが出してきて、そのキャラクターを書くんですよね、意外と無口だとか。詩というのをそういうふうに捉えてる。でもこれが、いかにも十七歳の少年の口調なんですね。内容は現在の八十四歳の詩人なんですが、この感覚とか口調とはそのまま十七歳。こういう感じは、以前に言語的なものとおっしゃいましたけど、何かコツみたいなのがあるんですか。

谷川　やっぱり大人になりきらないということが、わりとクリエイティブな仕事をする人には結構多いと思うんですね、絵描きさんとかね。僕なんかでも、本当にそういう自分の中の幼稚な部分というのを失わずにいる、というのがあるんですね。だからそれは意識して書くわけではなくて、自然に自分の中にあるものが出てくる感じなんですね。

山田　その「自然に」というところが不思議なんです。無意識的にとも言いますけど、やっぱり、今日これから詩を書こう、ってコンピュータを立ち上げて——

谷川　そうなんですけど、先に言葉が出てきますね。詩を書こう、よりも前に、ある一行が出てくる。その一行に引かれて次の行が出てくる。で、そうやって書いてるうちに、これは子供の言葉にしたほうがいいから、ということで書き直したりとか、推敲したりとか、そういうふうにわりとダイナミックに、書くプロセスが動いてるんですよね。僕は息子がジャズミュージシャンであるせいで、ジャズのアドリブのコラボレーションというのにすごく憧れてるところがあるんですね。詩もね、相当アドリブ的になってるんですよ。

山田　若い頃からジャズのことは意識されてましたよね。武満徹もまあそうですし。

谷川　そうですね、「今日のアドリブ」とかもそうなんだけど、あの頃と言葉の出方が今、全然違いますね。あの頃はもうちょっと考えて、きちっと書いてたんだけど。

山田　最近たまたまある雑誌で、「谷川俊太郎とジャズの話」という短い文章を書いたんですけど、その時調べてみたら、やっぱり『21』というやや実験的な、思潮社から最初に出た詩集に出てきました。あの詩集は三部構成で、第一部が普通の抒情詩、第三部はバッハなんかが出てくる散文詩で——で、第二部が、いろんな実験的な。

谷川　「今日のアドリブ」。

山田　マイルス・デイヴィスが出てくるとか。

谷川　あれは関西の放送局から、ラジオでジャズで共演しろって言われて書いた詩なんですよ。放送されたかどうかよく憶えてないんだけども。

山田　あの言葉遊びみたいなフレーズ、あれもその後の「ことばあそびうた」を先駆的にやってますね。

谷川　そうですね。つまりノンセンスというものも詩にとっては大事なんだということを、まだ意識をしてはいなかったけど、あのころからそういう方向に行ってる詩がありますね。

山田　「スキャットまで」とか、今読んでも楽しいんですね、「ジャズつてるジャジャジャンザは」って。

いう。

●能と詩劇と小劇場

谷川　こないだ京都の能舞台でね、「竜成の会」っていうのに出たんですよ。能舞台ってこっちは本当にビビるんですけどね、まあマイク使わせてもらったから。それでその能の役者さんは若い方で、「鍾馗」っていう能をやって、それから「悪太郎」っていう狂言が入ってきて、そこに僕の「ひげ」っていう詩が入って、っていう。

山田　ということはその詩を、能の発声で——

谷川　そんな、できません、自分で読んだんですから。自作朗読で。

山田　ああ、そうですか。創作能みたいな——

谷川　それはまたね、前に大岡信が始めた観世の銕仙会ってのがあって、そこじゃ能役者が現代詩を読んでくれたり、狂言の方が詩を読んでくれたり、いろいろ面白かったんですよ。

山田　結構、詩人は能が好きな人が多くて、どっちかいうと歌舞伎より能なんですよね。

谷川　だってあれ、本当に詩劇、詩のドラマだもの。

山田　高橋睦郎さんとか。

谷川　新作も書いてますね、彼。

山田　私も最近ちょっとだけ能を鑑賞するようになって。

谷川　あ、本当。

山田　詩だなあ、と思いましたね。しかも全部象徴詩ですよね。全部がシンボルでできていて。

谷川　本当にポール・クローデルはだしの詩劇ですよね。

山田　谷川さんご自身は、そういう創作に関わってることはないんですか。

谷川　僕は若いころラジオドラマで生活費を稼いでて、そのころからもう詩劇というのは問題になってたんですね。福田恆存さんなんかは随分詩劇について書いてらしたし。福田恆存さんは実際に舞台に詩劇を書いてらしたのね。で、われわれ『櫂』の同人なんかがラジオドラマで稼いでいたころは、詩劇を目指していたけれどもなかなか詩劇にはならなかった、という印象で。そのころから詩劇ということはずっと気にはなっていたんです。

山田　ラジオドラマにはなるけれど――

谷川　詩劇に近いものは書けるけど。

山田　音だけですから。

谷川　理想としてはほら、ギリシャ悲劇とかお能があるわけだから、到底そんな高いところに行けませんでしたね。

山田　川崎洋がかなり当時……

谷川　彼はすごくラジオ作者としてはね、多作で。

山田　相当詩的なイメージを劇でやってたように記憶してますけど、でもそういう時代じゃなくなってきましたね。

谷川　寺山修司とかね、そういう人たちが小劇場で、ほとんど詩劇に近い演劇をするようになっちゃったから、それでもう詩劇っていうものはそこに収斂してしまったという感じですね。

山田　ひところの小劇場のブームとか、ある種の実験劇とか、そういうところに吸収されてしまった、元々は詩から始まったはずのことが。

谷川　発想の元は詩であるっていうことはありますね。

山田　それを奪回してくる方法はないですか。

谷川　別にそういう必要はないんじゃないでしょうか。演劇として面白ければね。

●今後の展望、予定など

山田　こういう機会ですから、これからの詩の展望とか希望とかお話し頂けませんか。谷川さんご自身がまだ現役で、間違いなく百歳までは詩集が出続けると思いますので……
谷川　そんなこと言われると途中で死んじゃ悪い気がして、責任感じちゃいますけど。まあお先真っ暗ですね、詩に関しては。自分も何書くんだ、が全然わからない。何か書き始めてみて、あ、こういうの書きたいんだ、と。それで書けたら一冊の詩集になる、そういう感じで、だからこういうふうにしたい、とか、そういうのはほとんどないんですね。
山田　ただ、ふっと出てきたものは書いておきたい。
谷川　そう、ふっと出てきたものが一番詩としては良くなる可能性があるから、それはベッドの中で思いついたら、眠い目こすってマックで打つみたいなこと、やってますけどね。
山田　そこまでされますか、メモするぐらいじゃなくて。
谷川　僕は字を書くのが嫌いで打つのが好きだから、無理やり起きて打ってるわけですけど。もちろん二行とかそんなもんですよ、いっぺんに書くわけじゃないです。なんかそれで始まりそうだったら、メモしますね。その日の朝起きたら続きを書くみたいな。
山田　朝起きたらできてたってことはないですか。
谷川　ないですね。
山田　相当意識的な推敲をずっとされている。もう一つ、最後に「おやおや」という詩があります。これはまた非常に洒落たエンディングだと思いますので、お読み頂けますか。
谷川　はい。谷内修三さんっていう福岡の詩人がね、すごく面白い詩の読み方をして、私の詩集一冊を何か書いてくれたんですね。

山田　『こころ』ですね。

谷川　この「おやおや」についてもネットで書いてくれてるんですね、いっぱい。

一日外で働いて帰ってきたら
詩がすっかり切れていた
ガソリンではないのだから
すぐ満タンという訳にはいかない
落ち着いて待っていれば
そのうちまたどうにかなるだろうと考えたが
気がついて見ると私は詩が切れていても平気なのだった
おやおやと思った

山田　詩が切れていても平気なのだった、という発見ですね。

谷川　僕はほら、音楽に目覚めるのが先だったわけですよ、詩よりも。音楽で感動ということを覚えて、それから宮沢賢治なんか読みだして詩にも感動するようになったんですけど、音楽のほうが自分にとって大事なんですね、詩よりもね。だからこういうことも出てくるんじゃないかな、と思いました。

山田　今回の詩集で言うと、重要なキーポイントとしては沈黙、寡黙、静寂。本当のポエジーは沈黙の中にある。ごく若いころから書かれていた、「沈黙を推敲して言葉に至る道はない」、あれは『旅』でしたか。

谷川　『旅』ですね。

山田　で、「言葉を推敲して沈黙に至ろう」、これは名言だと思うんですけど、やはり沈黙というか、静寂というか、そこをあくまでも目指していくのが詩の働きだと。

谷川　もちろんそうじゃない詩があって全然いいんですけど、自分はどちらかというと、音楽なんかでもすごく派手に終わるんじゃなくて、ディミヌエンドしてピアニッシモでずっと消えていくっていうのが好きなところがあるんですね。だから言葉もそういうふうに、沈黙に帰るような言葉を書きたい、というのはありますね。

山田　ディミヌエンドで次第次第にフェイドアウトしていく、そういう書き方。

谷川　書き方としてはそうじゃなくても、受け取る人としては詩が最終的に、言葉の意味から、沈黙の、意味のない世界に帰っていくみたいに感じてもらえれば嬉しい。

山田　一冊の詩集という単位でいうと、そういう感じはたしかにありますね。一つ一つの詩というよりも、この一冊、三十六篇を読み終わって、非常にひっそりした、静かな余韻がありますね。そういうものをまた読ませて頂きたいんですけど、ただ、二〇〇〇年にＣＤ版で『谷川俊太郎全詩集』が出ましたね。最近もうマックで使えないんですよ、あれ。

谷川　そうなんですよね。

山田　しかも十数年経って、作品がどんどん増えてますね。たしか二〇〇〇年の時点で詩集が五十冊ほど。今、たぶん六十五か六十六ぐらい。そうすると全体が見えにくくなる。この間の岩波文庫の自選詩集なんかもありがたいし、それから田原さん編集の集英社の詩選集、第四巻が出るんですよね。

谷川　新しいの出すとか言ってますね。

山田　その話も聞いてるんですけど、それにしても全作品ということになると――

谷川　それは岩波書店が計画中で、全部電子メディアで出すと言ってますね。つまりダウンロードですね。パッケージじゃなくて。

山田　あ、以前はＣＤでしたけど、じゃあいわゆる電子書籍。近々出るんですか？

谷川　それは数が多いから、一冊ずつ出していくわけでしょう。わりと長期に渡って次々出していくんじゃないでしょうか。

山田　あ、まとめてではなくて。

谷川　要するに小売が可能なわけですよ。『二十億光年の孤独』五百円、とかさ、『六十二のソネット』六百六十円、とかさ、そうしたら若い人なんか買いやすいじゃないですか。

山田　それで六十六冊ってのはかなりですよね。

谷川　岩波書店何考えてんだろうと思うんだけど、逆に言えば、本の形にするのには金かかるけど、電子メディアだとあんまりかかんないいんじゃないですか。

山田　私なんかまとめてドーンと出してもらって大人買いのほうがありがたいんですが。

谷川　じゃあ全部ダウンロードしてCDに焼いてください（笑）。

山田　ああ、なるほど。

谷川　まあ計画中ですね、まだ。いつ出るとかじゃなくて。朗読も入れるっていうんで、朗読をこないだ録音しました。全部じゃないですけどね。

山田　映像とかも入るんですか。

谷川　それはまだ考え中ですね。あんまりたくさん入れてもしょうがないから、僕はテキストと朗読に絞ったほうがいいんじゃないかな、と言ってるんですけど。前に出たやつはね、映像がちょっと入ってたけど。

山田　何と言っても検索機能とかいろいろありますからね、そういうところが電子メディアならではで。「あなた」という言葉を谷川俊太郎がこれまで何回使ってるか、とかわかっちゃうわけですね。

谷川　わかっちゃいますねえ。

山田　それはすごいことで、後々の研究者には必ず必要になってくると思いますから、ぜひ出してください。

谷川　はい。

山田　そろそろ時間ですね。谷川さん、どうもありがとうございました。

谷川　どうもこちらこそ、ありがとうございました。

（『谷川俊太郎詩選集　3』集英社文庫、二〇〇五年八月）

詩を書くことは私の天職である

——谷川俊太郎書簡インタビュー（聞き手・田原）

●谷川さんの五十年余りの創作を振り返ってみると、最初に詩壇に入ったのは「誘われた」から、いいかえれば「自発的ではない」というように思われます。現象面からみるとそれは「受身」的態度ともいえますが、しかし、そういう偶然の誘いによってこそ、創作の道へと導かれたのでもあるわけですね。詩人北川幸比古らの影響の下で詩を書きはじめたときから、豊多摩中学校の学友会誌『豊多摩』復刊二号（1948年4月）に処女作「かえる」、同人誌『金平糖』（1948年11月）にいずれも8行の「かぎ」と「白から黒へ」を発表したときまで、17歳未満の少年として、そのときにはまだ「詩人になろう」、或いは「創作で生計を立てよう」という決意はおそらく薄かっただろうと思いますが、当時の夢や心境を聞かせていただけないでしょうか？

▼半世紀以上昔の自分の夢や心境を思い出すのは、誰にとっても困難なことではないでしょうか。私の思い出す限りでは、当時の私の夢は自作の短波受信機で欧州のラジオ局を受信することと、いつかは自動車を1台所有したいということでした。心境は、そうですね、とにかくもう学校には行きたくなかったので、大学に進学せずに将来どうやって食っていけるか不安でした。

●作品全体の特徴から見れば、谷川さんの詩に溢れている豊満な音楽的気質と哲学的情緒が、自然に家庭環境を連想させます。お父さんは京大出身の有名哲学家で文芸評論家。お母さんは政治家の家に生まれ、楽譜やピアノに堪能な名門の令嬢。こんな家庭環境の中で成長してきた人として、敗戦の廃墟に成長してきた、特に飢餓や厳寒を被り死線をさ迷った、同時代の詩人たちと比べると、谷川さんは時代の幸運児だといえます。1945年の東京大空襲の後、お母さんと一緒に京都のおばあさんの家まで疎開されましたが、大空襲の惨状をご自身の目で見たそうですね。戦後の日本現代詩人の中には、戦争体験をもつ詩人、とりわけ唯一の原爆被害国の詩人として、戦争の苦い体験にこだわる人は少なくない。戦争の傷が彼らの創作の宿命になったのですが、谷川さんは自分の詩で戦争を非難しようと苦心したり、また平和を謳歌したり、というようなことがあまりないようです。私はある論文で谷川さんのそういう特徴について、「体験の逃避」や「経験の転嫁」というよりも更に大きな意義での思考――即ち人間性、生命、生存、環境、未来などについての思考――を自分の創作に投入したのだ、それは実は自己経験の超越で新たな挑戦であると、分析し結論を下したのですが、私のその見方についてどう考えられますか？

▼1945年5月の東京大空襲を私は経験しています。京都に疎開したのはそのあとです。空襲の翌朝、近くの焼け跡へ友達と一緒に自転車で出かけ、ごろごろ転がっている焼死体を見ました。そのときは面白半分でしたが、その体験は私の意識下に残っているはずです。ただ私の場合、その体験を歴史的文脈、社会的文脈において考えることができず（子どもだったからというより資質として）、むしろ昔から争い合い殺し合うことをやめられない人間という生物の実存の一側面として受け入れたのではないかと思います。その意味ではあなたの見方は当たっているかもしれませんが、私の内面では「自己経験の超越で新たな挑戦」というような言語化は全くされていません。むしろ自分の歴史的感覚の欠如を欠点としてとらえています。ただ最近新聞紙上でちらりと読んだ斉藤野の人（高山樗牛の弟だそうです）がラスキンやゾラやイプセンを例にして述べたという、「彼等の前には国家なく社会なく階級なく、唯人生あるのみ、人生の尊

厳あるのみ」という言葉に共感したことを付け加えておきます。

●谷川さんの長い創作歴において、一人の詩人の名前が記憶になお新しいはずです。谷川さんの作品を『文学界』に推薦した三好達治。その5編の発表によって詩壇への道が開かれたのです。処女詩集『二十億光年の孤独』の序文において、彼は谷川さんのことを「意外に遠くからやってきた」と呼んでいます。その「意外」と「遠くから」の「若者」という言い方に、今日の私たちもなお同感しています。「意外」というのは、戦後の日本社会において谷川さんのような詩人が生まれたことを予想もしなかったといっているのでしょう。戦「遠くからやってきた」というのは、谷川さんの詩テクストに対する新しさの感覚から来たのでしょう。戦後だけではなく、今でも同じことですが、多くの日本詩人はほとんどの場合、所属の同人誌に集まり、同人誌においてだけ詩を発表することによって、わずかな読者と対面している。その点では、中国詩人の成長環境とかなり異なっています。日本で五十年代以降に創刊された同人誌を調べてみましたが、千種余りもあって、一々目を通すことができないほどです。1950年だけでも、三十種あまりの同人誌が創刊されたのです。五、六十年代は日本現代詩のルネサンスだともいえるでしょう。その時期に重要な詩人が多く現れ、忘れがたい作品が残されている。このような文学環境の下で、谷川さんの処女詩集はお父さんの出資で、半ば私費の形で創元社から出版されました。その詩集を見たとき、自分の創作目標と野心が明らかになりましたか？そのとき、詩壇に入ったばかりの谷川さんにとって、乗り越えられないような詩人がいましたか？　もしいたとしたら、誰でしょうか？

▼創作目標は私にはありませんでした。野心と呼べるほどの強い欲求があったかどうかも疑問ですが、とにかく書くことで生活して行きたいと思っていました、他に能がなかったので。また詩壇という発想も本気

では信じていませんでしたし、畏敬する詩人はいましたがその人たちを「乗り越える」という発想も私にはありませんでした。当時から私は自分を「単独者・一匹狼」というふうに考えていたように思います。ただそのころの私にとっては詩よりも実生活のほうが主な関心事だったので、例えば野上彰さんのように詩や、歌詞や、訳詞や脚本などの分野で、定職につかず生活できている人の生き方を一種の理想としていました。

●1953年3月、谷川さんは同人詩誌『櫂』のメンバーになりました。同人たちが交替で編集し出版したものですが、谷川さんの書庫で各時期の同誌をめくったら、長く休刊していたことが分かりました。それはなぜでしょうか？　それから、統一したイデオロギーに近いような創作理念で結成したほかの同人誌と比べて、『櫂』はその多様さで人目を引いた存在でした。素朴で活発で、自由で活力に溢れている。茨木のり子の重々しさ、大岡信の英知、川崎洋のユーモア、吉野弘の理性。また岸田衿子、中江俊夫、友竹辰らもいました。ここで『櫂』の各同人の詩の特徴や同誌の戦後日本詩壇における意義について語っていただきたいのですが。

▼休刊したのは、同人たちに他に詩を発表する場が十分あったからではないでしょうか。私たちの結びつきはゆるいものでしたから、結束して何か一つの目標に向かうというようなことはありませんでしたし、各自の意見の食い違いもそのまま楽しむというような気風でした。各同人の詩の特徴を語るのは批評家にまかせたいと思います、『櫂』の日本詩壇における意義を語るのも。

●五十年代、谷川さんは相次いで『二十億光年の孤独』、『六十二のソネット』、『愛について』、『絵本』、『愛のパンセ』などの詩集（およびエッセイ集）を刊行しました。その中には、今日人々によく知られている作品がたくさんあります。それらが谷川さんの起点の高さを代表しています。詩人は大まかに二種類に分けられます。一つは少年有為で、起点から既に仰視すべき高さを持っているタイプ。もう一つは大器晩成で、最初の作品は大したものではなかったが、書けば書くほど上手になるタイプ。谷川さんは明らかに前者のタイプですね。私見では、画期的な詩人は往々として前者のタイプに属すると思います。私としてはまた、詩人の出発時の作品をまず気にします。というのは、早期作品は概ね、その詩人が未来で大師になれるかどうかを暗示することが多いからです。要するに、初期作品はある程度、後の作品を照らし出しています。それがいわゆる「天賦」ということでしょう。「天賦」という言葉自体、ある種の神秘性を帯びています。漢字を分けて理解すると、「天」からの「賦与」になります。詩人は、天賦の優劣によって、詩人としての地位が定められるでしょう。無論、ただ先天的な聡明さだけで、積極的な進取、悟り、読書、知識と経験の積み重ねなどがなければ、真の詩の殿堂に入ることができません。しかし、逆にいえば、詩の天分がなく、努力だけで大詩人になれるかということも疑うべきです。ごく一般的にいって、身の回りの詩人たちには後者に属するものが多いようです。谷川さんも「天賦」という概念を信じていると思います。言葉だけを考えればその意味は内容もなくて面白みもないかもしれませんが、谷川さんは「天賦」と詩人との関係をどのように理解しているのでしょうか？

▼DNAによるものか、生育歴によるものか、それともその双方が入り混じったものによるものかは分かりませんが、詩を書くのに向いている資質というものはあると思います。私も詩を書き始めて大分たってから、詩を書くことを「天職」かもしれないと思うようになりましたが、それは同時に詩を書くことに向いている者の人間としての欠陥の自覚をうながしました。

●谷川さんは英語を流暢に話せますし、二百種余りの本を翻訳し出版したことがあります。英語に熟練していることは創作に直接な影響がありますか。或いは英語が母語の表現空間を広げたといえるでしょうか。国際詩壇に活躍しているシェイマス・ヒーニー、ゲーリー・スナイダーらと付き合いがおありですが、彼らの作品を読む場合は、翻訳を通じてですか？　それとも原文ですか？　付き合っている世界各国の詩人の中で、誰の作品が最も印象深いでしょうか？　その詩人の作品は谷川さんにとって何を意味しているのでしょうか？

➤私は英語に熟練もしていませんし、流暢に話すこともできませんから、自分の英語能力を過信したことはありません。私が翻訳したのは易しい英語で書かれたわらべうたや絵本のたぐいがほとんどです。しかし英語に親しんだ経験が母語の表現空間をひろげたことは確かです。(例えばいわゆるマザー・グースと呼ばれる英米語圏のわらべうたを訳したおかげで、わらべうたの新しい形式を覚え、それを実作に応用しました）私はまた原語で外国詩を読むことはほとんどありません。付き合っていると言えるほど親しい外国詩人もいませんが、ゲーリー・スナイダーには、作品とともにその詩人としての生き方に影響を受けたと言えます。

●五十年代に出版した『六十二のソネット』は百余りのソネットから選んだと、あるエッセイに書かれています。六十年代のおわりごろ、もう一冊のソネット詩集『旅』が刊行されました。この二冊は谷川さんの創作において一定の比重を占めています。ソネットは最初ルネサンスのイタリアに起源し、その後イギリス、フランス、ドイツなどでも流行りましたが、形式と韻律を重視したそういう抒情詩体はアジア詩人にとってはいつまでも舶来品です。谷川さんのソネットからみれば、ほとんど四行を二連プラス三行を二連という形を取っていますね。それはペトラルカ（F.Petrarch，１３０４〜１３７４）式のソネットで、四行を三連プラス二行の対句という形を取るシェークスピア式ではないはずです。しかし、日本語は脚韻においてソネットの要求を満たしがたいという制限があるため、日本語のソネットは形式と韻律を放棄するしかない。つまり日本式の自由ソネットになるのです。戦前の福永武彦、立原道造など、また戦後の中村稔らもその類の詩を書いたことがありますが、彼らと比較して、数においても質においても、谷川さんは驚くべき大きな成果を挙げたと、大岡信が谷川作品のために書いた鑑賞文で言っています。大岡さんは〈「ひと」と「私」と「世界」はそれぞれ別個のものでありながら、谷川の中ではたえず同一のものの別個の現れと感じられている……「世界」と「私」が「ひと」を介して同一化する幸福な過程を、じつに簡潔に構図化して語っている。青春そのものへの賛美が「そして私がいなくなる」という劇的な形で、青春の遺言ともなっている〉と評価しています。『旅』という詩集は「旅」と「鳥羽」の二つの部分に分けられていますが、これまでに多く論じられてきた詩集です。吉増剛造、安水稔和、三浦雅士、フランスのイヴ＝マリ・アリューなど、みな高く評価しています。小説家の大江健三郎も『小説の方法』や小説作品の中で「鳥羽」の詩句を引用し、論じたことがあります。「鳥羽」の創作は１９６７年、国内旅行を終えて東京に戻った4月以降であるはずです。その創作背景について伺ったとき、家族で三重県東部の志摩半島にある鳥羽市へ旅行した時の印象を東京に持って帰って、自宅で書いたのだと答えてくださったのですから。『旅』は１９６８年11月に刊行されましたから、時間的にも合っています。その時期、谷川さんが大量のソネットを書いた動機は何でしょうか？　そのソネット・シリーズの創作は谷川さんの青春への惜別だったのでしょうか？

▼「鳥羽」の連作は１９６６年から１９６７年にかけての私としては初めての８ヶ月にわたる欧米旅行と滞

在の前に書かれ、「旅」はその旅行の体験を素材としていて書かれていて、もうひとつの連作「anonym」はまたそのあとに書かれたと私は記憶しています。つまり詩集『旅』は相当長期間にわたって書き継がれた作を、1968年にまとめて出版したということです。ソネットという形式を択んだ動機は、その当時の私の内面がなんらかの型、すなわち詩の容器を必要としていたからではないでしょうか。私は自由詩と呼ばれるものを一貫して書いてきましたが、一方でその「自由」をもてあます側面もあって、詩を書こうとするとき一時的な形式を自分に課するほうが書き易いという傾向があります。これは私なりの一種の美意識かもしれません。また「青春との惜別」というような用語でその時期のソネットを考えたことはありません。私は青春という人生の一時期を脱したことをむしろ喜んでいる者ですから。

●ある中国文学教科書で偶然、谷川さんのお父さんと周作人、島崎藤村、志賀直哉、菊池寛、佐藤春夫らとの記念写真を見たことがあって、また、お父さんと周作人や郁達夫などの文人と付き合ったエピソードを聞いたことがあります。お父さんは生前中国文化に興味を持ち、中国古代の文物、特に唐代の陶磁器や貨幣を収集していて、戦前何回も中国を訪問したことがあるということですが、谷川さんも間接的にその影響を受けたのでしょうか。谷川さんの作品を翻訳していくうちに、「埴輪」というイメージがたくさん使われていることに気付きました。それはお父さんが所蔵された中国古代の埴輪のように思ってしまいますが、私の感覚は合っていますか？　中日両国は世界でも面白い関係にある国だといえます。文化的には「同源」で、漢字を共に使っているが、違う性格の言葉を使っています。804年唐代の長安へ留学に行った弘法大師は漢字と宗教を日本にもたらし、その『文鏡秘府論』などの著作において、中国語文学や音韻学について深く論じました。その後、『論語』や漢詩も大量に遣唐使によって日本にもたらされたのです。日本の歴史では、漢文化の支配はずっと明治維新まで続きました。維新以前において、漢文に精通するのは貴族階級の印でもありました。近代作家や詩人のうちでも、例えば夏目漱石、森鴎外、北原白秋らはみな漢詩をうまく書けることから、漢文化が日本作家に深く影響しただけではなく、彼らの血肉にもなり魂にも浸透していたことが分かります。しかし、こうした例外は別として、維新後の日本は開国のため、欧米文化の流入によって漢文化がだんだん昔の輝かしさを失ってしまいました。谷川さんや多くの戦後詩人にとって、漢文化は既に主な創作資源ではなくなりました。谷川さんの創作資源としては母国と外国の両方を受け入れていることは勿論のことですが、中国文化からの影響、或いはそのつながりをどの程度自覚していますか？

▼私の父は時代の古いものを好んでいましたから、唐代のものの収集はいくつかの唐俑に限られていたように思います。また貨幣は収集していませんでしたが殷周の玉は集めていました。それから「埴輪」は中国のものではなく、日本古代のものです。今はもう手元にありませんが父は生前いくつかの埴輪をもっていてその造型に私はさまざまな形で影響を受けています。また私は中学校で「漢文」を習った世代に属していますから、発音は異なるものの漢詩は自分の血肉に入っていると自覚しています。漢文脈は和文脈と並んで、深いところで私の精神を形成しているのではないかと思います。日本語のひらがなもカタカナも漢字に由来している以上、また私たちがいまだに漢字を重要な表記法として用いていて抽象的な観念の多くを漢語で表現している以上、中国文化が日本文化の一つの源であることを誰も否定できないでしょう。

●詩の定義に関してはかなり古い問題になっています。それぞれの詩人が異なる詩の概念を持っていますが、基本的には大差がないとわたしは思っています。例えばプラトンの「詩は天賦の才能と霊感が出会ってあらわれる言葉であり、永遠なる心の声であり、同時に良心の声である」。白楽天には「根情、苗言、花声、実義」。

郭沫若には「詩＝（直覚×情調×想像）×適当な文字」などいろいろありますが。谷川さんにとっての「詩」の概念はどのようなものでしょうか？　簡単な言葉で詩についての定義を教えていただけないでしょうか。

▼簡単な言葉で詩を定義することにほとんど興味をもっていないからこそ、私はさまざまな方法で詩を書き続けているのだと思います。簡単な言葉でなく、実際の詩作品を編集することで（主として子どもたちに向けて）詩とは何かに答えようとしたことはあって、それは『詩ってなんだろう』という題名で出版されています。

●詩人の幼少年時代の成長環境と経験は非常に重要で、きっとその創作に影響を残すと思っております。谷川さんのエッセイや創作年譜から、幼少年時代の夏はほとんどの場合、お父さんの別荘――北軽井沢の森で過ごしたのだと分かります。しかも、東京杉並区のご自宅も緑に囲まれていたのだと。「樹の詩」というエッセイで言及したことですが、『六十二のソネット』の中だけでも、木に関係のある作品は16編もある。それらの木は具体的名称のある木ではありませんが、「観念の木」として現れたのです。あるエッセイに、「人間は木より卑劣に生きている」と書かれています。すると、谷川さんにとって、「木の存在はいつまでも続いている示唆」になります。私の理解では、谷川さんは木に対する畏敬を持っていると思います。七十年代から九十年代にかけて、直接木を書いた詩はおよそ七、八編ぐらいありますが、それらの木はだいたい、枝葉が茂っていて、強い生命力を持つ木だというようなイメージを与えてくれたのです。時には木で人生を投影し、時には人間の生命で木の本質を引き立てる。タイトルにきたら、時には漢字を使い、時には平仮名やカタカナを使う。木に対する愛情の源は幼少年時代の成長背景と密接な関係があると私は思います。北京大学で開かれた一冊目の『谷川俊太郎詩選』記者会見において、ある詩人が、谷川さんの詩は「植物のにおいがしている」と言及したことがあります。彼の臭覚と敏感さが私の注意を引き起こしました。その後、繰り返して詩選を読んだら、木に関係のある詩はほんとに少なくないと気付きました。これは偶然の事実ですが、ここでお答えいただきたいのは、幼少年時代は恒久的な過去として、谷川さんにとって、木はいったい何を意味しているのでしょうか？

➤私にとって木の「意味」は言語を超えたところにあります。いわば人間の考える意味を超えた「真」そして「美」として木は存在しています。それを散文的な表現で要約することに私はあまり関心がもてません。日々を暮らしていると、私は木の存在によって絶え間なく慰められ、励まされています。自分が木について感じることを詩の形で表現するのは二の次です。

●青春は誰にでも大切なものです。その大切さはその短さにも由来しています。谷川さんの一回目の結婚生活は1954年に始まり、1955年に終わって、一年にもならなかった。その短い感情経歴は、谷川さんの50年代後半と60年代前半の作品に一定の烙印を押したと思いますが。その後、また二回離婚され、つごう三回の結婚失敗をした原因は詩人という身分と関係していますか？　それはなぜですか？

➤三回の離婚の理由はそれぞれに異なっていると思いますが、それを的確に言語化することは当事者である私の手に余ります。その理由の一端が私自身の人間性にあることはもちろんですが、そこに私の詩人としての「身分」（面白い表現ですね）が関係していることも否定出来ません。それについては私は一生考え続けていくことでしょう。

●谷川さんの二千数百編余りの作品のうち、最も自分のレベルを代表することのできるものを10編ぐらい挙げていただけないでしょうか。

▼「自分のレベル」という言い方がよく分かりませんが、「二十億光年の孤独」「ソネット62」「かっぱ」「芝生」「りんごへの固執」「(何処)」「母を売りに」「ゆうぐれ」「さようなら」「父の死」「なんでもおまんこ」など、思いつくままにあげてみました。

●谷川さんが刊行された50冊余りの詩集のうち、最も満足できるようなのはどれとどれですか。また、どの詩集が創作風格において変化がより著しいですか。

▼私は自己肯定はしますが、自己満足はしません。変化がより著しいということで言えば「定義」「ことばあそびうた」「よしなしうた」「はだか」「日本語のカタログ」あたりでしょうか。

●私の知っている優れた詩人の中には、かなり優れた理論を持っている方がいます。例えばエリオット、パス、ヒーニーなど。戦後の日本で言えば大岡信、飯島耕一、北川透、佐々木幹郎などを思い出しますが。谷川さんは若い時から、エッセイ風な詩論を書いて来たし、大岡信との対談で『詩の誕生』、『批評の生理』、『詩と世界の間で』などの対談集もあります。詩と言語、詩と伝統、詩と批評、詩の翻訳闘闘など、現代詩の広い領域を渉猟し、これらは戦後日本現代詩にとってだけではなく、戦前日本現代詩にとっても大きな影響力があり、画期的な書物だと思います。これらの本の中で、谷川さんは自分なりの詩論にかなり触れました。ですから「理論空白」とは決して言えないのですが、しかし、それにしても系統的な詩論は未だにないようです。これは谷川さんが長い文章を書かない（書きたくない、書けない）ことに起因しているのでしょうか。

▼それもあるでしょうが、私が系統的な詩の理論に興味がもてないということもあると思います。理論を書くくらいなら詩の実作をしたいというのが、私の一貫した願いです。

●詩人で小説を書く人は昔からいます。世界的によく知られるのはハーディー、パステルナーク、リルケ、ボルヘスなどです。日本でいえば、まず島崎藤村のことを思い出します。戦後では、清岡卓行、辻井喬、富岡多恵子、高橋睦郎、松浦寿輝などが存在しています。彼らはハーディーを除いて殆ど詩人として出発し、それから小説家になったわけですが。谷川さんはかつて小説を書けないと言ったことがあります（実際は小説らしいものを書いています、例えばこの前、高橋源一郎さんと平田俊子さんと共著した本もあります）が、その書けない原因について、ご自分は記憶力が弱いからだとおっしゃいましたが、それは詩という題材がもっと自分の生きる体験をうまく表現できるということでしょうか。

▼先ほどお答えした私の歴史感覚の欠如にもかかわりますが、私は「物語」の形で生きることをとらえるのが苦手なのです。小説は物語るものです。ストーリーはヒストリーに属しています。しかし詩は私の考えでは、詩は一瞬に属しています。つまり時間に沿うのではなく時間を輪切りにするものです。これは世界の詩全般について言えることではなく、短歌、俳句の伝統をもち、もののあわれという感覚をいまだに深層に秘めている日本語詩についてだけ言えることかもしれませんが、少なくとも私の場合は、叙事詩的な

ものは書けませんし、小説も書かないことを択んでいるのではなく、生理的に書けないのです。

●私はずっと、真の現代詩の言葉は騒がしいものではなく、沈黙しているものだと頑固に思っています。ここで谷川さんが若いころ書かれた「沈黙のまわり」というエッセイをふと思い出します。「初めに沈黙があった。言葉はその後で来た」と。なるほどと思うのです。「沈黙」は谷川さんの詩によく登場する言葉の一つです。例えば、佐々木幹郎さんに指摘されたように、「頼み」、「秋」、『六十二のソネット』の「11」などの詩に用いられています。彼の言葉を借りて言えば「沈黙の巨大さに気づいたとき、詩はそのまわりを言葉で測ろうとするのだ」。その鋭い解読に感銘を受けています。現代詩と沈黙は母子関係のように見える一方、無関係のようにも見えますが、現代詩にとって、沈黙の本質は何でしょうか？

▼情報、饒舌が氾濫しているこの時代の騒がしさに拮抗する、静かで微妙で洗練された力とでも言いましょうか。言語を離れてさえ存在可能な広義のポエジーの源は、いつの時代にも沈黙にあると思います。禅における「無」の境地に喩えることもできるかもしれません。言語は人間のものですが、沈黙は宇宙のものです。その沈黙のうちには、限りないエネルギーがひそんでいます。

●谷川さんと同じ1931年生まれの大岡信さんに触れて、以前私はお二人を戦後日本詩の「双生児」と書いたことがあります。今ふりかえって見れば、5、6、70年代の日本現代詩壇は本当にお二人によって動かされたと言ったら言い過ぎかもしれませんが、この点についてご自身どうお考えですか？

▼詩壇というものは仮の概念で実際には個々の詩人がいるばかりです。大岡とは共通するところも多いと思いますが、全く違うところもまた少なくありません。双生児はうがち過ぎではありませんか。ですが二人とも「詩壇を動かす」というような政治的発想はもったことはなく、これからももたないだろうというところは共通していると思います。

●数年前、1980年に出された詩集『コカコーラ・レッスン』について小田久郎さんに伺ったら、非常に高く評価したとおっしゃっていました。また、北川透さんも新著『谷川俊太郎の世界』で「最高の詩集」と評価しています。この詩集は確かに変わった書き方で、それまでになかった「声」を出しているような気がします。私の考えでは、谷川さんにいつも一貫している「変化」を求める結果だとも思います。この詩集に関して特別に、ご自身の変化の頂点というようにと思われますか？

▼変化は相対的なもので、そこに頂点というようなものはないのではないでしょうか。私は飽きっぽいので、さまざまな書き方をしていて、『コカコーラ・レッスン』もその一つに過ぎません。

●91年3月号の『鳩よ！』にある「谷川俊太郎への93の質問」の中の、自分を動物に例える質問に対して、「紙を食う」「羊」と答えましたが、これは恐らく文筆者の身分と羊年の生まれであることに結びついていると思います。谷川さんは険しい岩の上で飛び跳ねる活発な羊なのか？　それとも果てしのない草原で生きているおとなしい羊なのか？　どっちでしょうか？　その理由は？

▼両方だと思いたいですね。おとなしいのも活発なのも自分の属性のような気がしますから。

●音楽と詩の関係について、詩のことばで表現すればどんなことばになるのでしょうか？　一言でも結構です。それから、創作者の立場から、谷川さんにとって優れた現代詩の基準は何ですか？

▼音楽と詩は、父親は違うが母親は同じ二人の子ども…という言い方はどうでしょうか。私にとって優れた現代詩の基準は、私が読んで、あるいは聞いて面白いかどうかというところにあるとしか言えません。

●私の読んでいる限りでは、日本現代詩に対する全体的なイメージは閉鎖的な感じがします。例えば「小我」だけに耽溺する書き方、身体感覚にとどまるような書き方はそうなのですが、表現空間のスケールの狭さ、まったくの日常経験にとどまってテクスト経験への展開がないような作品は本当に読むときに開放感を覚えない。このような詩人が大勢いるのは多分日本だけではないでしょう。これはもちろん詩人の世界観と言語感覚などと関係していると思いますが、詩人は現代詩の閉鎖状態を突破するのにどういう努力が必要でしょうか？

▼自分の内部の他者を発見する努力。

●翻訳については確かイタリア詩人が「詩を裏切る行為」だと言ったことがあるようですが、私も同感しています。厳格に言えば現代詩の翻訳は不可能に近いものです。私の考えでは、一つの言語から一つの言語に訳された時点で、もう既に誤訳になってしまう恐れがあります。生硬な直訳、或いは一途な、教条的な訳し方を取ってはいけない。現代詩の訳者は柔軟さを持って、原作を忠実にふまえた上で、ある限度と範囲内で、自分の価値判断をもって訳さなければなりません。一番大事なのは、自分の母語に訳す時、一篇の完璧な現代詩作品として成立させなければならない、というのが私の持論です。中国の翻訳界においては、一種の社会通念のように思われる「神・形・韻」という詩の翻訳の理念があります。「神」は生き生きとしていること、「形」は形式のこと、「韻」は韻律とリズムのこと。この三つの要素を満たせるのは簡単ではない。ここでお聞きしたいのですが、谷川さんの気に入った現代詩の優れた日本の翻訳者とはどんな方ですか?

➤プレベールの訳における小笠原豊樹、現代ギリシャ詩の訳における中井久夫、現代詩に限らなければシェークスピアのソネットの訳における吉田健一を加えたいと思います。

●「詩人だけが母語の申し子である」とは、つい最近私が書いた言葉です。詩人にとって母国語がいうまでもなく決定的なもの。母国語以外の言語で書く作家・詩人がいますが、その言語で書いた作品はあまり高く評価されていないのが事実です。45歳でフランスに移民したクンデラが最近フランス語で書いた『緩やか』と『身分』という小説はあまり注目されてない。西脇順三郎も英語で詩を書いたことがあるそうですが、彼の日本語作品より高評されたものはあまり見たことがない。リルケ、ブロッキーも同じ。多言語に堪能であるツェランさえもこういうことを言っています。「母国語だけで真理を言い出せる、外国語で書く場合詩人は嘘ついている」と。いわゆる詩人が母語を僭越する行為に否定的な考えを持っているのです。私自身も最近日本語で詩を書いていますが、やはり日本語と母語との間の「対峙」の中でもがいているという感じが強い。詩人は到底母語を乗り越えられないのかなと実感しております。谷川さんも英語が堪能ですが、英語で詩を書いてみたいと思いませんでしたか？

▼私自身は日本語以外の言語で詩を書くことを試みる気持ちはありませんが、母語のみを絶対視する母語ナショナリズム的な態度にも疑問をもっています。リービ英雄、多和田葉子、アーサー・ビナードらの作品を母語で書かれていないという理由で軽視することはできません。

●草原、沙漠、川、海、荒地、森林、空に喩えたら、自分は何だと思いますか？　それは何故ですか？

▼比喩的に言うなら、私自身のうちにそのすべてが内在しています。

●宇宙人のイメージを教えてください。それから宇宙旅行ができれば、どの星に行ってみたいですか？　あるいは住んでみたいですか？

▼地球外生物については多様な形態が可能ではないかと考えているので、一つのイメージにしぼることはできません。また私は宇宙旅行に行きたい気持ちはもっていません。

●私は谷川さんの創作のエネルギーの源の一つは女性だと考えていますが、半世紀にわたって書かれた50数冊の詩集の中には、女性を取り上げた作品がかなりあります。詩集からいえばまず91年に出された『女に』と96年の『やさしさは愛じゃない』を思い出します。それから初期の詩集から調べてみますと、55年の『愛について』、56年の『絵本』、60年の『あなたに』、62年『21』、84年の『手紙』と『日本語のカタログ』、88年の『メランコリーの川下り』、91年の『詩を贈ろうとすることは』、95年『真っ白でいるよりも』などの詩集にも直接に女性と関わった作品があります。私の印象に残っているのは「ゆるやかな視線」と「私の女性論」です。作品に登場した女性の全体像からいえば、母、妻、娘、恋人と、様々です。これらを見てみますと、女性という主題が谷川さんの作品全体を貫いていると言えるかもしれません。以前、冗談半分で、「名誉、権力、金銭、女、詩歌」のうち谷川さんにとって一番大事なのはどれかと尋ねたことがありますが、谷川さんの答えに非常に驚きました。一番、二番全部「女」で、「詩歌」は三番目になったからだ。ここで改めてお聞きしたいですが、「女性」は谷川さんにとっていったいどんな存在ですか？　女性がいなければ生きていけないのでしょうか？　そんなに「女性」を大切に思っていながら、いま「独身老人」になっている心境をお教えください。

▽女性は私にとって生命の源であり、私に生きる力を与えてくれる自然の一部であり、また私にとって最も手ごわい他者でもあります。私は女性によって自分を発見し、更新し続けていると思います。女性がいない生は私には想像ができませんが、現在は結婚制度の中で女性と生きてゆくことが唯一の選択肢だとは考えていません。女性を大切に思っているからこそ独身老人を択んでいると言ってもいいでしょう。

●世界の偉大な詩人たちの中に長編詩を書いた人は結構いますが、谷川さんはいままでの作品の中で、一番長い詩が多分二、三百行ぐらいでしょう。私の読んだ限りでは、鮎川信夫の未完成の『アメリカ』、入沢康夫の『我

が出雲　我が鎮魂』、辻井喬の『わたつみ三部作』、野村喜和夫の『街の衣のいちまい下の虹は蛇だ』などの長編詩がありますが、谷川さんはなぜ長編詩を書かないのですか？　若しくは書けないのでしょうか？　その理由を聞かせていただけないでしょうか？

▼日本語は基本的に長編詩に向いていないのではないかと考えていますが、実際は私の資質に物語よりも歌に向かう傾向があるからかもしれません。「詩集はすぐ読めて何度でも読める」と言った人がいますが私も同感です。

●谷川さんの作品を全体から考えて見れば、生きることをめぐる作品がかなりあります。読者によく知られる名文『世界へ！』の中で、「私にとって本当に問題なのは、生と言葉との関係」と書かれています。これは確かに現代詩が直面しなければならない難しいところです。いわゆる日常経験からテクスト経験へうまく転換するときの度合いと噛み合いです。日常経験によりすぎると生きることを超えられない恐れがあります。テクストによりすぎると知識で詩を書くように思われるし、生命の内部要素をうまく反映させないかもしれない。「生と言葉との関係」についてもっと具体的に説明してくださいませんか？

▼日常の暮らしの中で、家族や友人に向かって発する言葉と、詩として書かれる言葉とは源は同じでも表現としては区別せざるを得ません。現実生活での言葉は可能な限りの真実を目指しますが、詩における言葉は基本的に虚構であると私は考えています。1篇の詩の中の一人称は、そのまま作者自身を指すとは限りません。とは言え、生身の作者自身が詩の中に全く投影されていないのかと言えば、そんなことはないのです。作者の人間性は詩の「文体」のうちにひそんでいます。この文体という言葉は大変定義の難しい言

葉ですが、その中には言葉の意味だけでなく、イメージ、調べ、色彩、言語に対する作者の態度などあらゆる要素が渾然としています。現実の暮らしの中での人と人の間の交流は、特定の人同士の間で言葉だけでなく身振りや表情などいわゆる非言語的なものによっても極めて具体的に行われますが、文字化された詩、音声化された詩の場合は、それに比べれば一人の作者と不特定の複数の読者・聴衆との間のより抽象的な交流です。しかしそこに作者自身の現実の人間関係もまた意識下の領域に影を落としていると考えられます。「生と言葉との関係」は詩において極めて複雑な様相を呈するのですが、作者はそのすべてを意識することはできません。詩を生むものは理性だけではないからです。そのように考えた場合、テクストを分析して作者の人間に迫ろうとしても、おのずから限界があるのは自明でしょう。完全に言語化することの不可能な生の全体を、不完全な言語というもので指し示そうとするのが詩であると言うこともできると思います。

●『ことばあそびうた』という作品群は、無視できない存在です。谷川さん自身も「日本語の音韻面でのかくれた魅力の一端には迫りえたと自負しています」と書いています。これらの作品を書けたのはおそらく日本語にひらがな、カタカナ、漢字、ローマ字という四つの表記法があるからだと思います。つまり、日本語自体がそういう便利さを持っています。プラスに考えれば、これらの作品は日本現代詩の表現空間を広げた、或いはそのことによって、各年齢層の多くの読者に親しまれていること。日本現代詩に対して大きな貢献ができたと考えられます。これは多分谷川さんの「読者を意識して詩を書く」という創作理念に結びついていると思います。しかし、マイナスに考えますと、谷川さんの「意味を重視せず、音だけを重視する」という主張は現代詩の概念にしても、創作の立場にしても、ルールに反するということ、つまり、言葉と意義を分裂する行為だとも言えるでしょう。これらの作品はほかの言語にまったく翻訳不可能とも言えます。この点について谷川さんはどう思っていますか？

▼『ことばそびうた』は私の書いたさまざまな形式の詩の一つに過ぎません。それらの詩を書こうとしたとき私の頭にあったのは、現代詩に韻律復活の可能性を探るということでした。結果的にはほとんど駄洒落、地口と見まがうような、わらべうた風の詩を作ることになり、それがかえって広範な読者を獲得したことにつながったのですが、同時にそのような方法では扱う主題に明らかな限界があることが分かり、したがって現代詩に新たな可能性を開くことにはならなかったということです。ですから『ことばあそびうた』を現代詩の文脈で語ることは難しいでしょうし、そのことを私は気にしていません。翻訳不可能であることは、日本語を母語として書いている私にとって、なんの不名誉にもならないと思います。翻訳可能な詩を私は他にたくさん書いてもいるのですから。

●「自然性、洗練、メタファー、抒情、韻律、直喩、晦渋、叙事性、リズム、感性、直覚、比喩、思想、想像力、シンボル、技術、暗示、無意識、文字、純粋、スタミナ、理性、透明、意識、知識、哲学、ロジック、神秘性、バランス、対照、抽象」のうち、現代詩にとってもっとも重要な要素を順番を付けて五つ以上選んでください。

▼無意識、直覚、意識、技術、バランスの順ですかね。こういう問いに答えることが何かの役に立つとも思えませんが。

●いままで、谷川さんは連詩という創作活動を何回もされました。普段コミュニケーションの少ない日本現代詩人にとって、交流の楽しさが味わえる良い試みだと思いますが、一方で、あまり詩創作には役に立たないのではないかと私は思うのです。というのは、現代詩は集団行為とは無縁ですから。この点についてはどう思いますか？

➤詩は一人で書くものだという原則は不変ですが、他者とのかかわりを避けることもまた、言語のもつ本質に矛盾します。大岡信さんの名著の題名である『宴と孤心』という言葉がそのことを一言で言い当てています。また少なくとも私にとっては連詩は単なる楽しみに終わらず、自分の創作に役立っています。例えばこれは連詩ではなく対詩の形で書かれたものですが、『母を売りに』という私自身も気に入っている作は、相手である正津勉さんの存在がなかったら書けなかったでしょう。他者からの刺激が思いがけない詩を喚起するのです。

●現代詩の抒情と叙述、口語化と通俗化に関して、谷川さんはどう対応していますか？

➤そのすべてを自分のうちにもちたいと考えています。

●ベートーベンは音楽の天才、ピカソは絵画の天才、谷川さんは現代詩の天才と言われたら、どういうお答えでしょうか？

➤恋人に言われたら睦言として聞いて嬉しいでしょう、メディアに言われたらレッテル貼りを不快に思うでしょう、批評家に言われたらもっと親切に批評してくれと言いたくなるでしょう。

●谷川さんが二冊目の中国語版『谷川俊太郎詩選』の「中国の読者へ」の序文に、「……私は十七歳のころからもう五〇年以上詩を書き続けていますが、いまだに詩の第一行を書こうとすると途方に暮れます。どうやって詩を書き始めればいいのか分からないのです。……詩は理解するものというよりは、味わうものだと私は考えています。美味しい詩、それがいい詩なのです」と書かれています。これは以前私が書いた「谷川さんはインスピレーション型の詩人」という見方と一致していると思います。実際に考えてみれば、普遍性のある詩人は殆どそういうタイプです。インスピレーションはなぜ詩人にとって重要ですか？

▼インスピレーションは理性を超えたところで、詩人を世界に、人間に、そして宇宙に結びつけるものだからです。

●詩と朗読について。現代詩は時に朗読という行為を拒んでいる、そして逆に求めている場合もあると私は考えています。96年ころ、谷川さんは現代詩から遠ざかりたいという心境を流露しました。その頃から、詩朗読活動を盛んにされましたが、もちろん、谷川さんの作品の中のすべてが朗読できるものではない。詩はもともと口伝えから始まったというか、最初に人間の唇から誕生したものだということから思えば、すべての現代詩が朗読できるはずです。しかし、韻律と音節などを大切にする古典詩と比べて、現代詩には意識的な外的韻律は殆ど見られないし、内的リズムも自然に整えられていることが多いのです。ボルヘスの詩論によれば、「聴覚要素と計り知れない要素すなわちそれぞれの単語の雰囲気」を詩に備えなければならないこと。

これも詩の朗読につながっていると考えられます。読者がだんだん少なくなっていると言われている現代詩ですが、これを盛んに朗読することによって、現在の苦境から救うことができると思いますか？　それはなぜですか？

▼朗読によって現代詩を苦境から救うことはできないでしょう。文字メディア、音声メディアは互いに補い合うものですから、いい詩が書かれなければ朗読は通じ易い言葉の面白いパフォーマンスに傾き、そこではそれが詩であるかないかはさほど問題にならなくなると思います。ただ現代詩の「苦境」は、いい詩が書かれていないということだけにあるのではなく、この時代のいわゆるグローバルな文明のあり方そのものに理由があります。詩と詩でないものの境界はますます曖昧になっていますし、希薄になった詩は巷に溢れています。詩の「ポップ化」を避けるのは難しいと思いますが、それに抗してたとえ少数でも、詩の理想を追求する詩人たちがいることも必要です。

【付録】谷川俊太郎全詩集ツイート　――山田兼士の Twitter より

（1）『二十億光年の孤独』（創元社1952）鮮烈にして清新な第一詩集には既に、モダニズム、イマジズム、シュルレアリスム等あらゆる要素の芽生えと、短詩、長詩、組詩、散文詩等あらゆる手法が備わっている。戦後7年という荒地に突然現れた百花繚乱の孤独の園は遠い未来を暗示している。

（2）『六十二のソネット』（創元社1953）21歳の青年にとって世界は詩に溢れている。空に地に樹に舞い飛ぶ電波をラジオが捕らえるように、彼は詩を受信する装置となる。無限に入ってくる詩を彼は14行というカンバスに素早くデッサンする方法を編み出した。感受性の饗宴の始まりだ。

（3）『愛について』（創元社1955）世界と、女と、自分と葛藤する二十代前半の青年が鮮烈な感性を持って書き記した「愛」の作品集。「空」の詩人の誕生を告げる作品群もあれば宇宙人的感性を示す「地球へのピクニック」等もあり、多様な主題系を空、地、ひと、人々、他の5章にまとめた。

（4）『絵本』（的場書房1956）詩17篇に自ら撮影した写真20葉を付した写真詩集。唯一の自費出版詩集で限定300部。様々な表情の手の写真が印象的で、詩と相俟って立体的空間を形成する。大海を表現するのに波打ち際の手の写真を用いるなど換喩的表現が冴え、新機軸を打ち出した。

（5）『あなたに　1960』（東京創元社1960）二十代末の成熟を示す36篇。2度目の結婚で生活も軌道に乗り長男が生まれたばかりの時期、一方で多忙のため消耗も激しく、その悩みが作品にも出ている。こども視線の詩や詩論詩など種々の混在はこの時期の特徴。家族への視線は柔らかい。

（6）『21』（思潮社1962）初めての「現代詩的」詩集は7篇ずつ3部から成る。第1部の行分け抒情詩、第2部のゆるやかなアドリブ詩、第3部の構造的散文詩と、明確な方法意識に貫かれた一冊。言葉でジャズのアドリブ演奏するような実験的作品とバッハ的な構築的作品との対位／併存も目覚ましい。

（7）『落首九十九』（朝日新聞社1964）1962－63年に週刊朝日に連載した、十数行の短詩99篇。社会情勢をモチーフにした風刺詩でも寸鉄詩でもあるが、詩人の眼差しは時に厳しく時に優しい。初版本には当時の事件等が脚注で示され、時代と詩人の関わり方が窺われる。貴重な詩的ドキュメント。

（8）『旅』（求龍堂1968）初版は香月泰男の絵が各葉についた未綴じの豪華版詩画集で、4行と3行を自在に使い分けた変則ソネット25篇。欧米旅行の体験と鳥羽旅行等がモチーフとなり、三十代半ばにして独自の詩法を自覚した記念碑的作品群。後に普及版が出て広く読まれるようになる。

（9）『うつむく青年』（山梨シルクセンター出版部1971）各種の依頼に応じた詩39篇で一部歌詞も含む。後の「集英社系」の先駆でもある。ポップでライトな作風の中に新奇な輝きを滲ませているのが特長。名作「生きる」や「東京バラード」など後に二次使用三次使用される人気作を含む。不惑の一冊。

（10）『祈らなくていいのか』（角川書店『谷川俊太郎詩集』1972所収）拾遺詩篇を多く含み特に「祈らなくていいのか」と題された12篇は小詩集一冊に相当する。様々な機会に書かれスタイルも様々だが、次第に次の様式が見え始めている。名作「朝のリレー」を含む斬新かつ果敢な抒情詩集。

（11）『ことばあそびうた』（福音館書店1973）ついに始まった過激な言語実験。意味を最小限にしてもっぱら音のみを追求した「ナンセンス」詩の集成。朗読用には楽しいがその分、脱力感も半端でない。このままサブカルチャーの人になってしまうのか、と現代詩ファンを不安に陥れた一冊。

（12）『空に小鳥がいなくなった日』（サンリオ1974）様々な機会に書いた50篇を6章にまとめた。ソネット、4行詩節、5行詩節など、多様なスタイルを自在に操っているように見えるが、実は相当に苦戦したらしい様子が「あとがき」から伝わってくる。葛藤の跡を見せないのが谷川流だ。

（13）『夜中に台所でぼくはきみに話しかけたかった』（青土社1975）名作「芝生」を巻頭に組詩中心とする詩集。妻、友人、同人といった親しい他者への語り口調で対話詩を試みる。即興による新しい言語実験とクレーの絵とのコラボレーションが鮮やかで、新境地へと踏み出した転換点の一冊。

（14）『定義』（思潮社1975）13と同時刊行。前者がディアローグ中心であるのに対し、モノローグによって物の本質に迫ろうとするポンジュ的散文詩である。24個の物たちは詩人の鋭利な視線と言語によって物そのものの歌を奏で始める。対照的な二冊の実験詩集が新たな地平を切り開いた。

（15）『誰もしらない』（国土社1976）おもに子供のために書かれた童謡の歌詞集だが、これも膨大な谷川詩の一冊。レコード大賞作詞賞に輝いた「月火水木金土日のうた」（服部公一曲、フランク永井歌）はじめ33篇を収録。詩人デビュー後すぐに作詞活動もしていたことを忘れてはならない。

（16）『由利の歌』（すばる書房1977）長新太、山口はるみ、大橋歩の絵とのコラボ。『旅』に続く詩画集だが両者とも詩が先なので詩画集ならではの谷川詩の独自性は見えてこない。つまり絵がなくても成り立つ。谷川作品独自の詩画集は絵が先で詩が後のものにこそ表れる。受けの天才として。

(17)『**タラマイカ偽書残闕**』(書肆山田1978)数多ある谷川詩集の中でも最も過激な詩的実験の書。「タラマイカ語」からスウェーデン語、ウルドゥ語、英語を経て日本語に翻訳された、とする偽翻訳詩は、独自の造語と相俟って、神話的叙事詩の幻視を促し詩の発生を垣間見させるテクストを仮構する。

(18)『**そのほかに**』(集英社1979)集英社シリーズ第一弾。大小様々なスタイルの57篇は「あとがき」でパッチ・ワークに擬せられている。寡黙な詩、雄弁な詩、写真詩、歌詞と、多くの抽斗を一遍に開けたような賑やかさで、定型詩の試みまである。試行錯誤というよりも自由自儘な作品群。

(19)『**コカコーラ・レッスン**』(思潮社1980)詩的実験はより構造的かつ多様に展開する。ここには企画書もあれば未定稿もあれば言葉遊びもあればアフォリズム的断章もある。ロールシャッハ・テスト図版による詩まである。先鋭的カオスから生じる詩もある。「タラマイカ偽書残闕」を再録。

(20)『**ことばあそびうた　また**』(福音館書店1981)言語実験は続く。前作以上にストーリー性が強く凝ったつくりが特徴。遊びの精神は詩精神と同一であり産みの苦しみは産みの楽しみでもある。瀬川康男の絵も楽しく、耳と目との両方で遊べる一冊だ。それにしても、この先にあるものとは?

(21)『**わらべうた**』(集英社1981)過去数年にわたる言語実験の成果はこの詩集かもしれない。一見ナンセンスな「ことばあそび」が「うた」を獲得することで、現代詩に失われつつあった音楽を始原の状態から呼び戻そうとする試み。この後に続く子供の詩、歌詞、ひらがな詩への貴重な一歩。

(22)『わらべうた続』(集英社1982)続編には「ゆっくりゆきちゃん」など後に二次三次使用される名作が多い。そのまま簡単なふしを付けて歌えそうなものもあれば、実際に作曲できそうなものもある。「であるとあるで」のような言語破壊も。辛辣なブラックユーモアもあって油断できない。

(23)『みみをすます』(福音館書店1982)ひらがなによる和語のみで(若干の例外はあるが)綴られた6篇の長詩。帯文に「あしかけ十年」とあるように、ことばあそび以後の言語実験の到達点である。「自らの完璧な回答」とは大袈裟ではない。かたちの素朴さ単純さに比して内容は深く重い。

(24)『日々の地図』(集英社1982)様々な求めに応じた集英社シリーズ第2冊。五十歳前後の頃の生活を反映すると共に、生活の背後に見え隠れする詩的真実を掬い取ろうとの意欲に溢れた作品群。表題は美容室の宣伝葉書に書かれた「道」の一部。機会詩にも独自の抒情を織り込むのが谷川流。

(25)『どきん』(理論社1983)ついに本格的に始まった「こどもの詩」第一弾。ことばあそび、童謡、ひらがな詩と続いた言語実験は「こどもの詩」による真理の発見という思いがけず斬新な様式を生み出した。全3章のうち二つは幼児向けだが、第2章は年長さん向け。こども目線の真実は詩。

(26)『対詩』(書肆山田1983)少し前からダイアローグ式の語り詩を試みてきた詩人が、正津勉という具体的な他者を得て「対詩」というユニークなスタイルに到達した。互いの刺激を前提にコンテクストが作られることによる意外なイメージがあって興味深いが、独立した作品としても面白い。

（27）『スーパーマンその他大勢』（グラフィック社１９８３）桑原伸之の楽しい絵（漫画）に詩人が言葉をつけた24篇の詩画集。絵本だが詩集でもある。最大の特徴は、桑原のあとがきにあるように、絵がイメージとなって「広がりはじめ」たこと。コラボ特に受けの名手としての本領発揮の一冊。

（28）『手紙』（集英社１９８４）集英社シリーズ3冊目。相変わらず多様な依頼に応えつつその時々の独自な抒情を滲ませる書き方はいよいよ深まってきた。明治のうたびとたちへの頌歌や追悼詩や写真詩にも新鮮なひらめきがある。恋愛詩が多くなっていることもこの時期の特徴といえるだろうか。

（29）『日本語のカタログ』（思潮社１９８４）思潮社シリーズ第4弾は引き続き実験的作品群。表題作は他人の文章をつないだコラージュ詩だが、他にも日本語の可能性を追求する作品が並んでいる。沢野ひとしや山岸凉子の漫画とのコラボレーションまで。「詩」と「詩的なもの」の葛藤が主題だ。

（30）『詩めくり』（マドラ出版１９８４）この年3冊目の詩集は2行から7行までの短詩３６６篇。タイトルは「日めくり」のもじり。元旦から大晦日までの日付が入っているが特に意味はない（著者の誕生日だけが例外）。ユーモア、ウィット、アイロニー、ナンセンス、詩論と、すべてが上質だ。

（31）『よしなしうた』（青土社１９８５）全篇14行の36篇。英訳がついていてタイトルは「SONGS OF NONSENSE」総ひらがな詩なので子供の詩に見えるが、実は相当にホラーでブラックな、哲学的とさえ呼び得る作品群。「ゆうぐれ」はこの人にしか書けないライトヴァースだ。

（32）『いちねんせい』（小学館1988）3年ぶりの新刊詩集は、和田誠の絵も楽しい絵本詩集。五十五歳の詩人が小学一年生になりきって、思う存分その幼児性を発揮し、オノマトペ、悪口、悪戯、地口等を自由自在に繰り広げる。時にはっとさせる発見もあり、子供の詩の可能性を大きく広げた。

（33）『はだか』（筑摩書房1988）全23篇、総ひらがな表記の子供目線の作品集。佐野洋子の挿絵が単純にかわいいだけでなく一種の不気味さ不条理さを滲ませているように、全作品が複雑で不思議な子供心を微妙に描き出している。「さようなら」「がっこう」「おかあさん」等はかなり怖い。

（34）『メランコリーの川下り』（思潮社1988）英訳付き、日米同時発売。短めの作品と長い作品が混在して一種のカオスを醸しつつ、それでも強靭なモチーフに貫かれた、思潮社シリーズ第5弾。珍しく生活の困難を反映した作品が散見され、特に「……」を多用した表題作に描かれる鬱は深刻。

（35）『かぼちゃごよみ』（福音館書店1990）ブリューゲルを思わせる、それでいて昭和レトロな、川原田徹のユニークな絵に詩人が12篇の総ひらがな詩を書いた。子供の詩のようでもあり不吉さを含む大人の詩のようでもある。特に死をテーマにした作品には鬱の気分が色濃く出ているようだ。

（36）『魂のいちばんおいしいところ』（サンリオ1990）様々な依頼に応じて書かれたサンリオ第3弾。相変わらずの安定感の中に独自の抒情と他者性と幼児性を織り込んだ達人の作品群だ。かなりラジカルなものや私小説的なものも含まれるが、その境界はかなり目を凝らさないと見えてこない。

（37）『女に』（マガジンハウス1991）還暦間際の詩人による大純愛詩36篇。すべて数行の短詩に佐野洋子の挿絵が付く。「未生」から「後生」までの互いの生のすべてを暗示し隠喩し寓意するかのように、詩と絵は密接に結びつき、具体的な生と生活の細部までも浮き上がらせようとしている。

（38）『**詩を贈ろうとすることは**』（集英社1991）多様な依頼に応えた集英社シリーズ第4冊。五十歳代における生活の変化を反映しつつも、静寂と沈黙を希求する姿は不変だ。祝婚歌、追悼詩をはじめ機会詩も多いが決して美辞麗句は用いない。時に辛辣さもあるが冷たくはない。詩の温もりだ。

（39）『**十八歳**』（東京書籍1993）表題通り18歳の時の作品群で『二十億光年の孤独』に収録されなかった63篇。素朴で瑞々しい少年の息づかいが凝縮した一冊だ。時に情念の空回り的な詩篇もあるが、時代を考えるとこの健全さは驚きだ。40年以上も後に刊行されたことの意義を考えたい。

（40）『**子どもの肖像**』（紀伊國屋書店1993）初の本格的コラボ写真詩集は百瀬恒彦が撮影した子供たちの写真への作品群。一人ひとりの子供の個性を鋭く描き、まるでその子が考えている内容を代弁しているかのような自然さにまとめている。どんな年齢の子にもなり切れる才能が開花した一冊。

（41）『**世間知ラズ**』（思潮社1993）父の死、離婚、結婚と続く還暦前後の日々の瞑想と自省と不安と恍惚のアマルガムの中で、詩への問い、言葉への問いがあらためて奔出し、それらの問いがさらに詩の深みへの探究に誘う。ほぼ発表順（執筆順）の配列は、この時期が詩索そのものだったから。

（42）『**ふじさんとおひさま**』（童話社1994）1977年から79年にかけて「毎日こどもしんぶん」に連載した子供の詩44篇。佐野洋子によるカラー挿絵入り。子供目線でしか通常捉えられない微妙なイメージを鮮やかに切り取っていく手際が鮮やか。94年に刊行されたことの意義は大きい。

（43）『モーツァルトを聴く人』（新潮社１９９５）『世間知ラズ』と平行して書かれた19篇。いずれも音楽、特にモーツァルトをモチーフに書かれ、音楽の悦楽と危険をアンビバレントな感情で描き出している。特に、ピアノと亡母についての記憶は生々しく、死の主題さえ音楽に彩られている。

（44）『真っ白でいるよりも』（集英社１９９５）集英社シリーズ第5冊は相変わらず変幻自在な書きぶりで読者を楽しませてくれる。時に女性一人称だったり少年だったりすることもあるが、生身の詩人の姿が色濃く出た作品が面白い。還暦を過ぎて孫ができて友人を失って、といった人生詩の妙味。

（45）『クレーの絵本』（講談社１９９５）若い頃から慣れ親しんできたというクレーの絵画に詩を付した詩画集。『夜中に台所で…』中の収録作がほとんどだが、本来の詩画集として初めて実現した。モーツァルトの音楽と同様に、言葉にならない音や色や線への憧れがこの詩人のポエジーの源泉だ。

（46）『やさしさは愛じゃない』（幻冬舎１９９６）荒木経惟との写真詩集。全篇女性一人称による語りの詩。若い女性になりきって男（写真家）への感情の諸相を語る方法は一種の物語を構成する。写真家と詩人の個性がぶつかり合っているとも見えるが両者の個性が強すぎてぎこちなさが否めない。

（47）『みんなやわらかい』（大日本図書１９９９）こども目線の詩はいよいよ本領発揮。おそらく5歳から11歳ぐらいの男の子や女の子の語りによって、人生や家族や社会の矛盾や桎梏や不正や真実を素朴に、だが本質的に問いかけていく。可愛いだけでなく残酷、冷淡、悪意もまた子供の本質だ。

(48)『クレーの天使』(講談社2000)『クレーの絵本』の姉妹篇。天使の絵ばかりを選択し短い詩を付した詩画集。単純に善良なだけでなく人間的であり時には悪魔的でさえある天使とは詩の精霊そのものではないか。総かな表記は子供の詩と共通し、平易な言葉で書かれているが単純ではない。

(49)『minimal』(思潮社2002)十年ぶりの思潮社シリーズ第7冊は行脚の短い三行詩節による寡黙な作品群。饒舌と騒音に嫌気がさして沈黙していた時期からの復活は沈黙の中から静かに行われた。全作品に英訳が付き、寡黙ゆえの難解さへの注釈の役割を果たしている。快進撃への序。

(50)『夜のミッキー・マウス』(新潮社2003)前作から一転して、五行詩節を多用した雄弁な作品群。執筆期間の長さ(10年弱)のせいもあってか、前衛性と大衆性の入り混じった多様な一冊だ。思潮社でも集英社でもない版元からもその二面性が窺われる。饒舌な詩「無口」の両面性に注目。

(51)『シャガールと木の葉』(集英社2005)集英社シリーズ第6冊。各種の依頼に自然体で応じながら、詩人の本音と本質を多様に明示し暗示し象徴する作品群だ。詩による沈黙の暗示を縦軸とし、具体的な身体詩を横軸とするマトリックスの中に、21世紀詩を切り開く活力がみなぎっている。

(52)『すき』(理論社2006)こどもの詩シリーズ第7冊は円熟の技法と素朴な魂の合体による48篇。自らの思想や本音などを直截的に表現する方法を詩人は子供の詩の中に確立した。言葉論や沈黙論もあって「現代詩」以上に「現代的」な新奇さも見られる。3歳児に憑依できる能力は驚きだ。

（53）『すこやかに　おだやかに　しなやかに』（佼成出版社2006）パーリ語による上座仏教の経典「ダンマパダ」の英訳を底本にしながら自由な創作を加えることで、いわばブッダとの連詩を試みた12篇。4行2行4行2行という12行の定型詩でもある。やはり翻訳というより創作と見たい。

（54）『歌の本』（講談社2006）歌詞として書いてきた作品（子供のための歌をのぞく）を集成した66篇。音楽がついて歌われるのが前提だが、詩として読んでも楽しめて意義深い作品も多い。未作曲のものもいくつかあって、今後に期待したい。「世界の約束」など詩として自立し得る作品も。

（55）『私』（思潮社2007）思潮社シリーズ第7冊。長きにわたって詩における「私」性を否定してきた詩人が「私」を主題にした一冊は驚きをもって迎えられた。人を驚かすのも詩人の使命とばかりに、大胆に描写される「私」はまさに詩人の肖像だ。処女詩集を思わせる清新な「少年」連作も。

（56）『ひとりひとりすっくと立って』（澪標2008）全部で140以上ある校歌の歌詞から44篇を編んだ校歌詞集。幼稚園から小、中、高、大学、そして会社、老人施設まで、まさに全人生をカバーした歌詞集だ。選択の基準はあくまで「詩として」自立して読まれ得るもの。編集は山田兼士。

（57）『子どもたちの遺言』（佼成出版社2009）新生児から新成人までの子供たちを撮った田淵章三の写真に付した詩12篇。すべて子供自身の視点による語りによって構成されている。子供の詩の達人とはいえ、まだ言葉を一言も発しない新生児の気持を詩にするとは驚きだ。しかも遺言とは。

（58）『トロムソコラージュ』（新潮社2009年）長い作品は苦手、と言い続けた詩人が、喜寿を迎えて長編詩に挑戦した6篇。いずれも物語性の強い作品だが、凝縮度と暗示力によって詩的言語から離れることなく、未知の領域へと歩を進めて行く。書き下ろしの「臨死船」と「この織物」は傑作。

(59)『詩の本』(集英社2009)集英社シリーズ第7冊は相変わらずの多彩さで楽しませてくれる。どんな依頼にも高品質の作品で応える名人芸。新しい特徴は、一部の作品に解説が施されていること(これは初)、詩論詩(対話詩を含む)の割合が増えていること、そして深い追悼詩が多いこと。

(60)『mamma まんま』(徳間書店2011)伴田良輔による乳房の写真に付した36篇の短詩。いかにもイロモノに見えなくもないが、どんなシチュエーションでも詩人はナチュラルでナイーヴだ。命の源、元気の素、哺乳類としての実存、といった諸々の特質が嘘偽りなく説得力をもって迫ってくる。

(61)『東京バラード、それから』(幻戯書房2011)詩集『うつむく青年』所収の「東京バラード」7篇を軸に、他の旧作73篇に新作10篇を加えたリミックス詩集だが、例外的に一冊と数える。古いモノクロ写真を加え、新旧の東京を立体的に構成したユニークな作品だ。無論新作は全て傑作。

(62)『写真』(晶文社2013)詩人が撮り下ろした写真52葉にみずからのエピグラム(寸鉄詩)を書き下ろした、『絵本』(的場書房)以来57年ぶりの写真詩集。構成した飯沢耕太郎によると、『絵本』復刻本(澪標2010)がきっかけになったとのこと。一瞬を捉えた写真は詩の一瞬に呼応する。

(63)『ミライノコドモ』(岩波書店2013)近作16篇に書き下ろし11篇を加えた一冊。依頼に応じた柔らかい作品と意識下の深みにまで推敲の錘を下ろした作品とが併存しているのが特徴。老いて益々童心を自在に描けるようになった詩人の新たなる創作宣言でもある。『こころ』と同時生成。

(64)『こころ』(朝日新聞出版2013)月1回5年間にわたって連載された60篇。連載中に東日本大震災という大事件に遭遇したことも含めて、詩人の魂の遍歴をも含む一冊になった。明晰な精神と深遠な魂がとらえた六十通りの心が明晰なイメージになって念写されたアルバムといえるだろう。

(65)『ごめんね』(ナナロク社2014)「夏のポエメール」限定版。若き日に書かれた未発表作品に「はじめに」を加えた31篇。瑞々しさが隅々まで行き渡っている清新さが驚きだ。詩人も時代も老いるが「詩はいつまでも年をとらない」(「はじめに」)「詩人はそれを口には出さない」とは?

(66)『おやすみ神たち』(ナナロク社2014)川島小鳥が中国で撮影した写真集に付した26篇。微妙に揺れ動く心と体の細部に耳を澄まし目を見張った、言葉によるスナップショット集といった趣き。キーワードが「魂」でも「タマシイ」でもなく「タマシヒ」なのは「ヒ=火」の含意だろうか。

(67)『詩に就いて』(思潮社2015)表題通り「詩に就いて」の考察をまとめた作品群。若い頃から詩に就いて詩で語ることは、詩人の通奏低音と呼ぶべきモチーフだった。次第にそのモチーフが強くなり深くなりかつ多様になったところで出た乾坤一擲の詩集が本書だ。心して深読みすべき一冊。

(68)『あたしとあなた』(ナナロク社2015)『詩に就いて』とほぼ同時に出た書き下ろし37篇。全篇女性一人称による語りはこの詩人ならではの意匠だ。柔らかく優しい口調に実は深く重い人生観がにじみ出ている。「詩に就いて」の考察もひそかにしずかに含まれていることに留意すべき。

（69）『**対詩　2馬力**』（ナナロク社2017）覚和歌子との共著。聴衆を前にしてのライヴ対詩の集成。座談会や自己解説も含む立体構成が興味深い。詩のことばが生まれるその瞬間に立ち会い生成過程を想像するのは愉しい体験だ。二人の詩句は時に化学反応を起こして新物質を形成するかと思えば激しい対照を描きもする。

（70）『**バウムクーヘン**』（ナナロク社2018）もはや谷川作品の1ジャンルと呼ぶべき総ひらがな詩45篇。従来の〈こども〉の詩とは一味違う、大人の中に潜む子供の詩だ。「木の年輪」とは詩人による人間観の喩そのもので、永遠の子供こそが詩人であることを示唆している。詩と詩人の考察もひらがなで。

（71）『**普通の人々**』（スイッチ・パブリッシング2019）圧巻の第71詩集は全21篇中19篇が書き下ろし。表題通り「普通の人」たちのさりげない情景が普通ではない視線にとらえられている。おびただしい数の人名はそれぞれの人生と宇宙を内包し暗示していて、いずれの人にも詩人は憑依して離脱する。

（72）『**ベージュ**』（新潮社2020）第72詩集31篇。年齢を越えた普遍的作品と年齢相応の（達観的）作品の統合から成る新しい型の作品だ。若さが懐かしく老いが新鮮なのはこの詩人ならではの逆説的?ポエジーの為せる技か。青春を温存しなければ書けない詩もあれば米寿でなければ書けない抒情もある。

あとがき

谷川俊太郎

聴衆を前にしてひとりで話をしろと言われると、何を話していいかわからない。私は自分から話したいことがないので、講演、講義の類は依頼されても引き受けたことがない。その代わり誰かが話し相手になってくれれば、話すことがどんどん出てきて、自分では気がついていないことまで喋っていて、我ながらびっくりすることがある。基本的に私はモノローグよりもダイアローグに向いている人間らしい。

山田兼士さんが初めて私を大阪に招いてくださったのがいつだったのか、物覚えの悪い私ははっきり思い出せない。でもその機会がいつも緊張を伴いながらも楽しいものだった事実は、私のカラダが覚えている。中国語が母語である田原さんが加わったことも、日本という国と日本語を外から考え直すいい機会になった。

この400ページ近い大冊を今読み返してまず感じるのは、懐かしさと言っていい感情だ。私が歳を重ねたこともあるが、地球の気候変動、核廃棄物の処理、宇宙ゴミの増加、そしてパンデミックなど私個人の変化を超えた時代の変動が、未来をますますイメージし難くしている。詩について語り合うことがこの時代の現実とどこまで拮抗し得ているのか。

日本語で詩と信じる何かを書くことしか残されていない私にとって、この本はこれからの私にとって一つの、しかも多様なメルクマールになるだろう。

初出誌一覧

詩はいつ来るのか　「びーぐる　詩の海へ」三二号、二〇一六年七月

質問というわけではない　「アジアの友」二〇〇一年四月号

一九七〇年代後半から現在までを展望する　「別冊・詩の発見」第三号、二〇〇六年四月

読む詩、聴く詩　「別冊・詩の発見」第五号、二〇〇七年四月

詩の朗読と翻訳をめぐって　「樹林」五一七号、二〇〇八年二月

最新作を読む　「別冊・詩の発見」第七号、二〇〇八年四月

詩の話、歌の話、そのほかに　「別冊・詩の発見」第八号、二〇〇九年三月

〈こども〉の詩を語る　「びーぐる　詩の海へ」第五号、二〇〇九年一〇月

詩に就いて詩で語ること　「びーぐる　詩の海へ」第三二号、二〇一六年七月

詩を書くことは私の天職である　『谷川俊太郎詩選集　3』集英社文庫、二〇〇五年八月

著者略歴

谷川俊太郎（たにかわ　しゅんたろう）

1931年東京生れ。52年に詩集『二十億光年の孤独』を出版後、『旅』、『定義』、『ことばあそびうた』、『minimal』、『シャガールと木の葉』、『私』『こころ』『ベージュ』など70冊あまりの詩集を出版。『自選　谷川俊太郎詩集』（岩波文庫）、『谷川俊太郎詩選集』（集英社文庫、全4巻、田原編）等。他に、エッセイ、翻訳、絵本、童話など著書多数。

田　原（ティエン　ユアン）

1965年中国河南省生れ。91年来日留学。2003年『谷川俊太郎論』で文学博士号取得。城西国際大学客員教授。中国語版『谷川俊太郎詩選』（22冊）翻訳出版。2001年第1回留学生文学賞（旧ボヤン賞）受賞。日本語詩集『そうして岸が誕生した』、『石の記憶』（H氏賞）、『夢の蛇』等。

山田兼士（やまだ　けんじ）

1953年岐阜県大垣市生れ。関西学院大学大学院卒。大阪芸術大学教授。著書『小野十三郎論』、『ボードレールの詩学』、『谷川俊太郎の詩学』、『福永武彦の詩学』等。翻訳『小散文詩　パリの憂愁』（ボードレール）、『ドビュッシー・ソング・ブック』等。詩集『微光と煙』、『羽の音が告げたこと』等。

詩活の死活　この時代に詩を語るということ

二〇二〇年十一月十日発行

著　者　谷川俊太郎
　　　　田原
　　　　山田兼士
発行者　松村信人
発行所　澪　標（みおつくし）
大阪市中央区内平野町二 - 三 - 十一 - 二〇二
TEL　〇六 - 六九四四 - 〇八六九
FAX　〇六 - 六九四四 - 〇六〇〇
振替　〇〇九七〇 - 三 - 七二五〇六
印刷製本　亜細亜印刷株式会社
DTP　山響堂 pro.